L'ESSENCE DU SUCCÈS

Guide pour la femme en quête de pouvoir authentique

Jennifer Read Hawthorne

Traduit de l'américain par
Normande Poirier

Traduction : Normande Poirier
Révision linguistique : Johanne St-Martin
Révision : Nancy Coulombe, Nicole Lavertu
Graphisme : Nancy Lizotte
Photo de Wayne Dyer : Greg Bertolini
ISBN 978-2-89565-371-4
Première impression : 2007
Dépôt légal : 2007
Bibliothèque et Archives nationales du Québec
Bibliothèque Nationale du Canada

Éditions AdA Inc.
1385, boul. Lionel-Boulet
Varennes, Québec, Canada, J3X 1P7
Téléphone : 450-929-0296
Télécopieur : 450-929-0220
www.ada-inc.com
info@ada-inc.com

Diffusion
Canada : Éditions AdA Inc.
France : D.G. Diffusion
ZI de Bogues
31750 Escalquens - France
Téléphone : 05-61-00-09-99
Suisse : Transat - 23.42.77.40
Belgique : D.G. Diffusion - 05-61-00-09-99

Imprimé au Canada

Participation de la SODEC.
Nous reconnaissons l'aide financière du gouvernement du Canada par l'entremise du Programme d'aide
au développement de l'industrie de l'édition (PADIÉ) pour nos activités d'édition.
Gouvernement du Québec - Programme de crédit d'impôt pour l'édition de livres - Gestion SODEC.

Catalogage avant publication de Bibliothèque et Archives Canada

Hawthorne, Jennifer Read

L'essence du succès

Traduction de : The soul of success.
ISBN 978-2-89565-371-4

1. Femmes - Psychologie. 2. Perception de soi chez la femme. 3. Acceptation de soi chez la femme.
4. Estime de soi chez la femme. I. Titre.

HQ1206.H3814 2006   155.6'33   C2006-940480-1

Pour Orion et Elisabet,
dont les enseignements et l'amour
ont enflammé mon âme

Comme un soleil, les mots.

Ils peuvent donner au cœur ce que la
lumière apporte au champ de blé

— SAINT JEAN DE LA CROIX

Table des matières

Introduction

Si ce sont les autres qui fixent les conditions de ta réussite,
Si le monde l'approuve
Mais que toi, au fond du cœur, tu ne l'approuves pas,
Alors, ce n'est pas une réussite.

— Anna Quindlen

Voici un livre qui traite d'une nouvelle manière d'être dans le monde.

Tout a commencé lorsque je me suis rendu compte que, nous, femmes, venions peut-être de Vénus, mais que notre désir de tout concilier nous avait fait passer beaucoup trop de temps sur Mars ! Nous avons accepté l'idée que le succès est une question de profit, de réussite financière, de statut social et de victoires. Nous nous sommes définies nous-mêmes et avons évalué notre succès à la mesure de nos relations, de notre salaire, de nos réalisations et de nos possessions.

Nous sommes devenues des expertes du « faire ». Nous nous sommes qualifiées pour occuper des emplois à temps plein tout en prenant soin de notre foyer, de notre famille et de nos amis de jeunesse.

Mais à quel prix ? Pour ma part, j'ai poussé le « faire » jusqu'au point où il m'a fallu admettre que j'avais un problème de dépendance au travail qui perturbait ma santé, ma famille et mon équilibre mental.

Il y a des années, j'ai commencé à vouloir maîtriser le monde matériel en participant à un séminaire intensif de trois jours intitulé « Dites oui au succès ! » J'y ai appris à me fixer des objectifs (quotidiens, hebdomadaires, mensuels, annuels, quinquennaux, et même pour toute la vie), à gérer mon temps et à choisir une garde-robe de battante. Aujourd'hui, je ne nie pas que nombre de ces techniques que j'ai apprises alors sont des outils précieux pour se débrouiller dans la vie.

Toutefois, au fil du temps, quelque chose a changé en moi. Je révisais mes objectifs une ou deux fois par jour dans l'espoir que je pourrais, d'une façon ou d'une autre, tous les atteindre, lorsque je me suis aperçue qu'une activité de ce genre relevait principalement du « faire », un domaine souvent considéré comme « masculin ».

Il y a trois ans, l'effet de cette façon de voir les choses est devenu clair quand je me suis retrouvée frustrée et insatisfaite de la personne que j'étais devenue. En dépit des efforts que j'avais accomplis pour m'améliorer, je critiquais tout, je portais des jugements catégoriques et je voulais tout contrôler. Je n'aimais pas mon mari, et j'ai perdu beaucoup de temps à montrer qu'il était responsable de mon état malheureux. J'avais mal tout le temps.

Nous vivions une situation difficile. J'ai passé la moitié de ma vie (du moins, c'est ce qui semblait) à faire le trajet de six heures entre nos deux résidences dans le Middle West : l'une au Minnesota, l'autre en Iowa. Notre vie confortable de citadins d'une petite ville avait basculé lorsque l'entreprise pour laquelle mon mari travaillait a muté tous ses employés au siège social de l'entreprise au Minnesota (nous avons conservé notre maison en Iowa parce j'avais mon entreprise dans cet état). À peine quelques mois plus tard, mon mari a été licencié. Au même moment, mon beau-fils avait des difficultés à son nouveau lycée.

D'un commun accord, mon mari et moi avons décidé qu'il ne chercherait pas un autre travail, mais qu'il prendrait du temps pour écrire et faire des activités qui l'intéressaient, et pour lesquelles il n'avait jamais eu de temps. À cette époque, mon revenu était suffisant pour assurer notre subsistance à tous et j'aimais mon métier de conférencière. Soutenir financièrement la famille ne me causait donc pas de tension : en fait, j'étais heureuse de le faire.

Comme tant d'autres entreprises et professions, le domaine des conférenciers professionnels a beaucoup souffert des retombées du 11 septembre. Lentement, ma principale source de revenus s'est mise à tarir.

À une certaine époque, ma réaction normale aurait été de me demander : « Que puis-je faire de plus ? » Mais, je ne voulais rien faire de plus. Depuis des années, j'étais épuisée, — mentalement, physiquement et émotionnellement — de toutes ces allées et venues, de ces efforts pour maintenir deux foyers, de la stagnation qui s'était installée dans mon mariage pendant que mon mari et moi passions la journée devant notre portable. Et bien que j'aie très peu de travail, je semblais toujours en train de travailler.

Instinctivement, j'ai senti que si j'allais atteindre un équilibre dans la vie — cette chose insaisissable que la plupart des femmes de notre société s'efforcent de trouver — cela se produirait en cultivant ce qui était à l'opposé des qualités masculines d'énergie, de dynamisme et de concentration : les aspects prétendument « féminins » de la nature. Plus j'en apprenais sur le féminin, plus la possibilité que les principes profonds féminins à l'œuvre dans tous les êtres humains puissent jouer un rôle aussi important que ceux prétendument masculins pour atteindre la réussite et le bonheur dans l'existence m'intriguait.

Je me suis mis à parler avec des femmes et à recueillir leur histoire. J'ai fait des découvertes à la fois étonnantes et porteuses de changement.

J'ai découvert des mots simples comme *compassion*, *amour de soi*, *pardon*, *intégrité* et *lâcher prise*, que vous lirez dans la table des matières. On peut voir certains de ces mots et se dire immédiatement : *Oh ! j'ai déjà cette qualité, et cette autre, et celle-là aussi.* Certains de ces mots peuvent provoquer de fortes réactions. Je comprends cela parce que, moi non plus, je ne fais pas très bon ménage avec un mot comme « lâcher prise » ! De nos jours, même le mot « féminin », avec son cortège de dentelles et de soumission, peut déranger certaines femmes.

Cependant, ces mots désignent plus que des qualités, ce sont des principes qui, mis à l'œuvre dans notre vie, peuvent influencer profondément les destinées de notre âme et ranimer celle-ci.

Plus simplement, j'apprends que les principes féminins concernent davantage la « manière d'être » que le faire. Comme l'ont mentionné de nombreux écrivains et conférenciers, nous sommes des êtres humains et non des « faires » humains. Lorsque nous associons la réceptivité, l'intuition, la capacité de guérir et l'humanisme du féminin avec notre faculté d'action sur le monde, notre vie devient meilleure. Nous commençons à nous détendre. Nous nous sentons en paix quoi qu'il arrive. Nous nous abreuvons au fleuve magique de la vie dans lequel nos jours semblent s'écouler.

De plus, nous comprenons profondément que ce sont ces choses qui font une vie vraiment réussie. C'est là le pouvoir inné et authentique du féminin, et l'âme véritable du succès.

Naturellement, les aspects masculins et féminins de la vie sont présents et accessibles dans tous les êtres humains, hommes ou femmes. Les principes abordés dans ce livre et les histoires qui les illustrent s'adressent aux deux sexes. Homme ou femme, lorsque nous nous laissons guider par la part féminine de nous-mêmes — les intuitions profondes de notre être — la part masculine se charge de manifester extérieurement ces intuitions d'une manière facile et aisée. C'est le mariage merveilleux du féminin et du masculin, l'union du yin et du yang. Comme un ami me disait, il aime « faire », mais il veut que son activité soit fondée sur les principes dont il est question dans ce livre. Quoi qu'il en soit, il semble que ce soit tout simplement une meilleure façon de vivre.

J'ai parlé avec des femmes parce, de nature, je crois que nous sommes plus ouvertes à considérer une nouvelle façon de voir le succès. Poursuivant ma propre démarche d'exploration du féminin, j'ai interrogé des femmes que je trouvais belles, vibrantes, conscientes et fortes d'une manière exceptionnelle et j'ai recueilli leur histoire. On trouve ici des dirigeantes d'entreprise prospères, des mères, des professeurs de yoga, des conférencières, des actrices, des planificatrices financières, des militantes, des soldates de la paix, des professeures, des artistes, des écrivaines et des danseuses. J'ai demandé à ces femmes de me raconter l'histoire de leur transformation et grâce aux révélations sincères qu'elles m'ont faites, j'ai beaucoup appris et grandi.

J'ai appris que l'amour de soi est plus difficile à atteindre que nous le pensons, mais que c'est le début de toutes choses. Que l'existence d'une relation entre les dimensions physique, mentale, émotionnelle et spirituelle de l'être est autre chose qu'une platitude Nouvel âge, c'est la guérison de toutes les blessures sans laquelle ne peut exister de vrais succès. J'ai appris que la manière dont je vis cet *instant présent*, peu importe ce que je suis en train de faire, est plus importante que n'importe quel projet. Et j'ai appris que la grâce divine est à l'œuvre dans l'univers sept jours sur sept. Tout ce qu'il y a à faire est d'être réceptif.

Ne vous méprenez pas sur mon compte ; l'argent et l'admiration de mes semblables ne me laissent pas insensible. Maintenant, cependant, d'autres choses — comme la spiritualité, la passion de vivre, la confiance en un guide intérieur infaillible — m'importent davantage. Je ne veux pas mener une existence futile. Je veux sentir que la plupart des choses que j'accomplis ont un sens et je veux constamment explorer de nouveaux horizons. Depuis quelque temps déjà, j'ai même adopté ce mantra : *je veux être dans le monde d'une nouvelle façon.*

Je crois que nombre d'entre nous rêvent de retrouver une manière de vivre équilibrée. Désormais, nous souhaitons une mesure du succès qui tienne compte de l'expérience *intérieure*. En fait, nous désirons la richesse intérieure autant que celle qui est extérieure, et nous sommes prêtes à faire l'expérience, dans nos vies personnelle et professionnelle, d'un nouveau genre de succès qui inclurait un sentiment de paix, de liberté et de profond épanouissement.

Encore et toujours, je veux être dans le monde d'une nouvelle façon. Si vous voulez bien me suivre.

1- L'intention

J'étais battue. Autrefois, j'avais aimé mon travail d'animatrice de séminaires d'écriture destinés aux gens d'affaires. Mais, après trop de journées passées devant des dirigeants d'entreprise, de 8 heures à 17 heures, à les divertir, à les éduquer et plus particulièrement à leur donner le *goût* de bien écrire, je n'en pouvais plus. Le luxe du service à la chambre avait depuis longtemps été éclipsé par un ardent désir de dormir dans mon lit. Sans aucun doute, le temps d'un changement était venu.

Mes études et mon expérience m'avaient appris que lorsqu'on veut accomplir quelque chose de grand, il faut partir avec une intention claire. Ainsi, un jour, je me suis assise, j'ai pris un crayon, j'ai fermé les yeux et je me suis demandé ce que je voulais faire de ma vie. La réponse ne s'est pas fait attendre : je voulais donner des conférences, non sur la manière de rédiger une bonne lettre d'affaires, mais sur la manière de bien vivre sa vie. J'ai ouvert les yeux et j'ai mis sur papier mon intention qui était la suivante : donner des conférences sur la manière de créer le genre de vie que nous voulons avoir. Je me suis ensuite lancée dans la conception du dépliant qui décrirait en détail la première présentation que je voulais donner et qui aurait pour thème : « Femmes, pouvoir et bonheur. »

Deux semaines plus tard, ma collègue et amie, Marci Shimoff, était dans mon bureau. Comme moi, Marci enseigne l'écriture d'affaires dans le monde des entreprises, et, comme moi, elle en avait plus qu'assez de trimbaler des textes modificatifs. Nous discutions d'une question délicate de ponctuation lorsque, soudainement, elle a vu mon dépliant et elle s'en est emparée.

« Cela fait quatre ans que je veux lancer une entreprise de conférences ! », s'est-elle exclamée presque en criant. Et c'est ainsi, tout simplement, que notre partenariat, appelé le Esteem Group, s'est formé.

La première chose que nous avons faite a été d'écrire notre intention. Nous nous donnions pour mission « d'aider les femmes à comprendre et à faire l'expérience de leur valeur et de leur pouvoir intérieur de manière à pouvoir créer leur propre vision des choses et à vivre selon cette vision ». Nous savions peu de chose du pouvoir de ces mots.

Nous avons lancé une entreprise de conférences, spécialisée en présentations sur l'estime de soi à l'intention des femmes. John Canfield, un expert réputé en matière d'estime de soi avec qui Marci avait étudié, s'est avéré d'un grand soutien. C'est ainsi que cette année-là, lorsque son livre *Bouillon de poulet pour l'âme* est devenu un succès de librairie, nous avons immédiatement obtenu la permission de John d'utiliser, lors de nos conférences, les histoires que son livre contenait.

L'association femmes et *Bouillon de poulet* s'est révélée une formule puissante. Nous n'avons pu que constater l'important impact qu'avaient ces histoires sur les femmes, à quel point elles en étaient profondément touchées et comment ces histoires les aidaient à effectuer des changements dans leur vie. C'est pourquoi le mois de janvier qui a suivi, lorsque Marci m'a parlé de publier en coédition un volume pour les femmes, je n'ai pas hésité. Nous avons transmis une proposition à Jack par télécopie. Il a répondu que cela lui semblait une bonne idée ;

et puis, nous nous sommes tous laissé entraîner par nos occupations et nous avons laissé tomber.

Toutefois, Marci et moi continuions de préciser notre mission : nous voulions toucher le cœur des femmes partout sur la planète. Nous voulions être pour elles une source d'inspiration et de motivation, leur donner la vision d'une vie vécue selon les valeurs du cœur, et leur apprendre le soutien merveilleux que nous pouvons nous donner les unes aux autres.

En fin de compte, nous sommes allées à Los Angeles rencontrer Jack pour discuter. Avec dans la tête et le cœur une vision claire de notre projet, nous avons dit à Jack que nous voulions toucher le cœur des femmes de toute la terre en écrivant un *Bouillon de poulet pour l'âme* spécialement pour elles. Jack nous a demandé pourquoi il devrait nous permettre de réaliser cette idée, nous faisant remarquer que son équipe obtenait déjà d'excellents résultats (ils travaillaient à la préparation du deuxième livre de la série). Marci et moi, nous sommes regardées au-dessus de la table et nous sommes rendu compte simultanément que nous n'avions absolument rien préparé en réponse à cette question !

Nous sommes restées là, un moment, silencieuses. Puis, tout d'un coup, les mots se sont mis à déferler : toutes deux, nous avons enseigné l'écriture d'affaires et nous connaissons les principes d'une bonne rédaction ; j'ai étudié le journalisme ; nous connaissons la formule « Bouillon de poulet », car nous avons utilisé les histoires du livre dans nos conférences ; notre entreprise nous permet d'être en relation avec les femmes et nous sentons que nous comprenons ce qu'elles souhaitent ardemment ; les femmes représentent un imposant marché ; et finalement, Jack et son collaborateur, le coauteur Mark Victor Hansen, ne peuvent signer un livre pour les femmes sans faire appel à des femmes coauteures !

Jack n'a pas hésité une seconde. Il a accepté, et seize mois plus tard, *Bouillon de poulet pour l'âme d'une femme* est devenu réalité. Après deux mois, c'était le succès de librairie numéro un sur la liste du New York Times. On en a vendu un million d'exemplaires.

Toutefois, nous n'avons pris conscience de l'ampleur de ces chiffres que lorsque des lettres ont commencé à arriver. Nous nous sommes vite aperçues que nous avions atteint notre objectif au-delà de nos plus folles espérances. Nous étions ensevelies sous un amas de lettres provenant de femmes, de presque partout à travers le monde, qui nous disaient comment notre livre avait changé leur vie. Des mères et des filles brouillées s'étaient réconciliées ; des femmes victimes de sévices sexuels trouvaient le courage de demander de l'aide ; des femmes avaient changé de métier ou elles avaient décidé d'adopter un enfant ; d'autres avaient fait face à leur patron, à leur maladie, à leurs craintes ou à leur belle-mère. Nous avons sillonné le pays, donné des conférences et signé des volumes, et partout, des femmes nous ont confié leur histoire. Marci et moi, nous avons pleuré avec elles, nous avons ri avec elles, et souvent, nous nous sentions les femmes les plus privilégiées de la terre.

J'ai toujours cette impression ! J'ai appris qu'une intention qui vient du cœur, associée au désir sincère de travailler à sa réalisation, peut produire des miracles. Nous ne savons pas comment cela arrive et nous n'avons pas besoin de le savoir. Nous devons simplement avoir l'œil ouvert sur les possibilités et être disposés à faire ce qu'il faut. Dire que Marci et moi avons travaillé extrêmement fort pour produire ce premier volume est en dessous de la vérité. La courbe d'apprentissage était abrupte, et en même temps que nous travaillions au volume, nous continuions, afin d'avoir des revenus, de mettre sur pied notre entreprise de conférences et d'enseigner la rédaction d'affaires. Le simple fait de trouver des moments où nous étions en ville simultanément était un tour de force ! Mais nous savions que la situation offrait des possibilités qui ne se reproduiraient jamais. Et nous avions trouvé un moyen magnifique de réaliser notre souhait !

Voici l'histoire du docteur Christine Horner. Cette histoire nous donne un autre exemple du pouvoir extraordinaire de l'intention. Indignée par une injustice dont elle a été témoin en tant que spécialiste en chirurgie plastique aidant les femmes à se rétablir du cancer du sein, Christine est devenue militante politique. Elle voulait donner du pouvoir aux femmes, et elle savait qu'en les aidant à obtenir les soins de santé dont elles avaient besoin, elle pouvait atteindre remarquablement son objectif.

Elle savait également qu'en formulant clairement son intention, elle mettait toutes les chances de son côté. C'est pourquoi elle l'a mis sur papier : « La chirurgie de reconstitution doit être accessible à toutes les femmes. » Elle n'a eu ensuite qu'à observer l'univers conspirer pour lui permettre d'atteindre son but. Comme elle le fait remarquer — et comme Marci et moi l'avons aussi découvert —, cela se produit d'une manière que nous n'aurions pu imaginer ou prévoir !

L'histoire de Christine Horner touchera particulièrement celles d'entre nous qui ont eu un diagnostic de cancer du sein dans leur famille. Le désir sincère de Christine d'aider les autres et les efforts qu'elle a accomplis pour atteindre son but seront une source d'inspiration pour tous ceux et celles qui liront cette histoire.

L'histoire de Christine Horner
Faire arriver les choses

L e 21 octobre 1998, lorsque j'ai entendu la nouvelle que le président Clinton avait entériné le Women's Health and Cancer Rights Act, j'ai essuyé quelques larmes et j'ai échangé avec ma mère, au ciel, un signe de connivence. J'exultais. « Maman, on a réussi ! »

La rude bataille engagée pour faire passer cette loi avait duré cinq ans, mais toutes les frustrations endurées, toutes les soirées de veille et chaque sou dépensé en avaient valu la peine. Selon cette nouvelle loi, une femme ayant eu une mastectomie était en droit d'exiger de son assureur qu'il paie les coûts d'une chirurgie reconstructrice. Au début des années 1990, dans une tentative mal avisée pour réduire les coûts, plusieurs sociétés d'assurances avaient décidé de ne plus payer pour cette chirurgie reconstructrice essentielle. Avec la loi, la couverture de cette chirurgie devient obligatoire et toutes les patientes qui en ont besoin peuvent s'en prévaloir.

L'histoire débute, il y a 7 ans, au cours de l'année 1991, au moment où je commençais ma pratique en solo dans la grande région de Cincinnati. À trente-trois ans, je venais de terminer les vingt-sept années d'études qui avaient été nécessaires pour me permettre de réaliser mon rêve d'enfant, soit celui de devenir une spécialiste de la chirurgie plastique et reconstructrice. Comme c'était merveilleux de pouvoir enfin aider les gens grâce à mes talents de chirurgienne !

Durant les deux années qui ont suivi, en développant ma pratique, je me pris d'une sympathie particulière pour une catégorie spéciale de patientes. Elles touchaient en moi une corde sensible parce que ma mère était l'une d'entre elles. Il s'agissait des femmes atteintes de cancer du sein.

Un jour de l'année 1993, une jeune femme dans la trentaine vint à mon bureau et me dit qu'un traitement contre le cancer du sein avait nécessité l'ablation complète de ses deux seins. Elle me demandait de les reconstruire. Après la consultation, comme le règlement l'exige, j'ai écrit à son assureur, la Indiana Medicaid, afin d'obtenir l'autorisation de procéder à la chirurgie reconstructrice. Par le passé, les sociétés d'assurance avaient toujours payé, sans faire d'histoire, les coûts de la chirurgie reconstructrice du sein après une mastectomie, je croyais donc que ma demande était une simple formalité. Plusieurs semaines plus tard, je reçus une réponse de l'assureur m'avisant que l'intervention n'était « pas médicalement indiquée ». Cette expression de jargon utilisée par les assureurs signifie habituellement : « Sur le plan médical, rien ne s'oppose à cette chirurgie. Cependant, nous n'en payons pas les frais afin d'épargner de l'argent. »

J'ai cru qu'il s'agissait d'une erreur et je leur ai écrit de nouveau. Ce n'était pas une erreur. Le directeur de la Medicaid était implacable. Cet homme d'affaires a réaffirmé que la chirurgie demandée n'était « pas médicalement nécessaire ».

J'étais indignée et j'ai décidé d'en appeler de cette décision, quoi qu'il en coûte, et non pas parce qu'elle menaçait ma pratique ou mes finances, de nombreux patients faisant appel à moi pour quantité d'autres problèmes. Après plusieurs mois, je me suis rendu compte que les procédures d'appel prendraient un temps énorme et impliqueraient presque certainement des pertes financières. Cela ne m'a pas arrêté. J'ai refusé de laisser tomber ma patiente. Je savais trop bien ce par quoi elle passait.

Imaginez qu'on vous apprend que vous avez le cancer du sein. Un chirurgien vous dit qu'il doit procéder à l'ablation d'un sein ou des deux. On vous dit également que le traitement de votre maladie comportera l'administration de substances chimiques qui vous rendront malade, entraîneront la perte de vos cheveux et pourraient éventuellement endommager les organes de votre corps. La mort est chose possible. Vous craignez les traitements et la douleur et, par-dessus tout, vous vous demandez si l'être que vous chérissez vous aimera encore et vous trouvera toujours séduisante. Merci mon Dieu, vous apprenez que vous pouvez retrouver une apparence normale grâce à la chirurgie reconstructrice. Vous vous apercevez alors que votre assureur refuse de payer pour cette chirurgie. Imaginez.

Quelques mois plus tard, munie d'une pile de publications de recherches, j'ai plaidé l'affaire devant un tribunal chargé de trancher finalement la question. J'ai présenté au juge des études qui montraient les effets bénéfiques considérables de la reconstruction mammaire. Selon ces études, lorsque la reconstruction mammaire a lieu au cours de la même opération que la mastectomie, le traumatisme chez les femmes est bien moindre. Le juge était une femme et m'a donné gain de cause.

Cependant, la bataille était loin d'être terminée. Au contraire. Peu de temps après, je me suis aperçue avec consternation que l'affaire n'avait pas créé de précédents et qu'elle n'avait aucun impact sur les autres cas du même genre. Chaque cas était évalué séparément à la Medicaid. Ce qui signifiait qu'il me faudrait entreprendre cette bagarre administrative longue, épuisante et coûteuse chaque fois qu'une patiente aurait besoin de reconstruction mammaire ! Pire encore, les assureurs privés ont suivi le mouvement du refus de payer. J'ai eu le coup de grâce le jour où j'ai reçu une lettre de la Blue Cross and Blue Shield du Kentucky m'avisant que la reconstruction mammaire pour ma patiente de trente-trois ans n'était pas nécessaire puisqu'il n'y avait pas d'impératif médical à reconstruire un « organe qui n'a pas de fonction ».

Les yeux fixés sur ces mots : « un organe qui n'a pas de fonction », je me suis mise à crier : « Un organe qui n'a pas de fonction ? Quelle sorte d'idiot, dur et sans cœur, peut dire une pareille chose ? » Je me suis alors juré qu'un jour les frais de chirurgie reconstructrice seraient couverts par l'assureur de toute femme qui subirait une mastectomie.

Pour atteindre ce but, je savais que des lois devaient être passées. Pour moi, tout cela n'était pas évident. Je ne connaissais rien des procédures politiques, et en dépit de mon doctorat, je ne m'exprimais pas facilement de crainte d'avoir l'air stupide. Mais je savais que si je continuais d'écouter mon cœur et si je demeurais ferme dans mon intention, d'une manière ou d'une autre, j'y arriverais.

C'est ainsi que l'aventure a commencé. Et quelle aventure c'était : imposante, magique et profondément spirituelle. À certains moments, il me semblait que tout ce dont j'avais besoin pour mon projet, chose ou personne, arrivait à moi sans effort. Des gens m'offraient de manière imprévue une aide essentielle, des rencontres parfaitement synchronisées et d'heureuses coïncidences se produisaient d'une manière si habituelle que j'en étais venue à les attendre.

Par exemple, le projet était déjà avancé lorsque j'ai pensé que ce serait une bonne chose si le sénateur Ted Kennedy parrainait le projet de loi fédéral, compte tenu de l'habileté dont il fait preuve pour faire accéder au Congrès les projets de loi liés à la santé. Je n'ai rien fait ni n'ai parlé de cette idée à personne, mais une semaine plus tard, j'assistais à une rencontre médicale de l'état lorsqu'un chirurgien de Boston est venu à moi et m'a dit : « Je vais opérer Ted Kennedy la semaine prochaine. Voulez-vous que je lui demande de parrainer votre projet de loi ? »

On aurait dit que j'étais en communication directe avec Dieu. Demandez et vous recevrez. Je ne plaisante pas !

Cependant, c'était aussi difficile, frustrant et parfois même irritant. Il fallait démontrer beaucoup de persévérance et de force, des qualités que j'ai développées avec le temps ; et à certains moments, les obstacles semblaient insurmontables. Lorsque j'ai lancé le projet, il me semblait indiqué de concentrer mes efforts à faire adopter une loi fédérale. Malheureusement, le projet national de soins de santé de Clinton venait d'être refusé et le mot d'ordre à Washington était qu'aucun projet de loi national, en matière de soins de santé, ne soit même considéré. J'ai rapidement conclu qu'il fallait, d'une façon ou d'une autre, passer une loi pour chacun des états — cinquante au total. J'ai respiré profondément et je me suis mise à planifier, à organiser, à appeler des gens et à envoyer des lettres. En un an, je m'étais assurée, dans chaque état, de l'aide de chirurgiens plastiques, de survivantes du cancer du sein et de nombreux organismes. Et, une à une, les lois d'état ont commencé à être adoptées.

C'est alors qu'un matin de 1994, j'ai eu la pire nouvelle à ce jour. J'ai appris que les succès que nous avions remportés dans les états ne signifiaient rien en raison d'une faille juridique. Il semble qu'à cause d'une loi appelée ERISA, l'Employee Retirement Income Securities Act, la plupart des citoyens ne peuvent profiter de la protection des lois d'état en matière de santé. J'ai alors compris que si je voulais honorer ma promesse, il faudrait qu'une loi fédérale soit adoptée, en fin de compte.

Le défi que cela représentait et les possibilités de réussite me semblaient aussi impressionnants que d'escalader le mont Everest sans chaussures. Mais, un événement tragique s'est produit dans ma vie et a fouetté ma résolution. Ma mère, cette femme extraordinaire et vibrante qui m'avait enseigné à me dépasser, venait de perdre une bataille de quinze ans contre le cancer du sein. La maladie l'avait dépouillée de sa dignité et avait coupé court à sa vie. Je tenais la main de ma mère lorsqu'elle a poussé son dernier soupir et j'ai senti son esprit s'envoler. À ce moment-là, j'ai juré que rien ne m'arrêterait. J'ai dédié le projet, maintenant appelé BRA Project (Breast Reconstruction Advocacy Project) — Plaidoyer pour la reconstruction mammaire — à sa mémoire. Je me suis juré que cette mort prématurée serait un événement essentiel de la lutte mondiale contre le cancer du sein.

Dorénavant, j'étais politiquement plus avisée et j'ai pensé qu'il était temps de m'adresser à Dieu plutôt qu'à ses saints. Il me fallait rencontrer le président Clinton lui-même. J'ai entendu dire que l'on n'est jamais qu'à trois personnes de la personne que l'on veut rencontrer. Aussi, partout où j'allais, je posais la question : « Savez-vous comment je pourrais rencontrer le président Clinton ? » Après deux semaines, un ami m'a présenté à un membre de la Federal Trade Commission. J'ai rencontré David pour le lunch et je lui ai tout raconté de mes projets. Il m'a dit qu'il se rendait à Washington quatre fois par an pour rencontrer le président et que, lors de sa prochaine visite, je pourrais l'accompagner.

Deux jours plus tard, il m'appelait pour m'annoncer :
« Nous partons mardi. »

« Quoi ? » ai-je répondu, en jetant un regard sur mon
emploi du temps ce jour-là. J'avais environ quarante patients à
rencontrer.

« Vos patients comprendront, a-t-il rétorqué. Vous allez
rencontrer le président. Oh ! j'allais oublier, il y a autre chose,
cela vous coûtera 10 000 $. Ce dîner est l'occasion d'une collecte
de fonds pour les élections de 1996, et c'est le montant minimal
de cotisation exigé. »

« Impossible, ai-je crié, je ne peux faire cela. »

« Pensez-y bien, a-t-il invoqué, il s'agit d'une occasion
unique. Vous pouvez mettre vos amis à contribution. C'est
pour une bonne cause. »

Soudainement, j'ai senti en moi une force venue du ventre,
qui disait : « Fais-le ! » Cette voix intérieure se trompe
rarement, je l'ai écouté. C'est ainsi que, quelques jours plus
tard, j'étais à Washington pour rencontrer le président.

Souhaitant faire impression, j'ai opté pour une robe noire,
parfaite, sans bretelles et des gants longs jusqu'au coude en
velours noir. Je me sentais riche à millions quand je suis entrée
dans l'hôtel Mayflower. Après avoir traversé le détecteur de
métal, j'ai ajusté une dernière fois ma toilette et mes gants et je
suis entrée dans la salle… pour m'apercevoir que tout le
monde était en tenue de ville !

Mortifiée, je me suis arrêtée pour chercher le numéro de
mon siège et quelqu'un m'a dit : « Nous cherchions une autre
femme pour la table du président, aussi nous vous avons
déplacée. Est-ce que cela vous va ? » Absolument ! Me
dirigeant vers ma table, je me suis sentie de nouveau
embarrassée de voir les têtes tourner dans ma direction.

Comme nous passions près de lui, j'ai entendu un ami de
David dire : « C'est gentil de vous être habillée en notre
honneur. Merci. »

« Oh ! vous êtes le bienvenu, ai-je répondu avec un sourire. Ce n'est rien. » me disant que, tant qu'à faire, je pouvais tout aussi bien passer un bon moment.

Une heure plus tard, le président est arrivé. Il était plus grand que je ne l'avais imaginé. Il avait le teint rosé, une chevelure grise, et oui, il est aussi charmant et charismatique que la légende le dit.

« Je suis le docteur Christine Horner », lui ai-je dit, lorsque je suis arrivée enfin devant la rangée de personnes accueillant les invités et que j'ai pu lui serrer la main.

« Oui, je sais qui vous êtes, a-t-il répondu. Vous vivez à Cincinnati, de l'autre côté du fleuve, et vous travaillez sur une législation en matière de cancer du sein. Et je crois que vous êtes à ma table ce soir, n'est-ce pas ? »

« Oui, en effet », ai-je répondu en essayant de cacher mon étonnement. Il était vraiment fort ! Avant l'événement, comme le président aime bien savoir qui il va rencontrer, on m'avait demandé d'envoyer des renseignements sur moi. J'avais entendu dire qu'il n'oubliait jamais un nom ni un visage ; j'étais toutefois impressionnée.

« Je vous verrai plus tard, à la table », a-t-il ajouté pendant que la personne suivante dans la file prenait ma place.

Je me suis retrouvée directement face à lui, de l'autre côté d'une table circulaire de trois mètres et demi ; beaucoup trop loin pour faire la conversation. Durant le repas, un flot interminable de personnes sont venues lui parler. La soirée avançait et le moment du discours du président approchait. L'idée m'effleura que je venais de dépenser 10 000 $ pour parler au président et que je pourrais bien ne pas en avoir l'occasion. Je me suis penchée en travers de table, j'ai capté son regard et j'ai crié : « Il faut que je vous parle ! » Il a sursauté légèrement, et m'a ensuite répondu : « D'accord, j'irai vous trouver après mon discours et nous pourrons parler. »

Il s'est levé et est allé se placer devant la salle. Après avoir fait un discours d'une vingtaine de minutes, il a quitté la scène, et comme promis, il est venu vers moi et il m'a fait signe de le suivre. Je me suis levée et me suis mise à marcher derrière lui. Il serrait des mains, il souriait et il saluait tout le monde à la manière charmante des gens du Sud. Nous sommes sortis dans le hall et les portes se sont fermées derrière nous.

Une nuée d'agents des services secrets sont arrivés. Il s'est mis à claquer des doigts en direction de ses assistants. « Donnez-les-moi maintenant », a-t-il demandé. On lui tendait des documents de partout à la fois, et, à toute allure, il y apposait sa signature, pendant qu'au même moment, un flot de jeunes hommes le mettaient au courant des derniers évènements à coup de petites phrases rapides. Il y avait de la tension dans l'air et il travaillait frénétiquement à la vitesse de l'éclair.

Soudainement, il s'est tourné vers moi et m'a dit d'un ton détendu : « Maintenant, qu'est-ce que vous vouliez me dire ? »

J'étais encore ébranlée de ce que je venais de voir. Mes genoux s'entrechoquaient. Je me sentais comme Dorothy, toute tremblante devant le Wizard d'Oz. *Bonjour ! c'est moi Dorothy douce et docile*, ai-je pensé. Une minute du temps présidentiel me semblait l'équivalent d'une heure, aussi me suis-je mise à parler aussi vite que je le pouvais. Je lui ai parlé du problème des sociétés d'assurances qui refusaient de payer la reconstruction mammaire et des efforts que nous accomplissions pour présenter un projet de loi au Congrès. Il a pris des notes et a semblé très intéressé. Il a dit qu'il examinerait la question et verrait ce qu'il pouvait faire. Ensuite, il s'est retourné et est sorti de l'édifice, encadré de son entourage.

Trois jours plus tard, j'ai reçu un appel d'un membre du Democratic National Committee. « Nous aimons votre ténacité, a-t-il dit. D'habitude, un montant de 10 000 $ est la contribution suggérée pour deux personnes qui assistent à un évènement. Comme vous étiez seule, nous aimerions vous réinviter à rencontrer le président dans deux jours, lorsqu'il sera de passage à Cincinnati. »

Portant cette fois la tenue de ville appropriée, j'ai écouté le président prononcer son discours lors d'un déjeuner privé. Au moment où il se retournait pour partir, j'ai jailli de mon siège. Comme il montait les marches menant à la toilette des hommes, j'ai bondi devant lui en position de défenseur. Je n'étais plus Dorothy, j'étais Xena, la guerrière ! Le regardant droit dans les yeux, à quinze centimètres de son visage, j'ai lancé : « Ma mère est morte du cancer du sein, la vôtre aussi. Nous pourrions leur rendre hommage en adoptant une législation sur la reconstruction mammaire ! »

Il a claqué des doigts en direction de son assistant, a demandé sa carte, et m'a tendu une carte de visite portant le code postal du bureau ovale. « Faites-moi parvenir toute l'information à cette adresse », a-t-il répondu.

Ce que j'ai fait. Quelques semaines plus tard, j'ai reçu un mot de la Maison-Blanche, signé de la main du président, qui me remerciait pour la documentation et me promettait de l'étudier.

Cette rencontre fut suivie d'autres rencontres, dont plusieurs avec Hilary Clinton et son personnel dans l'aile ouest de la Maison-Blanche, et soudainement, les portes ont commencé à s'ouvrir. La couverture médiatique s'est amplifiée. Plusieurs magazines féminins importants, dont *Glamour, Allure, Ms et Elle*, ont appelé pour demander des interviews. Des douzaines d'entrevues ont été données à la télévision, à la radio et dans les journaux. Dans le pays, on dirait que tous voulaient être dans le coup.

L'optimisme nous portait lorsque le projet de loi fut présenté au Congrès en 1997.

Cependant, il resta au point mort. Promptement, il passa au comité législatif — aussi appelé « trou noir » — où il stagna pendant deux ans, apparemment oublié. Je savais qu'il était rare que des projets de loi, si même il y en avait, soient adoptés pour leur propre mérite ; on parvenait à les faire adopter en les ajoutant à des projets de loi importants et urgents. Mais même cela ne fonctionnait pas. La loi sur la reconstruction fut ajoutée à tous les projets de loi urgents qui furent discutés, mais aucun ne fut adopté. L'avant-dernier jour de la session de travail du Congrès de 1998, la situation semblait désespérée. Je reçus, dans ce sens, un appel téléphonique d'un membre du personnel législatif de liaison de la société nationale de chirurgie plastique. Ses mots me sont entrés dans la chair comme une lame : « Mauvaise nouvelle Christine, me dit-il, tout est terminé. Il n'y a plus d'autres projets de loi auxquels nous pouvons ajouter à notre projet. »

Je me suis effondrée. Je ne pouvais pas croire que toutes ces années d'un travail difficile et soutenu par une aide divine si claire pouvaient se terminer ainsi. Nous étions si près du but !

Le jour suivant, ma secrétaire a frappé à la porte pendant que j'examinais un patient. Elle me dérange rarement et j'ai pensé qu'il y avait quelque chose de sérieux qui n'allait pas.

« Vous avez un appel urgent auquel vous devez répondre immédiatement », a-t-elle dit. Le cœur battant, j'ai pris l'appareil. J'ai alors entendu la voix du même employé qu'hier, mais le ton était tout à fait différent. Plein de joie, on dirait.

« Il a passé ! » a-t-il dit.

« Quoi ? ai-je répondu. Que dites-vous ? »

« Au dernier moment, on l'a ajouté au projet de loi sur le budget et il a passé ! », s'est-il exclamé.

Hébétée, je l'ai remercié et j'ai raccroché. Puis, j'ai éclaté en sanglots et échangé avec ma mère notre signe habituel de connivence. Dans mon cœur, je lui disais : « Maman, nous avons réussi ! » et sa présence a rempli la pièce. Le grand sacrifice que ma mère avait consenti avait servi à quelque chose. Sa vie et sa mort viendraient en aide à des millions de femmes. Enfin, elles n'auraient plus à subir le traumatisme de se voir refuser la chirurgie reconstructrice.

Toutefois, les jours passaient et je me sentais perturbée. Un problème était réglé, mais un autre problème, plus important, demeurait et assombrissait les réjouissances : l'épidémie de cancer du sein. Pourquoi prenait-elle de l'ampleur ? Quelle en était la cause ? Comment l'arrêter ? C'est alors qu'une nouvelle mission, d'une envergure encore plus grande, prit forme dans ma vie : poursuivre ce tueur, trouver les causes à la racine du mal et aider les femmes à s'en prémunir.

J'ai étudié beaucoup et mis au jour plusieurs explications, et bientôt mon intuition me suggéra de me lancer à l'assaut d'une autre conquête professionnelle. J'ai cédé ma pratique de chirurgie plastique en 2002 pour me consacrer entièrement à l'enseignement de ce que j'avais découvert. J'ai écrit un livre qui traite des meilleures démarches naturelles qui, selon les études, peuvent réduire considérablement les risques de cancer du sein. Les femmes victimes de cancer du sein qui utilisent ces approches, en complément des traitements médicaux standards, ont de meilleures chances de survivre à la maladie.

Cette aventure étonnante que j'ai vécue m'a donné une leçon : quand nous prenons un engagement qui a pour but une amélioration du monde, l'univers réagit en nous accordant son soutien. La seule chose à faire est de s'abandonner à son pouvoir infini de tout organiser et d'écouter les messages qu'il nous envoie pour nous guider.

« Un problème était réglé, mais un autre problème plus important demeurait. C'est alors qu'une nouvelle mission, d'une envergure encore plus grande, prit forme dans ma vie : poursuivre ce tueur, trouver les causes à la racine du mal et aider les femmes à s'en prémunir. »

— Christine Horner

2- L'intuition

Aussitôt après avoir obtenu mon diplôme du collège à Baton Rouge, j'ai déménagé à Washington, D.C. Je voulais faire l'expérience de la grande ville, et la capitale nationale me semblait l'endroit tout indiqué pour conjuguer mon métier de journaliste et mes intérêts politiques.

Je vivais seule pour la première fois et il me plaisait d'habiter une ville où les nouvelles nationales étaient aussi les nouvelles locales. Chaque jour, je quittais mon appartement de la basse ville du Dupont Circle pour me rendre à pied au travail. J'ai occupé différents emplois temporaires de secrétaire et de commis de bureau. J'étais une « Kelly Girl », comme on disait à l'époque, et l'avantage merveilleux d'être une « Kelly Girl » à Washington, c'est qu'on pouvait se voir assigner à des postes comme un travail de trois mois pour une commission présidentielle. De plus, à cette époque, je suis tombée amoureuse ; mon petit ami et moi nous entendions si bien que nous ne nous disputions jamais. La vie était magnifique !

Un jour, je me rendais au travail lorsqu'une idée me traversa l'esprit : *il doit y avoir autre chose dans la vie*. Je ne m'y attardai pas davantage. Mais, l'idée me revenait régulièrement, chaque fois que je passais devant les résidences magnifiquement aménagées ou devant les impressionnants édifices gouvernementaux.

Ainsi, un autre jour, au cours de mon trajet habituel, je passais devant l'édifice de la Peace Corps — organisation américaine de coopération et d'aide aux pays en voie de développement — et quelque chose m'a arrêtée. Je suis restée un moment à l'extérieur, me demandant que faire, puis je suis entrée. J'ai pris un formulaire de demande d'emploi. Je l'ai complété le soir même et je l'ai déposé le matin suivant en me rendant au travail.

Deux mois plus tard, j'étais acceptée. Je n'arrivais pas à comprendre. Allais-je vraiment quitter cette vie magnifique et riche pour aller en Afrique travailler pendant deux ans ? J'avais l'impression de me trouver au bord d'un précipice, hésitant à sauter.

J'ai sauté. Je n'ai pu m'en empêcher. À l'époque, je ne savais rien de cette chose qu'est l'intuition et pourtant je ne peux nier que j'ai senti cet appel qui me commandait de sortir de mon cadre habituel de vie. J'ai laissé derrière moi mon petit ami, ma famille et mes amis — sans parler de l'électricité et de l'eau chaude courante — et je suis partie pour une aventure dans l'inconnu. Extérieurement, j'étais morte de peur, mais il m'était impossible de faire taire la voix, à l'intérieur de moi, qui me poussait vers une nouvelle vie.

Cette voix intérieure — l'intuition — se fait entendre dans chaque être humain. Dans nos sociétés, malheureusement, nous mettons l'accent sur l'intelligence beaucoup plus que l'intuition. En fait, on accorde si peu de valeur à l'intuition dans le monde occidental, que les parents n'apprennent pas à leurs enfants à l'utiliser quand ils sont petits, et que le monde de l'éducation n'en fait aucun cas. Que ce soit une petite voix que nous entendons ou quelque chose que nous ressentons comme un genre de « sixième sens », notre intuition nous guide lors des passages importants de notre vie, tout autant que dans les menus choix de la vie quotidienne. Et même si nous n'avons rien fait pour la cultiver, elle est toujours là.

Il suffit d'être attentif. J'apprends que l'intuition est quelque chose qui se manifeste dans mon corps. Je me rends compte également que ce n'est jamais sans raison qu'une idée particulière me vient à l'esprit. Supposons, par exemple, qu'il me passe par la tête d'envoyer un exemplaire de mon dernier livre à un client à qui je n'ai pas parlé depuis deux ans. Immédiatement, ma réaction habituelle serait d'entamer un monologue avec moi-même, essayant d'anticiper l'avenir ou cherchant les raisons qui me poussent à faire un tel geste. Je suis en train d'apprendre que même des pensées aussi futiles ont leur raison d'être ; elles sont la manifestation d'un guide intérieur, et prennent leur source dans la vision de mon âme d'un portrait élargi de ma vie qu'il m'est impossible de saisir avec mon esprit seul. Plus je m'exerce à écouter mon intuition, plus j'acquiers la certitude que ma vie est guidée par quelque chose de plus grand que moi.

Il est amusant d'observer l'intuition à l'œuvre dans le monde matériel. Voici l'histoire de Lynne Twist. Cette histoire qui raconte comment un groupe de femmes africaines ont utilisé leur intuition nous étonnera et nous ravira. Bien que l'intuition soit souvent associée aux femmes, ne parle-t-on pas d'intuition féminine ? Je ne crois pas qu'il s'agisse d'une qualité uniquement réservée aux femmes. Cependant, cette qualité relève du féminin en chacun de nous et elle nous sert à la condition d'avoir une attitude d'ouverture ; c'est pourquoi les femmes, de nature, pourraient y être plus réceptives.

Si vous n'avez pas l'impression d'être en contact avec votre intuition, c'est peut-être que vous cherchez trop loin. L'intuition est tout près de nous. Un grand nombre de volumes ont été écrits sur la manière d'éveiller l'intuition. Le plus simple est encore de se rappeler les mots de Naomi Judd : « Ma chérie, l'intuition c'est quelque chose que tes viscères t'apprennent avant que ta tête s'aperçoive de quoi que ce soit. »

L'histoire que vous allez lire confirme que rendre hommage à l'intuition, la favoriser chez nos enfants, chez les autres et en nous-mêmes, est, en quelque sorte, une façon d'accueillir le divin dans notre vie.

Un dernier mot en terminant. Il y a deux ans, ma mère m'a remis une boîte de chaussures contentant toutes les lettres et les cartes postales que j'avais envoyées à la maison durant les trois années au cours desquelles j'avais servi dans la Peace Corps, et parcouru le monde. Il y en avait environ cent vingt-cinq en tout. « J'ai pensé qu'un jour, tu pourrais vouloir écrire un livre », m'a-t-elle dit.

L'histoire de Lynne Twist
Une ténacité remarquable

Une large partie du Sénégal est recouverte par le désert du Sahel qui prend chaque année du terrain et s'étend vers la mer. Le Sahel est un endroit où la vie est difficile, même pour les plantes et les animaux habituels des environnements désertiques. Le sable est comme une fine poussière dans les tons d'orange pâle. Il est si fin et si envahissant qu'il recouvre d'une mince couche orangée tout ce qui se trouve à la frontière du désert : les rues, les maisons, les plantes, les routes et même les gens.

Nous sommes là, dix-huit collaborateurs et responsables du projet Hunger, pour discuter avec des gens d'un village du désert, situé à plusieurs heures de voyage, de la nécessité pour eux de trouver une nouvelle source d'eau et un nouvel endroit pour y habiter. Des chauffeurs nous amènent de la ville, et à mesure que nous entrons plus avant dans le désert, nous sommes recouverts de ce sable fin et limoneux. À chaque inspiration, il pénètre dans nos poumons. Plus nous avançons sur la route balayée par le vent orangé, moins nous rencontrons de gens, de végétation et d'animaux, et bientôt, il n'y a plus rien que la terre aride. Le temps est chaud et humide, il fait plus de 35 °C. Je porte un chapeau et un foulard dans le visage pour éviter de respirer du sable. L'endroit est si désolé qu'il semble impensable que des êtres humains puissent y vivre.

Pendant un temps, nous roulons sur une route raboteuse et non asphaltée. Puis, celle-ci disparaît dans le sable et nos chauffeurs commencent à conduire en s'orientant uniquement à l'aide du compas. Nos chauffeurs sénégalais connaissent bien le désert, et à un certain moment, le chauffeur du véhicule de tête s'immobilise et coupe le moteur. Les deux autres l'imitent. En écoutant bien, nous pouvons entendre le bruit assourdi de tambours. Le chauffeur de tête sourit, rallume le moteur et se met à rouler en direction des tambours. Plus nous approchons, plus le bruit s'amplifie, et bientôt, nous apercevons à l'horizon de petites taches mouvantes. Comme nous avançons, nous prenons ces taches pour des animaux de quelque espèce. Mais quand nous sommes vraiment près, nous nous apercevons qu'il s'agit d'enfants, des douzaines d'enfants qui courent vers nos véhicules, tout excités.

Nous voici, dans un endroit qui semble hostile à toute forme de vie, accueillis par des enfants exubérants et joyeux, débordant de vitalité. Des larmes me montent aux yeux, et je peux voir que mes compagnons sont aussi émus que moi par cet accueil joyeux. De nombreux petits se précipitent vers nous, et à une certaine distance, derrière eux, dans l'étendue désolée, on aperçoit deux grands baobabs. Le baobab est un arbre providentiel, qui requiert peu d'eau, donne de l'ombre aux habitants du désert et les protège du vent.

Devant nous, environ une centaine de personnes sont réunies dans la précieuse ombre qu'offrent les deux baobabs. Des joueurs de tambours occupent un espace au centre de la foule et nous voyons quelques femmes danser au milieu de ce cercle. À mesure que nous approchons, le son du tambour emplit l'air d'une énergie plus vibrante et la cérémonie gagne en intensité. Nous prenons quelques enfants avec nous dans les voitures pour faire le reste du trajet. Les autres courent à côté. Cette scène incroyable semble avoir surgi de nulle part. Voici des hommes, des femmes, des enfants qui dansent, jouent du tambour, se réjouissent, tapent des mains et crient des mots de bienvenue à notre petite délégation venue les visiter.

Nous descendons de nos véhicules, et des douzaines de femmes accourent pour nous faire revêtir le magnifique vêtement traditionnel sénégalais constitué d'une coiffure et d'un long boubou en coton, ample et coloré. Le battement des tambours, les hurlements des enfants, les sons aigus des femmes qui manifestaient leur contentement, les chants des hommes : l'accueil est incomparable.

Ils paraissent savoir que je suis la responsable et ils m'attirent au centre du cercle ; les femmes dansent autour de moi et avec moi. Je me perds dans l'instant et me mets à bouger au même rythme qu'elles, d'un mouvement naturel et libérateur. Mes compagnons viennent me rejoindre et, tous ensemble, nous rions, dansons et tapons des mains. Le temps a suspendu son cours. Je ne sens plus ni la chaleur ni la sécheresse. Je ne sens plus ni le sable ni le vent. Tout cela a disparu, nous laissons la cérémonie nous envelopper. Nous ne faisons qu'un avec les participants.

Puis, soudainement, les tambours s'arrêtent. Le moment est venu de commencer la rencontre. Les gens se sont assis sur le sable. Le chef se présente et se met à me parler. Avec l'aide de l'interprète, nous comprenons que leur village est situé à plusieurs kilomètres de là, mais qu'ils ont fait le chemin pour venir nous accueillir et qu'ils nous sont reconnaissants du partenariat que nous leur offrons. Le chef poursuit en disant que les gens de son peuple sont forts et capables, et que le désert est leur demeure spirituelle. Cependant, eux-mêmes, ainsi que les gens de seize autres villages de l'Est, sont poussés à la limite extrême de leurs possibilités à cause du manque d'eau. Ces gens ne connaissent que le désert, ce sont de fiers habitants de cette contrée, mais, sans un revirement des choses, ils savent qu'ils ne peuvent continuer.

Le gouvernement ne peut rien pour eux, même en cette période critique. Ce sont des gens non alphabétisés dont on ne tient pas compte dans les recensements. Ils n'ont même pas le droit de vote. Leur existence est peu ou pas reconnue par le gouvernement. Ils ont une résilience peu commune, mais leurs puits peu profonds sont presque secs et ils sont persuadés qu'ils ont besoin d'une aide extérieure pour passer à travers la prochaine saison sèche.

Nous nous assoyons en cercle pour discuter de la situation et, comme ces gens sont musulmans, ce sont les hommes qui parlent. Les femmes ne sont pas dans le premier cercle, mais dans le second d'où elles voient et entendent tout, sans dire un mot. Je sens le pouvoir de ces femmes derrière moi et j'ai l'intuition qu'elles seront des éléments clés de la solution. Dans cette contrée stérile orange, il ne semble pas, toutefois, qu'une solution soit possible, mais l'attitude de ces gens, leur résilience et leur dignité donnent l'impression du contraire. Il doit y avoir un moyen et, tous ensemble, nous y parviendrons.

Je demande alors une rencontre avec les femmes seules. Dans cette culture musulmane, où les mullahs et les chefs ont seuls le pouvoir de parler pour tous, ma requête est pour le moins inusitée. Néanmoins, ils me l'accordent. Les femmes de mon équipe et les femmes de la tribu prennent place sur le sol brûlant en un cercle serré. Les mullahs ont donné la permission à l'interprète, qui est un homme, de se joindre à nous.

Parmi ces femmes de la tribu, plusieurs sont habituées à prendre les devants et commencent immédiatement à parler. Selon elles, il était clair que la région recouvre un lac souterrain. Elles le sentent, elles le savent. Elles ont eu des visions de cette eau et elles ont besoin de notre aide pour obtenir la permission des hommes de creuser un puits suffisamment profond pour l'atteindre. À ce jour, les hommes ont refusé parce qu'ils ne croient pas à l'existence de l'eau à cet endroit et qu'ils ne veulent pas que les femmes effectuent ce genre de travail. Selon leur tradition, seuls certains travaux sont permis aux femmes. Le tissage et l'agriculture sont autorisés, mais la planification et le creusage d'un puits ne le sont pas.

Les femmes s'expriment avec une force et une vitalité convaincantes. Pour moi, il est clair qu'elles savent de quoi elles parlent et qu'on peut leur faire confiance pour trouver de l'eau. Tout ce qu'il faut c'est que les hommes leur permettent d'aller dans le sens que leur dicte leur instinct. Voilà l'aide extérieure dont ils ont besoin. Voilà ce qu'ils attendent de nous.

Un flux d'énergie collective et d'engagement se répand dans l'assemblée. Je regarde autour de moi. Il fait une chaleur accablante. Des milliers de mouches volent autour de nous. De la vase m'obstrue la bouche et les poumons. L'endroit est le plus inconfortable qui se puisse imaginer, et pourtant, assise parmi ces femmes belles et fières, je me souviens encore n'avoir éprouvé ni soif ni inconfort, mais uniquement le sentiment de la possibilité d'une solution.

Avant notre départ pour le désert du Sahel, j'avais craint de rencontrer des gens désespérés, mourant de faim, malades et pauvres. Il est certain que ces gens ont besoin de nourriture et d'eau, mais on ne peut les considérer comme « pauvres ». Ils ne sont pas résignés. D'une ténacité sans bornes, ils démontrent une persévérance et une ingéniosité peu commune. Ils sont déterminés à trouver un moyen de sortir de l'impasse et ils brûlent du désir de réaliser leurs possibilités. Ils souhaitent notre collaboration et non pas une distribution d'argent ou de nourriture. Nous leur offrons le respect et un partenariat d'égal à égal.

Après de nombreuses conversations avec le groupe des hommes et celui des femmes, nous convenons avec les mullahs et le chef que nous allons commencer le travail avec les femmes, puisque ce sont elles qui ont eu la vision de l'eau. Les hommes acceptent que les femmes commencent à creuser avec notre aide. Puis, l'année suivante, pendant que la communauté utilise avec parcimonie les réserves d'eau existantes, les femmes, munies d'outils manuels et de l'équipement simple que nous leur avons apporté, creusent le puits. Elles creusent de plus en plus profond dans le sol, chantant, jouant du tambour, fredonnant, prenant soin des enfants l'une de l'autre, et ne perdent jamais de vue l'existence de l'eau.

Les hommes les regardent faire, sceptiques, mais permettent, cependant, que le travail se poursuive. Jamais, les femmes ne laissent le doute les effleurer. À condition de creuser suffisamment profond, elles ont la certitude qu'elles vont y arriver. Ce qui se produit enfin ! Elles atteignent le lac souterrain entrevu dans leur vision !

Les années qui ont suivi, les hommes et les femmes ont construit un poste de pompage et un réservoir pour l'eau. Non pas un seul village, mais dix-sept villages, ont maintenant de l'eau. Toute la région en est transformée. Dans ces dix-sept villages, des groupes dirigés par des femmes sont au centre de l'action. On procède à l'irrigation du sol et à l'élevage des poulets. Des classes d'alphabétisation naissent ainsi que des commerces de batik. Ces gens sont devenus prospères et contribuent au développement de leur pays. De nouveaux défis se présentent maintenant à eux ; ils les affrontent avec la dignité et le sens de l'engagement qui sont les leurs. À présent, les femmes ont le respect de leur communauté d'une nouvelle façon : elles prennent part davantage aux décisions. De plus, les membres de la tribu sont fiers d'avoir eux-mêmes, par leur travail, et en exploitant le territoire qu'ils habitent, contribué à leur propre prospérité.

« Il fait une chaleur accablante. Des milliers de mouches volent autour de nous. De la vase m'obstrue la bouche et les poumons. L'endroit est le plus inconfortable qui se puisse imaginer et pourtant, assise parmi ces femmes belles et fières, je me souviens encore n'avoir

éprouvé ni soif ni inconfort, mais uniquement le sentiment de la possibilité d'une solution. »

— Lynne Twist

3- Un remède souverain

Je venais juste de faire une présentation de *Bouillon de poulet pour l'âme d'une femme* pour le personnel de l'entreprise d'un client sur la côte du golfe du Mississippi. L'expérience avait été profondément enrichissante pour toutes les personnes présentes. Au son des applaudissements, j'ai quitté la scène et je me suis dirigée vers ma table pour prendre un crayon dans mon sac, avant d'être entraînée vers l'arrière de la pièce pour signer des livres.

Au moment où je me retournais pour aller vers l'arrière de la salle, une femme est apparue devant moi, ouvrant et fermant la bouche plusieurs fois, comme si elle ne pouvait se décider à parler. Lorsqu'elle parla enfin, ce fut pour dire que j'avais vraiment gâché ses plans. Perplexe, je la priai de m'expliquer. Elle me dit qu'elle avait eu l'intention de se suicider ce soir. Mais, à présent, qu'elle m'avait entendue, il lui fallait tout repenser.

Je lui ai pris la main et l'ai regardé intensément dans les yeux. Je savais bien qu'au-delà de mes paroles, cette femme avait senti et reçu l'amour, qui était presque palpable dans la pièce, et qui venait non seulement de moi, mais aussi de toutes les personnes présentes. Cet amour l'avait guéri, car l'amour guérit toujours.

Le docteur Jeremy Geffen connaît bien la relation entre l'amour et la guérison. Avant de quitter sa pratique clinique en 2003, le docteur Geffen a fait fonctionner, pendant dix ans, un remarquable centre contre le cancer à Vero Beach, en Floride. Le Geffen Cancer Center et le Geffen Research Institute étaient réputés pour le taux de survie exceptionnellement élevé de ses patients. C'était un lieu où les gens se rendaient en dernier recours. Souvent, à d'autres endroits, on leur avait refusé les traitements parce que, disait-on, la forme de cancer qu'ils avaient était incurable, ou ne répondait pas adéquatement au traitement. Plusieurs avaient même été envoyés dans des établissements de soins palliatifs. Cependant, au centre du docteur Geffen, les cas de patients qui vivaient, souvent heureux et reconnaissants, plus longtemps que leur médecin traitant l'avait prévu, se succédaient.

Pourquoi cette clinique était-elle si efficace ? D'abord, la salle d'attente était ensoleillée et décorée d'orchidées et la salle de chimiothérapie était meublée de fauteuils confortables dans lesquels les patients pouvaient se détendre et recevoir leurs traitements en écoutant de la musique dans des écouteurs. Mais ce qui rendait la clinique si différente des autres cliniques était la particularité spéciale qu'elle cultivait : une compétence médicale à la fine pointe associée au pouvoir guérisseur de l'amour et de la gentillesse.

La salle d'attente était semblable à un séjour : le personnel et les patients, leurs amis et leurs proches étaient très liés. Presque personne ne lisait de magazines ; tous conversaient et s'intéressaient au sort de leur voisin. Le sentiment d'appartenir à une famille était très fort. Dans l'entrée se trouvaient de nombreux albums remplis de cartes postales, de lettres, de photos et de toutes autres expressions d'amour et de reconnaissance, venant des centaines de personnes qui avaient reçu des soins à la clinique au cours des années.

S'il arrivait que quelqu'un s'absente à un rendez-vous, tous le savaient et s'enquéraient de lui ou d'elle. Le personnel était si aimable et si attentionné que les patients et les membres de leur famille, qui vivaient une période difficile, considéraient la clinique comme une sorte de refuge. On raconte qu'un jour, un patient, dont la femme souhaitait faire quelques courses, a demandé à cette dernière de le déposer à la clinique où il avait l'intention de passer le temps en l'attendant ! On raconte aussi qu'un livreur de la UPS, après avoir remis un colis, était demeuré assis, seul, dans la salle d'attente. Après un instant, la réceptionniste s'était approchée pour lui demander gentiment si tout allait bien. « Oui, avait-il répondu, d'une voix douce. J'ai eu une journée difficile. On est si bien ici que je n'ai tout simplement pas envie de m'en aller. »

Qu'est-ce qui peut pousser quelqu'un à désirer passer le temps dans une clinique de traitement du cancer ? Parce qu'il y a un « remède souverain » dans l'air ! Selon le docteur Geffin, l'amour est un ingrédient essentiel du protocole thérapeutique. Le personnel du centre a été soigneusement trié sur le volet et a été entraîné à prodiguer de l'amour, cette qualité qui fait la douceur de la vie, en même temps que les autres formes de traitement. Les résultats exceptionnels qu'il obtient montrent bien la différence.

Comment l'amour agit-il exactement ? Cela relève presque du cliché. Cependant, récemment, j'ai vu à la télévision, dans une présentation spéciale de la PBS appelée *Le pouvoir de l'intention*, le docteur Wayne Dyer en fournir une explication simple. Il semble que la relation entre notre comportement et notre corps s'explique particulièrement par la sérotonine, une substance chimique produite naturellement par l'organisme et à laquelle est associée la sensation de bien-être. Le docteur Dyer a souligné la pertinence des études selon lesquelles, chez une personne qui est l'objet d'une manifestation de gentillesse, le niveau de sérotonine augmente dans l'organisme et le système immunitaire se renforce. Il est aussi intéressant de constater que le même phénomène se produit chez la personne qui est à l'origine de la manifestation de gentillesse. De plus, d'une manière étonnante, ces effets physiologiques bénéfiques se font aussi sentir chez les gens qui en sont simplement témoins !

Trouver notre propre remède consiste à trouver en soi l'ingrédient — une étincelle qui jaillit de notre essence et de notre âme — qui nous permet de secourir les autres. « Secourir » signifie prendre soin de l'âme de l'autre. Quand nous secourons quelqu'un, cette personne entre dans un processus de guérison et s'élève sous l'un des plans physique, mental ou spirituel, ou sous tous ces plans.

Tout le monde a la capacité de guérir les autres et la découverte du remède que nous offrons aux autres se fait naturellement. Certaines personnes peuvent utiliser l'humour, l'habileté à rire de la vie et à conserver sa légèreté d'esprit au milieu de grandes souffrances. D'autres font la cuisine d'une manière exquise ; voilà leur remède : elles cuisinent avec joie et amour. Le film *Le festin de Babette* l'illustre bien en nous racontant l'histoire d'une femme pour qui la cuisine est un acte sacré d'amour et de générosité, et qui croit que les mets qu'elle prépare ont un effet bénéfique chez les gens qui les consomment.

Un jour, j'ai demandé à une herboriste, « guérisseuse » des temps modernes, de me décrire ce qu'est un remède. Elle m'a répondu que c'était l'esprit avec lequel nous accomplissons quelque chose. Elle peut parler aux gens, m'a-t-elle dit, leur donner des conseils, leur recommander des herbes ; cependant, pour constituer vraiment un remède, tout cela doit être accompli avec amour et dévotion.

Il est rare que nous nous percevions nous-mêmes ou percevons notre conduite comme un remède. D'habitude, un remède est une substance que nous ingérons pour nous rétablir le corps ou l'esprit. Mais, de tout temps, le but du remède a toujours été de guérir l'esprit, le corps et l'âme. Dans l'histoire suivante, Vicky Edmond, à l'instar du docteur Geffen, nous fait découvrir que tous, en écoutant nos impulsions naturelles et nos dons, nous avons le pouvoir de guérir les autres. Vicky nous montre que tout ce que nous faisons, à condition d'y mettre la douceur de l'amour, peut devenir remède.

L'histoire de Vicky Edmonds
De la nourriture pour tous

Mon histoire comporte deux parties, lesquelles découlent toutes deux d'une troisième : mon enfance. Mais, n'en est-il pas ainsi de toutes les histoires ? Je viens d'une famille pauvre et mon père nous maltraitait tant que je ne m'attendais pas à vivre jusqu'à dix-huit ans. Un jour, il a dit qu'il allait nous tuer et cacher nos corps, et que nous étions si insignifiants, que personne ne s'apercevrait de notre disparition. J'essayais de convaincre ma mère de le quitter, mais elle disait toujours : « Si je le quitte, il nous tuera tous. » Ce à quoi je répondais : « Il le fera de toute façon. Ne préfères-tu pas mourir en essayant de lui échapper ? »

Elle finit par le quitter et nous avons tous survécu. Toutefois, j'ai grandi en éprouvant de la honte.

Première partie : Quelqu'un devrait faire quelque chose.

Je suis une jeune maman tout en ne sachant trop comment en être une. Mon mari, Ken, travaille pour une filiale de la Holland America, entreprise spécialisée en croisières. Pour la première fois de ma vie, je passe le plus clair de mon temps à la maison. Je m'occupe de mes enfants : un petit garçon de quatre ans, Lucas, et un autre garçon, nouveau-né, Ean. Occasionnellement, pour payer les frais de scolarité de Lucas, il m'arrive de donner un coup de main à l'école Montessori d'une amie. Comme de nombreuses jeunes mamans, je vis dans un univers réduit, et cela est tout à fait cohérent avec le monde dans lequel j'ai grandi. J'y suis adaptée, car je suis profondément persuadée que je n'ai rien à apporter à quiconque.

D'un autre côté, la perspective de briser la routine une fois l'an, en faisant une croisière, me fait toujours plaisir. L'un des avantages qu'offre l'emploi de Ken est que nous pouvons partir en croisière chaque année. Nous avons demandé de partir en septembre 1989, et ils ont dit oui ! L'idée d'amener nos enfants faire une croisière dans les Caraïbes, visiter Cozumel au Mexique, et les îles de Grand Cayman et de la Jamaïque, nous rend très heureux.

Quatre semaines avant la date prévue de notre départ, je regarde les nouvelles à la télévision et j'apprends que la Jamaïque est aux prises avec l'ouragan Gilbert, un des ouragans les plus dévastateurs à avoir jamais soufflé sur la région. Les images montrent une petite fille de cinq ans, les larmes aux yeux, assise sur les marches d'un édifice, pendant que l'eau monte dans les rues. Elle ne retrouve pas sa famille et ne peut aller nulle part. Dans le reportage, on dit que toute l'eau est contaminée et que les gens ne peuvent plus se procurer de nourriture. L'état d'urgence est déclaré.

L'image de cette petite fille m'émeut jusqu'aux larmes. Enfant, ne me suis-je pas sentie abandonnée, moi aussi ? De tout cœur, je la comprends. À ce moment, je pense : *Quelqu'un doit faire quelque chose pour aider ces gens* !

Soudainement, tout bascule. Je suis à la fois l'auteur et le témoin de ces paroles. Je m'entends dire ces paroles, et quelque chose de plus grand que mon moi habituel en entend l'écho. Les mots : *quelqu'un doit faire quelque chose* sont immédiatement suivis par les mots : *je me demande si je ne suis pas ce quelqu'un* !

Mes pensées se télescopent dans ma tête : *Mais pour qui est-ce que je me prends ? Où est-ce que je trouve le culot ?* Puis : *pourquoi pas ?* Et ensuite : *je suis capable d'avoir de grandes idées, mais je n'arriverai jamais à rien de bon.* Il y a encore en moi un petit enfant démuni.

Je crois que je suis en train de vivre un de ces moments de lucidité où l'on dirait que quelque chose vole en éclat et dévoile soudainement une ouverture. J'entrevois ce que je peux faire si j'en ai le courage. Je peux faire quelque chose, même si c'est peu de chose. *Ce peu est tout de même quelque chose !* L'idée d'essayer, même, me terrifie. Et si les gens se mettaient à rire de moi. Je me sentirai encore plus humiliée ? Néanmoins, je résous d'essayer.

Le jour suivant, en conduisant Lucas à l'école, je tente de lui apprendre que nous sommes tous des citoyens du monde et que cela signifie que nous devons prendre soin de tout ce qui existe sur la planète. Je lui parle de ce qui s'est produit en Jamaïque et je lui dis : « Pourquoi ne demandes-tu pas à tous tes amis d'apporter quelque chose que nous pourrions envoyer à ces gens qui n'ont rien à manger ? Demandons à tous les enfants d'apporter une boîte de conserve à l'école. »

Le professeur de Lucas est d'accord avec le projet. J'écris une note aux parents des quatorze enfants de la classe. La semaine suivante, les enfants apportent des conserves et les déposent dans une boîte que j'ai placée dans la classe. Ils sont tout contents et excités. Tous souhaitent avoir le sentiment de pouvoir donner quelque chose de valable et pour plusieurs d'entre eux, c'est la première fois qu'ils participent à une bonne œuvre. Je peux voir leurs yeux briller.

N'ayant pu faire les courses, l'une des mères envoie un chèque de cinquante dollars. Je me dis : *Ça alors !* Avec cet argent, je vais aller au Costco faire l'achat de grandes quantités de nourritures sèches et de conserves. Mais comment vais-je envoyer tout cela en Jamaïque ? Notre revenu est réduit de moitié parce que, le plus clair du temps, je reste à la maison avec le bébé. Cette semaine, nous n'avons même pas pu payer le combustible de chauffage pour la maison et nous vivons surtout dans la cuisine, où se trouve le poêle à bois.

La semaine suivante, plusieurs autres parents font parvenir des chèques ; l'un de soixante-quinze dollars, un autre de vingt-cinq dollars. Tout le monde parle de cela. Finalement, comme je n'ai pas les moyens de payer tous les frais d'expédition moi-même, je décide de réserver un peu de l'argent provenant des dons à cette fin. Je suis sur le point de contacter la UPS et les entreprises aériennes pour savoir combien il en coûte pour envoyer des conserves en Jamaïque, lorsque je reçois un appel d'un journaliste du *Seattle Times*.

Il a entendu dire que je recueillais de la nourriture pour les enfants de l'ouragan. Il écrit un article, court, mais très gentil, que le journal publie dans une de ses pages ; vous voyez le genre, dans la catégorie des histoires qui présentent un certain intérêt sur le « plan humain ».

Tout à coup apparaissent à notre porte des gens qui viennent donner de la nourriture. Une dame âgée et son fils arrivent dans une vieille camionnette défoncée qui déborde de sacs. Je suis sous le porche quand ils s'arrêtent devant la maison, les larmes aux yeux. La dame me serre simplement la main en me disant : « Que Dieu vous bénisse ! »

Nous entassons les boîtes dans notre séjour jusqu'à ce qu'il n'y ait plus de place. J'avais pensé envoyer pour vingt dollars de nourriture en Jamaïque, et voilà que, soudainement, il est devenu difficile de circuler dans la maison à cause d'énormes amoncellements de sacs et de boîtes déposés partout.

Je me mets à appeler les lignes aériennes. Moyennant des frais exorbitants, certaines pourraient effectuer le transport des boîtes jusqu'en Floride ; et, en admettant que celles-ci parviennent jusque-là, je n'ai aucune idée de la manière dont elles continueront le voyage jusqu'en Jamaïque. Je me sens très coupable, car je ne sais comment rendre les dons aux donateurs, advenant le cas où il s'avérerait impossible pour moi de les faire parvenir aux victimes de l'ouragan.

Mais la semaine avant notre départ, tout s'arrange. La Eastern Airlines nous informe qu'elle transportera gratuitement les aliments jusqu'en Floride ! On m'explique comment faire les paquets et comment compléter la paperasse compliquée s'y rapportant. Je prends donc les soixante-quinze dollars que j'avais mis de côté pour l'expédition de la nourriture et je sors acheter d'autres aliments. Nous empruntons un camion et faisons quelques aller-retour à l'aéroport, où les boîtes sont déposées sur un plateau et pesées ; on nous apprend alors que nous avons recueilli 660 kg de nourriture !

Puis, miracle des miracles, la Holland America nous donne la permission d'amener cette cargaison avec nous de la Floride à la Jamaïque, lorsque nous effectuerons notre croisière. Car nous avons toujours l'intention de faire le voyage. Ce qui est extraordinaire avec les croisières, c'est que tous les endroits prévus au départ sont visités, même ceux éprouvés par un désastre naturel comme Gilbert. Les mille cinq cents passagers à bord du navire vont engendrer une activité touristique qui ne peut manquer de profiter, d'une manière significative, à la reconstruction de la région sinistrée.

Le grand jour arrive enfin et nous lançons les amarres. Le voyage est magnifique et nous sommes impatients d'atteindre la Jamaïque. À notre arrivée là-bas, les douaniers viennent à notre rencontre et nous demandent à quel endroit cette nourriture doit être livrée. Je n'en ai aucune idée ! Jamais auparavant, je n'ai accompli rien de tel. Tout ce à quoi j'ai pensé est de faire parvenir la nourriture en Jamaïque. Les douaniers nous avisent que si nous ne pouvons leur fournir une adresse avant dix-sept heures, ils seront dans l'obligation de confisquer notre chargement.

Un homme qui se tient là, tout près, entend ce qui se passe et nous parle d'une église qui abrite une quarantaine d'enfants qui n'ont plus de foyer. Comme nous ne pouvons joindre qui que ce soit par téléphone, l'homme nous fait monter dans sa voiture et nous conduit à toute vitesse vers l'église qui est située à une vingtaine de minutes de là. À notre arrivée, le pasteur est trop occupé pour nous aider, mais un missionnaire venu du Minnesota pour porter secours aux sinistrés s'engage à rassembler quelques jeunes garçons de l'église pour venir chercher la marchandise.

Nous retournons au bateau et attendons nerveusement. Un peu avant dix-sept heures, heure de fermeture de la douane, le missionnaire arrive avec un groupe de garçons et un camion. Le chargement du camion effectué, tous nous remercient à profusion et nous donnent l'assurance que la nourriture servira entièrement à aider les enfants. Regardant le camion s'éloigner, nous ressentons un vide terrible. J'ai ressenti la même chose en donnant naissance à mon fils : soudain, tout est terminé ; il ne reste qu'un profond silence. Je suis hébétée, j'ai encore du mal à croire que tout a marché.

Ken me demande alors : « Eh ! Bien ! que dirais-tu de visiter l'île avant que nous repartions ? Après tout, nous sommes en vacances ! » Nous devenons donc des touristes et faisons le tour de l'île. Partout, nous ne voyons que dévastation. Les toits ont été arrachés ; des morceaux de verre brisé et des débris de toiture jonchent le sol. De tous côtés, des travaux importants de reconstruction ont été entrepris. Néanmoins, nous finissons par passer de magnifiques vacances. Poursuivant la croisière et visitant les autres lieux prévus, nous ne nous séparons jamais du sentiment d'avoir été les instruments de quelque chose de plus grand que nous.

Trois semaines après notre retour, j'ai appelé le missionnaire qui m'a appris que le tiers de nos dons est allé à l'église qui héberge les enfants, qu'un autre tiers est allé à un orphelinat et que le reste est allé à un hôpital où, en raison de la tension causée par l'ouragan, des mères ont donné naissance à leur bébé avant terme. Tout est allé aux enfants ! Je pense alors que personne n'est venu à mon aide lorsque j'étais enfant. Cependant, j'ai fait mentir le mythe selon lequel une personne seule ne peut rien et cela a guéri quelque chose dans mon cœur.

J'ai senti que quelqu'un devait faire quelque chose et j'ai été ce quelqu'un. Toutefois, rien ne m'avait préparé à l'impact du changement qui s'est produit en moi.

Deuxième partie : Les pépins de l'âme

Après avoir fait l'expérience de l'impossible devenu possible en Jamaïque, peu de temps après mon retour à la maison, j'ai eu le courage de publier mon premier recueil de poésie. Essayant de survivre à mes propres ouragans, j'écris des poèmes depuis l'âge de onze ans. Dans la famille, il était interdit aux enfants de penser ou d'avoir des sentiments et ils sont menacés de mort s'ils racontent ce qui se passe à la maison. C'est pourquoi je déversais sur le papier mes pensées et mes sentiments, et l'écriture est devenue ma planche de salut. Je suis la preuve vivante que celui ou celle qui s'accroche à la vérité ne peut chavirer dans la tempête.

À l'époque, j'ai écrit au moins huit mille poèmes et je n'ai pour ainsi dire jamais osé en faire lire aucun à personne, pas même à Ken. Il n'y a donc rien de surprenant que mon livre *Inside Voices* traite de la grande difficulté que j'ai à simplement ouvrir la bouche pour parler. J'ai eu le courage de briser le silence en me posant encore une fois la question : *que peut-on faire ?* Et je me suis dit : *Si je parle, peut-être cela changera-t-il quelque chose à la manière dont les générations à venir seront traitées dans ma famille ?*

Je me suis souvenue de la Jamaïque et j'ai pensé : *Peut-être, tout doit-il commencer avec une seule personne ? Peut-être n'y a-t-il que cette personne qui puisse faire quelque chose ?* Comme le dit Margaret Mead : « Il ne faut jamais douter que le travail d'un petit groupe de citoyens sérieux et engagés puisse changer le monde. En fait, c'est la seule chose qui ait jamais réussi. »

Une partie de ma peur était que personne ne veuille lire mes poèmes. Et pourtant, ces poèmes ont été utiles lorsque j'ai eu le courage de les écrire. Ils ont été utiles le jour où des gens ont eu l'amabilité de rester dans une pièce à m'écouter en faire la lecture, me donnant ainsi la possibilité d'avoir des auditeurs et de sortir de l'isolement. Ils ont été utiles, encore, le jour où j'ai eu le courage de les faire publier.

Je me suis dit que si le livre se vend, ce sera la cerise sur le gâteau ! Mes poèmes ont déjà rempli leur rôle ; ils m'ont permis de sortir de ma prison intérieure. Malgré tout, mes pensées oscillaient entre : *comment oses-tu ?* et *pourquoi pas ?*

Ma plus grande peur était de susciter la colère des membres de ma famille. En fait, la publication de ces secrets a rendu certains d'entre eux furieux. Ma mère et ma sœur étaient fières que je sois une auteure, mais elles ne me parlèrent pas du volume. Une station de télévision du coin a réalisé une émission ayant pour titre *Si les mots pouvaient tuer*, à partir d'un des poèmes que j'ai écrit, un jour, pour balayer de mon esprit des mots durs qui m'avaient été adressés, et qui s'intitulait *Cutting Room Floor* (Poèmes à décaper le plancher). Une tante l'a vue et a appelé ma mère pour lui dire que je racontais des mensonges sur la famille à la télévision. Ma mère m'a appris que personne de la famille n'a jamais su à quel point mon père nous maltraitait. L'ironie de la chose, c'est que, grâce à cet événement, ma mère est devenue plus proche de ses sœurs. Elle leur a raconté la vérité et, pour la première fois de sa vie, elle a reçu du réconfort.

J'ai ensuite pris conscience que tous les secrets que je gardais en moi étaient en train de me tuer. C'est pourquoi, un an après, j'ai publié un second recueil de poésie intitulé *Used in the dark* (Dans le noir). Dans ce dernier recueil, qui a été pour moi un traitement en profondeur contre la douleur et l'isolement, j'ouvre grand la bouche et je crie. J'ai donné quelques exemplaires de ce volume aux responsables d'un projet intitulé *Books for Prisoners* (Livres pour les détenus). Quelques semaines plus tard, je reçois un appel d'une dame qui travaille à la prison locale pour les délinquants juvéniles. Elle me raconte qu'il y a là un groupe de filles qu'elle a essayé d'atteindre de plusieurs façons, mais « qu'elle n'arrive à rien si ce n'est à un accroissement des problèmes de comportement ». Elle s'est mise à leur lire mes poèmes et a-t-elle dit : « Elles se sont calmées et ont adopté une attitude d'ouverture, s'exclamant tout à coup : mais cela m'est arrivé ! » Mes poèmes leur ont donné la permission de sortir du silence.

La dame me demande de faire une lecture publique de mes poèmes à la prison. Je lui offre, plutôt, d'animer gratuitement un atelier de poésie. Pendant douze semaines, nous écrivons ensemble, les filles et moi, et je fais publier le recueil de leurs écrits. Nous l'appelons *Confinement : The Things We Keep Locked Up Inside* (Dans la voûte : Ces choses enfouies en nous-mêmes). Plusieurs des poèmes partent d'une idée que je leur ai suggérée et qui est la suivante : lorsque nous enfermons en nous-mêmes nos secrets et nos certitudes de n'avoir aucune valeur, il nous est impossible de voir nos qualités, notre beauté et notre potentiel. Lorsque nous cachons les aspects de nous-mêmes que nous trouvons laids, nous nous empêchons, du même coup, de voir les belles choses qu'il y a en nous.

Je donne quelques exemplaires du volume à une amie qui travaille dans un centre de traitements pour les enfants ayant des problèmes de drogues et de comportement. Une chose en amenant une autre, depuis neuf ans, j'anime des ateliers de poésie à cet endroit. En fait, à ce jour, j'ai côtoyé des centaines de milliers d'adultes et d'enfants — des femmes battues, des détenus, des enfants de la rue, des délinquants sexuels — dans divers centres de détention ou de réhabilitation.

J'ai vécu la plus étonnante expérience de ma vie dans un centre communautaire où viennent des enfants des gangs de rue, âgés de douze à vingt ans, les vendredi et samedi de dix heures à quatorze heures. Ils prennent un repas, jouent à des jeux de stratégie militaire et s'exercent au basket. Pour avoir le droit d'entrer, les jeunes doivent absolument remettre, dès leur arrivée, leurs pistolets et leurs couteaux à un policier qui n'est pas en service. Ils savent qu'ils ne vont pas récupérer leurs armes, néanmoins, ils viennent tout de même. Des grands-mères font bénévolement la cuisine pour ces enfants, qui, pour une fois, peuvent être des enfants. Pendant la durée de ce programme, le taux de criminalité juvénile dans le secteur a baissé de cinquante-trois pour cent. Mon atelier fait partie du programme de high-school general equivalency diploma (GED) Diplôme équivalent au diplôme de lycée. Je m'attendais d'y trouver six ou sept jeunes. Or, à certains moments, il y a dans la classe pas moins de vingt-huit jeunes, assis côte à côte, écrivant des poèmes. À la fin, je fais publier leurs écrits dans un livre qu'ils intitulent *Lost Between the Cracks* (Perdus dans les interstices), parce qu'ils sentent qu'ils sont des « enfants mis au rebut ».

Un jour, une voisine me demande : « Comment faites-vous pour travailler avec des délinquants sexuels ? On devrait les enfermer pour toujours derrière les barreaux. » Je lui réponds que certains d'entre eux sont remis en liberté lorsqu'ils atteignent dix-huit ans, soit en peu de temps ! Si je peux les amener à déverser sur le papier leur rage d'avoir eux-mêmes subi des sévices sexuels (quatre-vingt-seize pour cent des délinquants sexuels juvéniles sont eux-mêmes des victimes), ils en viennent à éprouver de la compassion pour eux-mêmes et il est alors possible qu'ils changent. Et, si l'un seul d'entre eux parvient à s'en sortir suffisamment pour ne pas violer quelqu'un, la nuit, dans un passage sombre, cela compensera-t-il pour toute une vie de travail ? Absolument !

Avec le temps, je me rends compte qu'il n'y a pas que les enfants des gangs de rue qui ont des secrets douloureux. Les jeunes de la classe de cinquième de l'école que fréquente mon fils écrivent des poèmes que je publie sous le titre *Between the Lines : Things We Still Can't Say Out Loud* (Entre les lignes : Les choses qu'il ne faut pas dire tout haut). Même chez les jeunes de cette bonne école pour enfants de classes moyennes, je constate le même sentiment de n'avoir aucune valeur. Je suis persuadée que c'est la plus grande erreur que l'on peut croire et le plus grand mensonge jamais dit. J'ai toujours pensé que si je peux amener les jeunes à voir que c'est un mensonge, ils pourront ensuite s'efforcer de trouver en eux les bonnes idées et l'inspiration.

Mes deux fils grandissent en bonne santé, confiants et intacts. Lucas est un musicien hip-hop. Il compose de la musique et des chansons étonnantes. Pour un projet au lycée, lui et son meilleur ami ont réalisé un album. Ean n'est pas du genre à rester assis assez longtemps pour écrire quoi que ce soit, mais quand il le fait, le résultat est magnifique. Un poème, qu'il a écrit à l'école, commence ainsi : « Je savais que nous serions pareils, c'est pourquoi je t'ai cherché là où je suis allé. »

Pour moi, tout a commencé avec la pensée : *je souhaite que quelqu'un fasse quelque chose*, suivie de la question : *Est-ce moi ce quelqu'un ?* J'ai cru au départ que je n'avais rien à offrir pour finir par m'apercevoir que j'avais procuré de quoi manger à des centaines d'enfants jamaïcains et qu'il n'y a pas assez de jours dans l'année pour me permettre de donner tout ce que j'ai à donner. Lorsque je côtoie des adultes et des enfants, je m'efforce de leur montrer qu'eux aussi sont quelqu'un et qu'ils ont une quantité infinie de choses à donner. En fait, leur présence seule est un cadeau qui attend d'être déballé. Ils ont beau penser qu'ils sont sans valeur, c'est faux. Ils ont en eux-mêmes des trésors de guérison et d'inspiration dont le monde a grand besoin.

Je dis à chaque personne que je côtoie : « Tu ne pourras pas me démontrer que tu n'as pas de valeur. » Le monde se meurt de ne pouvoir profiter de la nourriture exquise et du remède souverain que chacun possède en soi-même. Chaque fois que je rencontre quelqu'un, je me demande : *Quel remède cette personne peut-elle offrir ? Quelle nourriture est là dans cette personne qui attend d'être partagée entre nous tous ?*

Devenir une nourriture

Je suis une poire.
Je désire être
douce sur tes lèvres,
facilement avalée,
prise et digérée
chaque bouchée totalement

jusqu'à devenir toi.
Jusqu'à m'ajouter
moi-même sacré
à ta croissance,
à ta force,
à l'absence du désir de savoir.
Je suis un plateau de poires
qui s'offrent
à tous dans la pièce,
débordant,
jamais vide,
Si tu as encore faim,
il y a davantage.
Je suis un champ de poiriers,
forts et bien enracinés,
troncs au soleil,
la chair des fruits
prêts à cueillir
en de nombreux temps
tout l'été,
de nombreux services,
de nombreux repas.
Je suis la poire tombée
cédant, m'abandonnant
à la terre
pour renaître
de mes pépins et de ma pulpe
à de nouvelles manières
d'être.
Je suis le pot de conserves plein
sur l'étagère d'une grand-mère
je m'offre encore
à toi
au cœur de l'hiver
pour calmer ta faim

et
ne pas cesser d'être
nourriture.

— *Vicky Edmonds*

« *J'ai commencé par croire que je n'avais rien à offrir pour m'apercevoir que j'avais procuré de quoi manger à des centaines d'enfants jamaïcains et finir par me rendre compte qu'il n'y a pas assez de jours dans l'année pour me permettre de donner tout ce que j'ai à donner.* »

—Vicky Edmonds

4- L'amour de soi

Je suis assise dans le bureau de mon thérapeute et je pleure. « Peu importe ce que je fais, ce n'est jamais assez ! », suis-je en train de crier avec colère : « Je prends des vitamines, je fais du yoga tous les jours, je ne manque aucun rendez-vous de thérapie. Et pourtant, je n'arrive pas à avoir un pH équilibré et j'ai toujours le cancer. »

Ali, mon thérapeute, écoute mes plaintes dans un silence compatissant. Puis, avec douceur, il me dit : « Le problème, Jennifer, c'est que tu as inscrit la guérison sur une liste de choses à faire. Tu crois que c'est quelque chose que tu peux régler — comme faire les courses ou récupérer des vêtements chez le teinturier — et cocher la liste lorsque c'est fait. Cependant, tu n'es pas prête à changer quoi que ce soit à ta routine, à tes habitudes, à ton problème de dépendance au travail, à tes poussées constantes d'adrénaline. Tu ne trouves pas important de prendre soin de toi et tu n'es pas disposée à modifier ta façon de vivre. » Je quitte son bureau, désespérée. Je sais qu'il a raison.

Trois ans plus tôt, un médecin m'a découvert un carcinome sur le côté du nez. Bien que cela ne mette pas ma vie en danger, il me faut m'en occuper. La chimiothérapie en a eu raison, pour une année. Mais, c'est revenu. Je sais bien qu'une autre tournée de chimiothérapie ou de chirurgie peut régler la question encore une fois, mais cela ne traite pas la cause sous-jacente du cancer que j'ai.

C'est pourquoi je décide de changer mon alimentation et d'essayer avec Ali, un psychologue et un praticien de la santé, de voir s'il est possible d'éliminer la cause de la maladie. À ce moment, nous travaillons ensemble depuis un an et demi, et visiblement, le cancer continue de progresser. Dans un état de grande frustration, je prends finalement rendez-vous pour une biopsie, fâchée d'admettre mon échec.

Je peux me libérer du travail pour partir en vacances à Hawaï avant le jour de mon rendez-vous. J'ai terriblement besoin d'une pause, car je viens de terminer le manuscrit d'un volume ; les derniers temps, afin de respecter les délais, j'ai dû travailler de douze à quatorze heures par jour. Je suis épuisée : physiquement, mentalement et émotionnellement. Je sais bien qu'Ali a raison, mais je n'ai aucune idée de la manière dont je peux changer ma vie. Pour empirer les choses, mon rythme de vie frénétique va complètement à l'encontre des sujets que j'aborde dans mes livres et mes conférences, des thèmes comme la nécessité d'une vie équilibrée ! Je ne vois pas comment j'aurais pu faire autrement et respecter les délais. Pour moi, il est impensable de ne pas tenir compte des échéances ou des demandes de conférences.

À Hawaï, je ne fais rien d'autre que de me reposer. Je me promène sur la magnifique plage de Lakanai sur l'île de Oahu, je fais la sieste et je me promène encore. Je n'ai la force de rien d'autre et je pleure tous les jours. Je prie pour obtenir des réponses et je rencontre fréquemment mes amies d'un groupe de soutien.

Un jour, je rencontre Ginny. Mes amies m'ont parlé d'elle, et je souhaite recueillir son témoignage pour le présent livre, qui était en gestation à cette époque. Nous sommes assises sous le chaud soleil hawaïen et elle raconte une histoire qui a changé ma vie à jamais.

Avant de rencontrer Ginny, je pensais savoir ce qu'est l'amour de soi, malgré ce qu'Ali en dit. Depuis plus de dix ans qu'on m'engage pour donner des conférences sur l'amour de soi, je définis toujours celui-ci comme le degré d'amour qu'on a pour soi-même. Cependant, même si, prenant la parole devant des auditoires, je dis que l'amour de soi est quelque chose qui se situe au-delà des accomplissements, des possessions matérielles et des relations, il se trouve que je fonde ma valeur personnelle exactement sur ces choses : une réussite matérielle et extérieure. Je mesure ma réussite à l'aune de la définition qu'en donne la société. Je n'ai donc aucun mal à croire que j'ai une grande estime de soi et que — à défaut de m'aimer vraiment — je m'apprécie beaucoup.

Quand on a un amour véritable pour soi, on n'inscrit pas la guérison sur une liste de choses à faire. On est honnête envers soi-même, on est disposé à faire le voyage intérieur et à se montrer tel qu'on est, à ne pas craindre d'être vulnérable et à faire preuve de compassion envers soi-même.

Cependant, chacun peut interpréter cette notion à sa façon. Laissez-moi vous raconter l'histoire de Ginny. Peut-être, comme moi, la lirez-vous et comprendrez-vous, vous aussi, d'une manière profonde ce que signifie l'amour de soi ?

Ginny m'a fait comprendre que l'amour de soi se manifeste par une réelle compassion à l'égard de soi-même. Son histoire a eu un tel impact sur mon esprit et mon cœur qu'un mois plus tard, j'annule mon rendez-vous chez le médecin. Le cancer s'en est allé.

Ginny Walden
Un cœur de championne

Il est dix heures du soir et, à l'hôpital, tout est silencieux sur l'étage. Je suis dans la salle de bain pour me laver. Pendant que l'eau coule dans le lavabo, je me regarde dans la glace. Je vois mon crâne dégarni, mon corps amaigri et les cernes sombres que j'ai sous les yeux. Six mois de traitements contre le cancer m'ont, à coup sûr, malmenée. L'ironie de la situation ne m'échappe pas.

Enfant, j'étais une fervente nageuse et une athlète. Pour échapper à une vie de famille difficile, je m'efforçais de réaliser mon rêve de faire partie, un jour, de l'équipe olympique. À l'âge de quinze ans, j'ai commencé mon entraînement en nageant entre les petites îles et les balises qui parsèment le détroit de Long Island, à Rye, dans l'état de New York, où j'ai grandi. À dix-sept ans, je m'entraînais avec sérieux pour les Jeux olympiques de 1964. Déjà, je m'étais qualifiée pour le cent mètres, style libre. Lors d'une compétition non officielle, l'entraîneur a demandé s'il y avait quelqu'un qui souhaitait essayer de nager le quinze cents mètres. Timidement, j'ai levé la main ; or il s'est trouvé que j'ai battu le record national pour cette épreuve. On m'apprendra plus tard que j'ai fait un temps qui a été seulement de trente-cinq secondes supérieur au record mondial masculin !

À l'instigation de mon entraîneur, j'ai appelé à la maison pour demander la permission de me rendre à Los Angeles où avaient lieu les dernières compétitions nationales afin de choisir les représentants aux Jeux olympiques. La réponse, un refus, ne m'a pas surpris. Je n'aurai donc pas la possibilité de me qualifier pour le quinze cents mètres. Finalement, n'ayant pas été assez rapide lors des épreuves de qualification, je n'ai pu, non plus, me qualifier pour le cent mètres. Je venais d'apprendre, un peu tard, que j'étais fondamentalement une nageuse de fond.

Frustrée et en colère, j'ai cessé de m'entraîner pour les Jeux olympiques. Cependant, j'ai continué de faire de la natation et je suis devenue entraîneur, histoire de demeurer en forme, et pour le plaisir. Les trente années suivantes, j'ai eu une vie très active. Je passais beaucoup de temps dans la nature, au grand air. Je m'alimentais bien et mangeais rarement dans les casse-croûte. Je gardais toujours une forme impeccable et j'ai fini par battre cinq records nationaux de natation, catégorie Masters, dans ma tranche d'âge !

Par ailleurs, ma carrière aussi allait bon train. À vingt et un ans, j'ai déménagé dans l'Ouest, à Santa Fe, au New Mexico, afin de poursuivre mon autre vocation, celle d'artiste. À cinquante ans, j'étais une sculpteure connue dans la région, et j'aimais mon travail qui consistait à sculpter la pierre et à créer dans le bronze. J'écrivais aussi des poèmes. Je jouais de la guitare classique et flamenca et j'enseignais ces instruments. Dans ma vie privée, je commençais et je mettais fin à des relations, l'une après l'autre, et je faisais de même avec les thérapies. J'apprenais à la rude école.

Puis, au mois d'août 1997, on m'a diagnostiqué un cancer du sein avancé de stade trois. Trois ans plus tôt, une mammographic avait révélé une petite tache de la grosseur d'un pois. On m'avait dit alors que ce n'était rien, qu'il n'y avait pas de quoi s'inquiéter et de revenir dans trois ans ; c'était la façon de faire standard à l'époque. Et j'avais décidé de m'engager plus à fond dans la poursuite du bien-être en ajoutant un programme de guérison émotionnelle à mon programme de mise en forme. J'ai commencé un cheminement personnel, grâce auquel je suis parvenue à me défaire de la plupart des comportements destructeurs que j'avais au travail et dans mes relations avec les autres. J'ai toujours eu beaucoup de difficulté à apprécier ma valeur personnelle et la valeur de mon travail. Voulant plaire à tout prix, je m'oubliais dans les relations avec les autres et je ne demandais jamais un prix équitable pour mes œuvres. Après une vie de conflits intérieurs ou ouverts, je commençais à me sentir vraiment heureuse.

En trois ans, le petit pois était devenu une bosse ; les médecins m'ont dit que cela grossissait depuis huit ou dix ans. La pensée du cancer était si éloignée de mon existence, axée sur la santé et la bonne forme physique, je n'ai pas accusé le coup. Je me sentais si bien que je n'ai pas cédé, sur le moment, à la peur de la maladie. J'ai dit aux médecins que je n'allais pas cesser d'être heureuse parce que je savais, à présent que j'avais le cancer depuis dix ans. L'oncologiste m'a approuvé. Avec grand sérieux, il a renchéri en disant que l'American Medical Association (AMA) insistait sur l'importance d'avoir une attitude positive. J'ai éclaté de rire en ajoutant : « Et puis, qu'est-ce que ça coûte ! »

Pendant les neuf mois qui ont suivi, j'ai reçu les traitements contre la maladie, me disant que je ferais tout ce qu'il fallait et que je me battrais pour rester en vie. J'ai subi une chirurgie au cours de laquelle on m'a enlevé une tumeur de la taille d'une orange. J'ai navigué ensuite pendant trois mois sur des traitements de chimiothérapie sans ressentir d'effets secondaires. Je pense que si tout est allé si bien, c'est parce que, parallèlement aux traitements de la médecine traditionnelle, j'explorais d'autres possibilités : l'acupuncture, la méditation et l'alimentation macrobiotique faisaient aussi partie de mon programme de rétablissement. À un certain moment, un guérisseur autochtone m'a dit que la maladie ne pouvait que s'en aller, car je ne lui faisais pas de place. J'ai aussi demandé à Dorje, un moine tibétain de Santa Fe qui est en contact avec le Dalaï-Lama, de me donner son avis sur le cancer. Il m'a dit : « Ginny, ne t'inquiète pas. La peur ne peut qu'aggraver les choses. Le traitement que tu choisiras n'a pas d'importance. Sois joyeuse et sois heureuse ! Fais des choses qui te réjouissent ! » Cette façon de voir m'a plu et j'ai maintenu une attitude vraiment joyeuse tout au long des neuf mois de traitement.

Espérant mettre un terme aux traitements de la médecine traditionnelle, je poursuivais ma recherche d'autres possibilités. Mon médecin m'a assurée d'une mort certaine si je mettais de côté les traitements médicaux traditionnels au profit d'autres thérapies. Il m'a proposé un nouveau traitement appelé « sauvetage de cellules souches » qui comportait certains risques. Il s'agissait d'extraire des cellules souches de la moelle osseuse, de les congeler, et ensuite, de les réintroduire dans l'organisme une fois que la chimiothérapie a, en principe, détruit toutes les cellules cancéreuses. Pensant que je serais moins exposée à l'infection que si j'étais hospitalisée, j'ai décidé de recevoir le traitement en consultation externe.

Le traitement a été brutal. J'ai vomi, j'ai perdu connaissance, j'ai eu des crises d'épilepsie, des hémorragies internes, et un saignement du nez qui a duré sept heures. Le taux de mes plaquettes sanguines est devenu si faible que mon sang ne coagulait plus. Je ne gardais aucune nourriture ; j'ai perdu trente kilos et je n'avais que la peau et les os. Après la réimplantation, il a fallu attendre dix jours pour que les cellules s'enracinent et commencent à reconstruire le système immunitaire. Le neuvième jour, mon taux de globules blancs était si faible qu'il a fallu m'hospitaliser. Selon le médecin, mon système immunitaire était si chancelant que je pouvais être infectée et mourir d'une simple égratignure.

Sur la porte de ma chambre d'hôpital, on avait accroché une affichette rouge sur laquelle on pouvait lire : « Neutropénique ». En termes simples, cela signifiait que je pouvais mourir si quelqu'un me respirait au visage. Les médecins et les infirmières m'ont regardée gravement et ont dit qu'il faudra me garder à l'hôpital un mois et demi ou deux mois pour permettre à mon système immunitaire de redevenir normal, si jamais cela se produisait, était-il sous-entendu. Aucun visiteur n'était admis et j'étais seule la plupart du temps. Néanmoins, je me suis dit que j'y arriverai et je me suis mise à arranger ma chambre.

Il était tard, me voici devant la glace, aussi chauve que le Tweetie Bird. Je ressemblais à la mort.

Quelque chose d'étrange s'est alors produit. Mes amis avaient l'habitude de me dire : « Ginny, il faut t'aimer toi-même. » N'ayant jamais connu ce qu'est le véritable amour, je n'avais pas d'idée de ce que cela voulait dire de s'aimer. Mais, à ce moment, en regardant dans la glace mon pauvre corps, un puissant sentiment est monté en moi, de mon abdomen, à travers ma poitrine et jusqu'à mes yeux, et je me suis mise à pleurer.

Pour la première fois de mon existence, je ressentais de la compassion envers moi-même. Les larmes roulaient sur mes joues pendant que je baignais mon corps avec la tendresse d'une mère pour son nouveau-né. Je pressais la débarbouillette brûlante sur ma peau avec amour et compassion en disant à mon corps, chaque fois que je le touchais : « Je t'aime. Merci. » Je me suis lavée au complet de cette façon. Et, pour la première fois de ma vie, j'ai senti ce qu'était l'amour de soi véritable.

Je me suis sentie heureuse et légère en me mettant au lit. Quelque part en moi, j'étais certaine que j'y arriverais. J'avais vu de nombreuses personnes mourir des suites de traitements contre le cancer, et, au fond de mon cœur, je savais qu'il devait exister d'autres moyens de guérir les gens ; naturellement, l'organisme ne se guérit-il pas toujours lui-même ? Comment faire pour favoriser ce processus ? Je me suis alors juré que, si jamais je l'apprenais, je ferais tout mon possible pour aider les autres. Je me suis ensuite endormie, rassurée et heureuse.

Cette nuit-là, j'ai rêvé du Dalaï-Lama. Il m'est apparu dans un grand vase en cristal limpide. Il avait la tête inclinée, les mains jointes comme pour une prière et il me disait : « N'oublie pas Genny, sois joyeuse ! » À mon réveil, le lendemain, un jour d'or et de bleu se levait derrière les montagnes Sandia. Je me sentais si bien que je me suis mise à danser en fredonnant ma chanson préférée : « Don't Worry, Be Happy » (T'en fais pas, sois heureuse) de Bobby McFerrin. Je l'écoutais tous les jours pour me donner du courage.

Une infirmière est entrée pour effectuer un prélèvement sanguin. Quelques minutes plus tard, le médecin est revenu avec le résultat. Il a levé les bras au ciel en s'exclamant : « Quoi ? » Toutes les infirmières sont accourues, croyant sans doute que j'avais rendu l'âme ! « Hier, son taux de globules blancs était de 700. Aujourd'hui, il est redevenu normal, à 7700 ! »

Il a déclaré que la seule explication possible était que je devais avoir de la fièvre ou une infection. Mais ce n'était pas le cas. Et dire que je n'étais à l'hôpital que depuis trois jours ! Le médecin et les infirmières m'ont regardée comme si j'étais une apparition. Depuis cinq ans qu'elles travaillaient dans cette aile, les infirmières n'avaient jamais vu personne se rétablir aussi rapidement. Le jour suivant, mon taux de globules blancs était toujours normal et on m'a renvoyée à la maison.

Moins de deux semaines plus tard, j'ai entendu parler d'un exercice chinois, le Chi-Lel, une pratique médicale de *qigong*, considéré comme étant la meilleure méthode d'autoguérison pour les maladies chroniques en Chine. J'ai regardé, sidérée, l'enregistrement vidéo d'une échographie montrant quatre maîtres, qui faisaient disparaître une tumeur maligne de la taille d'une orange sur la vessie d'un patient en quarante-cinq secondes, en prononçant simplement des affirmations et en bougeant les mains au-dessus de l'endroit où se trouvait la tumeur, et sans même toucher le corps !

Excitée par cette découverte, je me suis inscrite à un atelier pour apprendre le Chi-Lel en vue de ma guérison. J'ai appris que la technique consistait à frotter le corps avec les paumes, méthodiquement, d'une façon rythmée, et en parlant au corps. Ce qui correspondait, d'une manière presque identique à ce que j'avais fait spontanément, l'autre nuit, à l'hôpital.

L'animatrice de l'atelier m'a suggéré d'enseigner la technique aux autres afin que les guérisons se produisent plus vite dans le groupe. Selon elle, je savais comment faire naturellement. C'est pourquoi, avant même de commencer les traitements de radiothérapie qui devaient suivre mon départ de l'hôpital, j'ai pratiqué la technique pour moi-même et l'ai enseignée aux autres. Pendant les quatre mois qui ont suivi, je l'ai enseignée, gratuitement ou en échange de dons, à huit cents personnes, tout en recevant mes traitements de radiothérapie et en me remettant de l'intervention « sauvetage des cellules souches ». Un centre de remise en forme a même mis un espace à la disposition de mon groupe de Chi-Lel : à chaque rencontre, nous n'étions pas moins de cinquante personnes. Des guérisons se produisaient régulièrement. J'avais trouvé un moyen d'aider les autres et de me guérir moi-même.

On m'avait avisée que de graves brûlures à la poitrine pouvaient m'obliger à être au lit pendant deux semaines, mais après deux semaines d'irradiation, je n'ai eu aucune brûlure. De plus, bien que le médecin ait affirmé que c'était impossible, je suis parvenue à régénérer les tissus de mon sein droit, endommagés par la mastectomie partielle qui avait été effectuée.

Pendant les années qui ont suivi, j'ai continué la pratique du Chi-Lel pour me guérir complètement aux plans physique, émotionnel et mental, ainsi que pour désintoxiquer mon organisme, empoisonné par les traitements de la médecine traditionnelle que j'avais reçus. L'oncologiste m'a informée que, d'ici un an, il était probable que le cancer revienne. Cependant, depuis six ans, je n'ai eu aucune autre manifestation de cancer. Je me plais à dire que la coiffure que j'ai aujourd'hui a coûté 100 000 $! En 2002, j'ai eu l'honneur d'être promue Senior Instructor de Chi-Lel ; il n'y a que cinq personnes au monde qui possèdent ce titre. Et jusqu'à maintenant, j'ai eu la joie d'enseigner la technique d'autoguérison du Chi-Lel à plus de trois mille personnes.

La guérison qui s'est opérée sur le plan émotionnel de mon être est la chose la plus importante pour moi. À présent, j'ai le cœur ouvert aux autres et je considère tout le monde comme des membres de ma famille. À partir du moment où j'ai pu éprouver de la compassion envers moi-même, j'ai pu aussi en éprouver pour tout et pour tous. La compassion est un sentiment puissant qui vient du cœur et nous relie au monde. Grâce à ce sentiment, je sens, désormais, que je fais partie du processus de la vie ; cela me donne la force de m'assumer comme femme, comme artiste et comme être humain.

« Quand j'ai su éprouver de la compassion envers moi-même, j'ai su l'éprouver aussi pour tout et pour tous. La compassion est un sentiment puissant qui vient du cœur et nous relie au monde. »
— Ginny Walden

5- La foi

Si vous êtes d'un certain âge, vous avez certainement regardé la populaire série télévisée de la fin des années cinquante intitulée *The Ozzie and Harriet Show* et mettant en vedette Sara Bruckner (Sara O'Mara) et Yvonne Lime (Yvonne Fedderson) dans le rôle des petites amies de Ricky et David Nelson. Amies de toujours et compagnes de chambre dans la réalité, ces deux actrices souhaitaient faire grande carrière à Hollywood.

Lorsqu'elles passèrent une audition, avec cinq cents autres jeunes femmes, pour une tournée de spectacles en Corée et au Japon, elles furent choisies parce qu'elles incarnaient ces jeunes filles que l'on rencontre tous les jours dans la rue. Vous allez lire le récit d'une expérience qu'elles ont vécue au Japon, qui a changé leur vie, et, finalement, la vie de milliers d'enfants.

Sara et Yvonne attribuent leur réussite à la foi. Pour elles, avoir la foi signifie qu'elles s'en remettent à Dieu pour diriger leur vie.

La foi n'est pas nécessairement une question de religion et n'a pas nécessairement quelque chose à voir avec les croyances. Selon le docteur James Fowler, spécialiste diplômé de Harvard en psychologie des religions et auteur du livre *Stages of Faith* (Les stades de la foi), la foi est une manière de donner un sens à sa vie. Toujours selon lui, la conduite de chaque personne se fonde sur une foi quelconque, que cette foi soit associée à la religion ou pas.

Pour ma part, la foi correspond au sentiment d'être chez moi dans l'univers, à la certitude que chaque chose est à sa place et que rien n'est laissé au hasard. Avoir la foi signifie aussi, pour moi, ressentir le sentiment que, dans la réalité qui m'entoure, chaque chose a un but, et que tout ce qui m'arrive, bon ou mauvais, contribue à accroître ma compréhension de la vie. Comme le dit mon ami, le Père Tom Miller : « L'obscurité est ma lumière. »

Pour ma sœur Heather, la foi n'est pas simplement une question d'espoir : c'est une croyance absolue. Elle décrit la foi qu'elle a en Dieu comme quelque chose qui la délivre des soucis et des inquiétudes, et qui l'aide, encore et toujours, à garder la raison. Selon elle, la foi est « un état d'être du cœur qui ne tolère pas le doute, mais favorise la certitude et la confiance. La foi vient à bout de l'anxiété et du doute, et permet d'atteindre la paix intérieure et le bonheur ».

L'expérience m'a montré que si nous pouvons affronter les périodes difficiles de la vie avec le désir d'apprendre les leçons qu'elles nous enseignent, nous connaîtrons une lumière de plus en plus grande. Nous deviendrons plus libres et plus ouverts et acquerrons une perspective plus large sur la vie. Quand nous avons la foi, que cette foi soit religieuse ou non, nos actes seront empreints de la certitude que, peu importe ce qui arrive, le résultat ne peut être que satisfaisant, si ce n'est parfait.

Sara et Yvonne disent que la foi leur a permis d'avancer, pas à pas, vers chaque objectif qui se présentait, avec la certitude que, à l'envers de chaque obstacle rencontré, se trouvait un miracle.

L'histoire de Sara O'Meara et Yvonne Fedderson
Briser le silence

Après quatre jours de violent typhon, l'un des pires ayant jamais fait rage sur la ville, nous étions, Yvonne et moi, bien au chaud et en sécurité, dans notre chambre d'hôtel à Tokyo, au Japon. De toute notre vie, nous n'avions vu une tempête d'une telle intensité. Nous avions passé deux nuits dans notre chambre, assises dans le noir, — il n'y avait plus d'électricité — à écouter les forts vents qui sifflaient aux fenêtres. Nous avions reçu l'ordre formel de ne pas quitter l'hôtel et nous étions plus qu'heureuses de nous y soumettre. Une alerte de catégorie « code rouge » avait été déclarée. Compte tenu des conditions dangereuses et malsaines résultant de l'importante destruction occasionnée par le cyclone, personne, dans la ville, ne devait sortir.

Néanmoins, lasses d'être coincées dans notre chambre pendant des jours, au premier signe d'apaisement de la tourmente, nous décidâmes de nous colmater avec le vent et le froid et d'explorer les après-coups de la tempête. Nous étions jeunes, la curiosité l'emportait sur tout et stimulait notre besoin d'aventure. En traversant l'entrée de l'hôtel, nous entendîmes le commis nous demander s'il pouvait nous aider.

« Oh, non ! a rétorqué Yvonne, nous allons simplement faire une promenade. »

« Mais, a-t-il protesté, quittant son poste derrière la réception, l'alerte a été déclarée, vous ne pouvez pas sortir ! »

« Tout ira bien, ai-je ajouté, nous ne serons pas longtemps dehors : nous allons marcher un peu et respirer l'air frais. » Nous sommes ensuite sorties rapidement.

Nous errions par les rues, stupéfaites de la dévastation qui s'étalait sous nos yeux. Des ordures et des débris étaient répandus partout ; des gens ramassaient ce qu'ils pouvaient récupérer. Certains remplissaient des paniers avec — ce que nous croyons — de la nourriture. À certains endroits où nous posions le pied, de la boue mélangée avec Dieu sait quoi, recouvrait nos chaussures. Par moments, la puanteur nous empêchait presque de respirer. Nous marchions depuis deux kilomètres environ, lorsqu'au détour d'une rue, nous nous avisâmes qu'il était préférable de rentrer. Cette première et courte aventure nous avait suffisamment ouvert les yeux.

Tout à coup, nous sommes tombées par hasard sur un petit groupe d'enfants, qui s'étaient blottis en cercle sous un auvent écroulé, pour tenter de se protéger du vent. La vue de ces deux femmes blanches qui s'approchaient fit naître sur leur visage un appel à l'aide silencieux. Ils grelottaient : certains étaient nu-pieds, la plupart d'entre eux avaient le visage rempli de larmes. Quand nous fûmes plus près, nous avons remarqué que les jointures de leurs mains étaient crevassées et saignaient à cause du froid et que leurs vêtements de coton léger étaient déchirés, en loque et trempés. Ils étaient onze, dont l'âge variait, à ce qu'il semblait, de deux à douze ans.

Horrifiées, l'instinct maternel en alerte, nous avons déboutonné nos manteaux et leur avons fait signe de venir s'y réchauffer. Sans hésiter, les enfants se sont précipités l'un après l'autre, faisant gonfler les manteaux en essayant de se faire une petite place. Yvonne et moi les sentions trembler contre nous ; nous sommes restées en silence pendant un moment, nous regardant l'une l'autre dans les yeux. Nous ne savions que faire pour les réconforter. À l'aide d'un dictionnaire anglais japonais, nous tentions désespérément de traduire les mots : « Où sont vos parents ? »

N'ayant aucun succès, tout ce que nous trouvions à leur dire était : « Pas de papa ? Pas de maman ? » Les enfants hochaient la tête et pleuraient encore plus.

Pour l'instant, nous savions ce qu'il fallait faire. Sans parler, nous avons pris la direction de l'hôtel et commencé à franchir lentement les deux kilomètres qui nous en séparaient, entraînant avec nous notre couvée. Déambulant par les rues avec notre chargement, nous nous demandions ce que nous allions faire ensuite. C'était quelque chose de manœuvrer à travers la boue dans les rues pleines de débris. Nous ne savions pas si ces enfants avaient été perdus pendant la tempête ou si on les avait abandonnés. Mais nous savions que ces enfants avaient besoin d'un repas chaud, d'un bon bain, de pouvoir sécher leurs vêtements et d'une bonne nuit de sommeil. C'était exactement cela que nous allions leur donner. Nous étions certaines que, de retour à l'hôtel, nous découvririons d'où ils venaient. Pour le moment, nous ne pouvions penser à autre chose que d'avancer. Nous étions tous trempés et gelés jusqu'aux os. Mais, nous avions commencé cette aventure, il n'était pas question de reculer

À notre arrivée à l'hôtel, nous nous sommes arrêtées un moment à l'extérieur pour découvrir les enfants. Nous avions décidé, Yvonne et moi, que nous les ferions simplement entrer avec nous dans l'hôtel — espérant ne rencontrer aucune résistance — et qu'ils monteraient à notre chambre. Un doigt sur la bouche, nous leur fîmes signe de rester tranquilles. Avec chacune deux enfants dans les bras, et les autres s'accrochant à nos manteaux, nous avons pénétré dans l'hôtel.

Je me souviens encore de l'émotion qui m'a parcouru l'échine au moment où nous traversions le vestibule, un sourire figé sur les lèvres, dans l'espoir que personne ne dirait ou ne remarquerait rien. Je repense toujours avec stupéfaction à la naïveté qui était la nôtre pendant que nous défilions avec notre petit groupe débraillé, souriant et saluant le personnel, et les autres clients de l'hôtel. Après tout, n'étions-nous pas des actrices ? Nous espérions bien nous en tirer. (Des années plus tard, nous nous sommes raconté ce que nous pensions alors et nous en avions bien ri.)

Je me répétais silencieusement : *Des enfants ? Quels enfants ? Sara, ne cesse pas d'avancer.* Pour sa part, Yvonne pensait : *J'espère que personne ne nous arrêtera. J'espère que nous ne rencontrerons pas le colonel.*

Heureusement, nous ne l'avons pas vu, autrement notre mission se serait terminée sur-le-champ. Car, compte tenu de l'alerte rouge, nous n'étions même pas censées être sorties.

Quand nous sommes arrivées sur l'étage de notre chambre, Yvonne et moi, nous sommes arrêtées un moment pour respirer un peu avant de franchir le long couloir.

« Nous avons réussi », ai-je dit avec un petit rire nerveux. Nous nous sommes dirigées vers notre chambre, sous l'œil curieux des soubrettes qui se demandaient bien ce que nous faisions. Une fois la porte de la chambre refermée, les enfants toujours accrochés à nos vêtements, nous nous sommes regardées et d'une seule voix, nous nous sommes écriées : « Qu'allons-nous faire à présent ? » À ce moment, nous avons vraiment pris conscience de ce que nous avions fait. L'impulsion que nous avions eue d'aider ces enfants avait été si forte que nous n'avions pensé à autre chose que d'en arriver où nous en étions maintenant. Nous avons donc continué en accomplissant ce qui nous semblait le plus naturel dans la situation.

Nous avons déshabillé les enfants et les avons baignés, deux ou trois à la fois dans la baignoire jusqu'à ce que tous soient bien propres. Puis, nous les avons enveloppés avec tout ce que nous avons trouvé pouvant servir d'habits. À la fin, avec tous les vêtements qui pendaient à sécher, la chambre ressemblait à une buanderie. Puis, nous avons appelé le service aux chambres et avons commandé à manger pour tous. À notre grande surprise, le repas nous fut apporté avec treize couverts. Souhaitant garder le secret sur nos visiteurs, nous n'avions pas demandé ces couverts. Inutile de dire qu'à ce moment-là, dans tout l'hôtel, on parlait des deux femmes et des onze enfants. Adieu le secret.

Nous avons convenu qu'il était temps de demander au colonel ce que nous devions faire de la précieuse cargaison que nous avions dans la chambre. Nous avions certainement besoin de conseils pour trouver d'où venaient ces enfants. Nous croyons qu'ils avaient un foyer et qu'ils avaient été égarés dans la frénésie de la tempête. Il devait y avoir, quelque part, des parents qui cherchaient leurs enfants chéris. Nous avons persuadé les femmes de chambre de garder les enfants et nous sommes parties trouver le colonel.

L'exposé de notre récit n'a pas suscité chez lui la réaction à laquelle nous nous attendions. Il a levé les bras au ciel et a déclaré que nous avions fait l'une des pires choses à faire. Il s'est montré horrifié que nous ayons fait entrer ces enfants dans l'hôtel, et encore plus à l'idée qu'ils étaient maintenant dans *notre* chambre. Il nous expliqua que notre geste pouvait entraîner de graves problèmes pour nous tous, car nous ignorions tout de ces enfants : nous ne connaissons ni leur identité ni leurs origines.

De mauvaise grâce, nous nous sommes excusées de ne pas avoir réfléchi suffisamment avant d'amener les enfants ; cependant, nous refusâmes de les remettre à la rue. Nous lui avons demandé s'il était exact qu'il avait des enfants. Nous nous rappelions l'avoir déjà entendu en parler. Si une chose du genre leur arrivait, sans doute ne voudrait-il pas qu'ils soient abandonnés ?

Nous n'eûmes de répit qu'il n'ait cédé et finisse par dire : « D'accord, d'accord. »

Il déclara que la meilleure chose à faire était de les habiller et de les amener à l'un des orphelinats de la ville. Il allait nous fournir une liste. Nous devions aller chercher les enfants et les faire descendre d'ici une demi-heure. Il avait une tension dans la voix que nous n'avons pas comprise à ce moment-là.

Nous avons rassemblé les enfants à la vitesse de l'éclair et les avons fait descendre dans le vestibule de l'hôtel. Le colonel nous pressa de monter dans une camionnette de taxi qui attendait. Il s'entendit avec le chauffeur, qui parlait anglais et japonais, pour qu'il nous serve aussi d'interprète dans cette expédition qui avait pour but de trouver un asile pour les enfants. Le colonel discuta ensuite brièvement avec nous et nous remit la liste des orphelinats ; et nous voilà parties.

C'était la fin de l'après-midi. Nous ne pourrions bénéficier que de peu de clarté. À chaque orphelinat mentionné sur la liste, nous nous faisions répondre la même chose : le typhon avait fait de nombreux orphelins japonais, les orphelinats étaient remplis à pleine capacité. Au coucher du soleil, nous nous demandions que faire. Nous avions encore plusieurs orphelinats sur la liste. Cependant, notre détermination était inébranlable : nous n'allions pas laisser les enfants dehors pour la nuit.

« Ramenez-nous à l'hôtel », avons-nous donné l'ordre au chauffeur.

Cette fois, afin de ne pas avoir à faire appel au service de chambre, nous nous sommes arrêtées en route pour acheter de la nourriture. De plus, nous avons convenu avec le chauffeur d'un endroit près de l'hôtel où il viendrait nous chercher tôt le lendemain.

Pour ne pas nous faire prendre par le colonel, Yvonne et moi avions décidé de faire passer les enfants par l'escalier de secours. Le taxi nous déposa à l'arrière de l'hôtel. Nous savions que nous courrions au-devant de gros problèmes si jamais nous étions prises. Pendant que nous escaladions les marches, je sentis une poussée d'adrénaline me monter à la tête. Les deux jeunes servantes affectées au service de l'étage se mirent à rire nerveusement quand elles nous virent entrer avec les enfants par la fenêtre. Elles n'avaient jamais rien vu d'aussi amusant. Afin de nous assurer leur silence absolu sur nos visiteurs clandestins et obtenir quelques couvertures supplémentaires, nous leur avons fait cadeau des chandails de cachemire dont nous avions fait l'acquisition durant notre séjour et que nous pensions rapporter à la maison.

Le lendemain, la lumière matinale commençait déjà à se répandre sur la ville lorsque nous sommes sortis de l'hôtel par l'escalier de secours et avons repris notre recherche. Les heures passaient et notre petite troupe errait par les rues sans succès. Partout, c'était la même histoire: pas de place. Au début de l'après-midi, nous atteignions un des derniers orphelinats de la liste. Nous nous sommes arrêtés devant l'entrée et avons poussé les enfants à l'extérieur du taxi en direction de la porte. Les enfants se mirent à reculer et à pleurer tous ensemble. Bien que perplexes devant cette réaction, nous avons, néanmoins, frappé à la porte. Tout en sanglotant, le doigt pointé sur la porte, les enfants essayaient de nous dire quelque chose.

La porte s'ouvrit et un homme à l'air aimable nous accueillit, l'air tout surpris de voir les enfants devant lui. Après un bref échange entre lui et le chauffeur de taxi interprète, ce dernier nous fit savoir que les enfants avaient vécu dans cet orphelinat même, et qu'ils en avaient été expulsés à la suite du typhon.

« Comment cela est-il possible ? Avons-nous demandé. Pourquoi les a-t-on jetés à la rue ? »

C'est alors que nous avons appris la vérité sur la situation critique de ces enfants. Le chauffeur de taxi nous a expliqué que l'orphelinat ne pouvait plus les prendre en charge parce qu'ils étaient à demi américains et à demi japonais. Le désastre avait créé une situation telle que de nombreux enfants de sang japonais à cent pour cent avaient perdu leurs parents et avaient été abandonnés sans abri. Le gouvernement avait alors décidé d'accorder des subventions pour venir en aide à ces enfants uniquement, et non aux autres enfants de sang mêlé.

Incrédules, nous l'écoutions expliquer la situation. Puis, le responsable de l'orphelinat est arrivé et nous a précisé qu'avant le typhon, il avait pris ces enfants sous sa garde, même sans en avoir l'autorisation. Cependant, après la catastrophe, il avait eu des instructions strictes : seuls les enfants de sang totalement japonais pouvaient être pris en charge. Les onze autres enfants devaient être renvoyés. L'air embarrassé, il s'excusa, mais nous affirma qu'il ne pouvait rien faire. Il nous souhaita bonne chance et referma la porte derrière lui.

Ébahies, bouche bée, Yvonne et moi sommes restées figées sur place. Nous ne parvenions pas à comprendre les explications qui nous avaient été données. Alors, voilà la raison pour laquelle ces enfants avaient été abandonnés : ils étaient à demi américains. Nous étions deux jeunes filles qui vivaient en Amérique, à la fin des années 1950. Avant cet épisode, nous avions déjà entendu parler que des gens protestaient contre la discrimination, mais jamais, il ne nous était arrivé d'en être témoins personnellement. L'incident nous interpellait directement. Jamais, nous n'avions pensé aux possibles complications que pouvait entraîner une naissance de parents de races différentes. Ces enfants — qui, rapidement, étaient devenus nos enfants — avaient été « mis au rebut ». On leur avait dénié toute valeur ; même leurs parents n'en voulaient pas. Nous étions folles de rage ! Cela nous donna le courage de retourner affronter le colonel.

Nous n'avions aucune idée des retentissements que pourrait avoir notre préoccupation pour ces enfants à demi japonais et à demi américains. À l'époque, nous ne pouvions mesurer l'impact qu'aurait sur nos vies cette détermination que nous avions de briser le silence sur l'état désespéré de ces enfants. Nous allions perdre un peu de notre naïveté.

De retour à l'hôtel, nous avons fait au colonel le récit des péripéties de la journée et lui avons fait part de notre intention catégorique de ne pas abandonner les enfants à leur sort. Il a pris une grande respiration, a secoué la tête et nous a donné le nom d'un médecin d'origine mi-japonaise mi-américaine, qui était responsable des missions évangéliques de Tokyo. Par le passé, cette institution avait accueilli dans ses murs des enfants comme nos petits protégés. Le colonel nous avoua qu'il était au courant que les enfants de sang à demi américain faisaient problème. Nous avions touché une question que les autorités gouvernementales des deux pays en cause refusaient de traiter à l'époque et qui allait devenir un « dossier chaud » de l'actualité.

Avec un enthousiasme renouvelé, nous avons immédiatement pris contact avec le médecin. Malheureusement, il nous a informées qu'il s'apprêtait à retourner aux États-Unis. Il nous a suggéré d'aller voir une Japonaise, connue sous le nom de « Mama Kin », qui, selon lui, pourrait nous aider, car elle avait déjà pris chez elle des enfants de sang mêlé. Encore une fois, nous avons entassé les enfants dans la camionnette, et nous sommes reparties pour trouver Mama Kin.

L'espoir nous portait jusqu'à ce que nous arrivions devant la hutte défraîchie, qui ne comportait qu'une seule pièce, qu'elle habitait. Il n'y avait pas de porte d'entrée et même pas de carreaux aux fenêtres. Elle voulait nous aider, mais montra du doigt les dix orphelins dont elle s'occupait déjà ; ceux-ci ressemblaient étrangement aux enfants que nous traînions à notre suite. Le toit fuyait. Deux réchauds à charbon étaient allumés, l'un pour la cuisine, l'autre pour la chaleur. Elle venait tout juste de servir aux enfants ce qui restait de nourriture dans la maison. N'ayant pas assez d'argent pour s'occuper des dix enfants qu'elle avait déjà, elle ne pouvait en prendre onze de plus. Elle nous montra les deux seules vestes qu'elle possédait pour les enfants et que ceux-ci portaient à tour de rôle pour sortir ou se rendre à l'école.

Notre chauffeur traducteur nous apprit que les enfants de Mama Kin étaient aussi des enfants que les familles avaient abandonnés et laissés à la rue comme des indésirables, parce qu'elles en avaient honte. Mama Kin avait transformé cette cabane, au sol de terre battue, en refuge pour eux. Bien que l'endroit fut pitoyable, nous pouvions nous rendre compte que cette femme était remplie d'amour et de lumière. Nous l'avons assurée que si elle acceptait de prendre nos enfants, elle pourrait compter sur nous : nous trouverions moyen de l'aider. Nous pouvions voir dans son regard que c'était une personne de confiance. Elle a finalement accepté de garder nos enfants avec les siens et nous lui avons promis de revenir le lendemain. (Nous avons découvert plus tard que son nom en japonais signifiait *cœur d'or*. Elle se révéla à la hauteur de ce nom et même davantage.)

Yvonne et moi avons pensé que les seules personnes auprès de qui nous pouvions obtenir de l'aide étaient les militaires qui assistaient à notre spectacle ce soir-là. Nous ignorions ce qui arriverait quand nous briserions le silence et parlerions de ces enfants à demi américains qui erraient dans les rues. Nous étions convaincues que certains des pères de ces enfants, sinon la plupart d'entre eux, étaient des militaires provenant de troupes stationnées en Corée et qu'ils étaient venus en ville en permission, pour se reposer et relaxer. Notre rôle était de les divertir et nous ignorions tout à fait s'ils allaient se formaliser et nous causer des ennuis lorsque nous aborderons la question avec eux. Il fallait tenter notre chance. Nous en avions fait la promesse à Mama Kin et aux enfants.

Ce soir-là, plus le spectacle avançait, plus nous avions du mal, Yvonne et moi, à nous concentrer sur notre prestation. À la fin, plutôt que de quitter la scène après les applaudissements, nous sommes simplement restées au milieu du décor. Nos cœurs battaient la chamade ; je ne me rappelle plus laquelle de nous a parlé en premier. Mais quand nous eûmes terminé, nous avions réussi à informer l'assistance des enfants laissés dans la rue.

« Sans que vous le sachiez, certains de ces enfants sont peut-être les vôtres, leur avons-nous dit. S'il vous plaît, venez en aide à ces innocents petits orphelins amérasiens. »

Nous avons ensuite fait la quête et les avons suppliés de venir le lendemain matin à notre hôtel, afin de nous aider à donner aux enfants un foyer chaud et confortable.

La réponse a été extraordinaire. Il était évident que, d'une manière ou d'une autre, nous avions touché une corde sensible. Le lendemain matin, plus d'une douzaine de soldats, pour la plupart des jeunes hommes, sont arrivés à l'hôtel dans un camion militaire rempli de couvertures, de vivres de combat, et de bois de charpente pouvant servir à solidifier l'orphelinat de fortune. Nous avons passé la journée entière chez Mama Kin. Quelques-uns des militaires se sont employés à poser une porte à la cabane, des carreaux aux fenêtres et à effectuer diverses réparations. Les autres nous ont accompagnées dans un marché en plein air où nous avons acheté la literie qui manquait encore, des tatamis, des vêtements chauds, de la nourriture et quantité d'autres choses dont les enfants avaient grandement besoin.

Nous avons constaté que ces hommes avaient bon cœur et qu'ils ne demandaient qu'à nous aider. En fait, ils sont revenus à différentes occasions pendant que nous étions au Japon. Certains venaient pour offrir à nouveau leur aide, d'autres venaient simplement pour jouer avec les enfants. En voyant ces hommes interagir avec les enfants, je me demandais parfois si quelques-uns des petits ne pouvaient pas être les enfants de certains d'entre eux. Néanmoins, cela n'a pas d'importance ; ceux qui venaient avaient vraiment à cœur d'aider les enfants. Le reste de la tournée, lorsque nous n'étions pas en représentation pour les troupes, nous continuions à apporter notre aide aux enfants amérasiens sans abri et à la dame, au visage empreint de bonté, qui consacrait sa vie à leur donner un foyer.

À mesure que la nouvelle se répandait, d'autres enfants amérasiens étaient déposés sur le pas de la porte de Mama Kin avec, sur eux, une note qui disait : « Pour l'orphelinat des enfants de sang mêlé. » Le foyer de Mama Kin a été notre premier orphelinat. Après les multiples agrandissements et rénovations rendus possibles, on ne sait trop comment, par la grâce de Dieu, l'orphelinat a fini par abriter plus d'une centaine d'enfants.

Notre tournée d'amitié s'achevait. Nous sommes allées trouver les responsables et leur avons demandé : « Est-il possible de poursuivre notre voyage et de donner d'autres spectacles ? »

L'idée fut bien accueillie, car cela signifiait qu'ils n'auraient pas à recruter de nouvelles actrices pour continuer les spectacles. Ils nous accordèrent une indemnité journalière. C'était peu, mais cela nous permit de demeurer sur place encore deux mois et de stabiliser l'orphelinat. Les spectacles avaient lieu le soir ; ce qui nous donnait la possibilité, durant le jour, d'aller travailler avec Mama Kin et les enfants. Nous avons continué à solliciter la générosité des militaires et nous avons obtenu toute l'aide que nous demandions.

Nos aventures au Japon ont été ponctuées d'obstacles et d'embûches de toutes sortes causés par des bureaucrates tatillons. Qui sait ce qui serait arrivé si nous n'avions eu le soutien financier de nos familles, là-bas à la maison, et l'aide des militaires ? À l'époque, la plupart des Américains ne se montraient pas aussi ouverts : la simple question de savoir combien d'enfants étaient fils ou filles de soldats américains en mission dans ces contrées ne s'est vraiment posée que quelques années plus tard, lorsqu'une situation similaire s'est produite au Vietnam. Nous étions d'autant plus résolues à ne pas abandonner le projet à notre retour aux États-Unis.

Les tracasseries administratives qu'il nous fallait affronter continuellement entravaient sérieusement les efforts exigeants que demandait la mise sur pied de notre projet et constituaient un de nos plus grands obstacles. Tous avaient du mal à croire que notre acharnement aboutirait à quelque chose. Après tout, n'étions-nous pas que deux jeunes actrices ? Encore aujourd'hui, il nous arrive de nous heurter à des murs. Lorsque tout a commencé au Japon, nous ne nous doutions pas que l'aventure serait un tel tour de force. Ce qui nous incite à poursuivre notre mission, c'est la certitude que nous avons toujours eue de ne pas être seules. Malgré les embûches et tous ces gens qui se sont mis en travers de notre route, tout au long du voyage, notre mission était dédiée à Dieu. C'est pourquoi nous avons toujours senti qu'Il était à nos côtés et qu'Il nous envoyait des « anges ». Pour cela, nous Lui sommes sincèrement reconnaissantes et Lui attribuons le mérite de notre réussite.

À la vérité, nous n'avons pas réfléchi pour savoir si nous pouvions faire quelque chose. Quand l'« appel » de Dieu s'est fait entendre, nous y avons répondu, sans poser de questions. Nous ne nous sommes jamais arrêtées pour étudier la situation dans son ensemble. Nous ne nous sommes jamais laissé atteindre par les craintes et les résistances que nous rencontrions sur notre route. Animées d'une foi et d'une confiance très fortes et aidées de la prière, nous avons simplement avancé, pas à pas, vers chaque objectif qui se présentait. Le même scénario se répétait toujours : les obstacles finissaient par disparaître pour faire place aux miracles. Nous en sommes venues à penser que, d'une façon ou d'une autre, chaque obstacle se double toujours d'un miracle, il suffit d'attendre le temps qu'il faut et d'avoir la foi. Nous anticipions les obstacles et nous nous y sommes attaquées en conséquence. Simplement, nous gardions toujours à l'esprit que ce n'était pas nous qui dirigions le spectacle, mais Dieu. Nous avons réussi à briser le silence qui régnait sur les mauvais traitements dont sont victimes les enfants au Japon et nous n'avons pas l'intention de laisser le silence se réinstaller.

Avec les années, à mesure que notre mission prenait de l'ampleur, nous considérons que notre travail avec les enfants japonais a constitué un bon début. Bien que la tâche ait été énorme, nous avons réussi, avec l'aide de merveilleux bénévoles, et grâce uniquement à des subventions d'ordre privé, à mettre sur pied quatre orphelinats et à entretenir leur fonctionnement. Yvonne et moi, ainsi que les personnes à qui cette œuvre tient à cœur, avons créé une organisation à but non lucratif qui a des sections partout aux États-Unis, et dont l'objectif est d'accroître la visibilité de notre mission. Nous l'avons nommé International Orphans (Orphelins international, Inc.) (IOI). Quand nos efforts se sont ensuite portés sur l'aide à donner aux enfants, ici, aux États-Unis, l'organisme est finalement devenu Childhelp USA. Nous savons que nous accomplissons la volonté de Dieu. Quelqu'un doit parler au nom de ces enfants et c'est le privilège que nous avons de continuer à le faire.

Post-scriptum : En 1964, en principe, il semble que tous les enfants amérasiens au Japon aient trouvé un foyer ; Sara O'Meara et Yvonne Fedderson croient que leur tâche est terminée. Cependant, le général Lewis Walt leur fait la demande, comme la guerre s'intensifie au Vietnam, de s'occuper des orphelins de ce pays. Cette fois encore, les deux amies n'hésitent pas. De 1966 à 1972, sous la bannière d'International Orphans Inc, elles recueillent des fonds qui permettent de construire cinq orphelinats, des écoles et des hôpitaux pour enfants au Vietnam, et d'assurer le fonctionnement de ces institutions.

En 1972, à la fin de la guerre, au moment où les troupes américaines vont quitter le pays, un autre besoin urgent se fait sentir. De concert avec d'autres organismes humanitaires, Sara et Yvonne collaborent à l'« opération Babylift » dont l'objectif est de secourir les orphelins amérasiens qui seront tués par les Vietnamiens s'ils sont laissés derrière. À la fin de la guerre, des milliers d'enfants sont transportés, par avion, en lieu sûr et placés dans des foyers.

En 1978, l'effort humanitaire de Sara et Yvonne se porte au secours des enfants de leur propre pays lorsque, et, à la demande de Nancy Reagan, elles se penchent sur le problème de la maltraitance d'enfants aux États-Unis. Elles étudient la question et elles découvrent, horrifiées, que partout au pays, ce fléau a pris des proportions épidémiques. C'est pourquoi elles fondent Children Usa. Depuis, elles consacrent leur inépuisable énergie et leur détermination à cette œuvre.

Children Usa est l'un des plus importants organismes à but non lucratif ayant pour objectif de prévenir la maltraitance et l'abandon d'enfants, et d'aider les victimes de ces conduites abusives. On trouvera des renseignements sur les personnes à joindre, à la fin du volume, dans la section intitulée *Les Collaborateurs*.

« À la vérité, nous n'avons pas réfléchi pour savoir si nous pouvions faire quelque chose. Quand l'« appel » de Dieu s'est fait entendre, nous y avons répondu, sans poser de questions. »
— Sara O'Meara et Yvonne Fedderson

6- Le courage

Vers la fin de mes deux années de service en Afrique de l'Ouest dans la Peace Corps, j'ai eu envie de mieux me connaître et de savoir de quoi j'étais faite. J'ai demandé à passer une troisième année, dans le petit pays pauvre où je vivais, mais cette fois en pleine brousse. J'étais consciente que cela constituait une parfaite métaphore de mon désir d'explorer « en profondeur » la personne que j'étais. Ma demande de mutation venait d'être acceptée lorsqu'une impulsion encore plus forte me commanda soudain de me rendre en Inde, où je croyais rencontrer quelqu'un qui m'enseignerait le « sens de la vie ». Oui, je sais, c'est le genre de choses qu'on lit dans les cartes de vœux !

Avec l'argent provenant des « réajustements d'indemnités » que m'avait accordés la Peace Corps, lequel, finalement, me permit de voyager autour du monde pendant un an, je pris d'abord la direction de l'Afrique de l'Est afin de rejoindre des amis de collège. Deux d'entre eux avaient servi bénévolement en Samoa occidentales. Nous partîmes ensuite à trois pour la ville de Nairobi, où une autre amie Peace Corps, Karen, avait un appartement. Là-bas, nous passâmes trois mois à la recherche d'aventures.

Certains après-midi, nous partions en voiture au parc safari de Nairobi, situé à peine à huit kilomètres de la ville. En fait, ce furent là que nous vécûmes les moments les plus excitants et les plus grandes décharges d'adrénaline, par exemple, lorsque l'embrayage de la petite Morris Minor de Karen a lâché au moment où nous croisions un groupe de lions (Karen a dû sortir de la voiture et rafistoler l'embrayage avec une agrafe de bureau). Un jour, au tournant d'un virage, nous avons surpris deux rhinocéros mâles en pleine bataille. Le rhinocéros est l'un des rares animaux qui attaquent sans être provoqués, et ces deux-là paraissaient réellement méchants ! Une autre fois, en quittant le parc à la fin de la journée (on vous demande de partir avant la tombée de la nuit, sinon vous restez enfermés), nous avons surpris une mère éléphant qui traversait la piste pour se rendre au ruisseau où les autres femelles éléphants se désaltéraient et se rafraîchissaient avec leurs petits. Vous avez peut-être déjà entendu des anecdotes à propos de femelles éléphants craignant pour leurs petits. Celle-ci s'est tournée vers nous et s'est mise à marcher en direction de notre petite voiture. Karen a embrayé en marche arrière et nous avons commencé à reculer lentement. L'animal s'est immobilisé, puis a continué d'avancer. Nous avons reculé encore davantage. Le face-à-face a paru interminable. Finalement, le désir qu'avait l'éléphante d'aller rejoindre ses petits fut plus fort que celui qu'elle avait de nous écraser.

Toutefois, l'une de nos plus mémorables expériences fut un voyage safari, en Land Rover louée, qui nous conduisit à travers tous les autres parcs de l'Afrique de l'Est. Nous avons visité les deux parcs, Tsavo-Est et Tsavo-Ouest, au Kenya, qui comprennent presque quatre millions d'hectares de contrées sauvages, et le parc Serengeti en Tazanie. Nous avons vu le mont Kilimanjaro, dont la beauté surpasse toutes les photos qui en ont été prises. Nous pensions au retour à la maison lorsque nous avons décidé de visiter le Ngorongoro Crater, site du cratère d'un volcan situé dans la vallée où furent découverts les restes des tout premiers humains.

Je décris la suite des événements dans un poème, que j'aimerais partager avec vous. Pendant un instant, la peur m'a presque paralysée. Mais, Dieu merci, la détermination que j'avais de profiter au maximum des moments que je vivais était telle que le courage a pris le dessus.

Ngorongoro Crater

Tout le jour, la Land Rover négocie les méandres vertigineux
Sillonnant la cuvette du cratère comme des motifs zigzaguant sur le dos des zèbres
Lesquels notre passage disperse par milliers.
Cobes des roseaux, cobes à croissant, oréotragues sauteurs, grands koudous,
Nous les avons suivis, encerclés et pourchassés.
Nous courons avec les antilopes, les gnous, les oryx, les impalas
Nous imaginant traqués par des éléphants et des élands
Sous le regard des singes et
Nous devinons les lions et les léopards lancés à notre poursuite.
Nous voyons la gazelle tombée se faire manger par des chacals,
des hyènes et d'autres charognards.
Et en observant les vautours prendre leur repas
Nous sentons que c'est nous que l'on dévore.

À six cents mètres d'altitude sur le rebord du cratère
Nous avons planté notre tente au pied de la pancarte
Il est interdit de camper sur le versant du cratère.
Perchée en bordure de la nuit, j'imagine
Étreindre de mes bras ce lieu ancien, le berceau de la terre.

Les bruits de sabots, le sang qui afflue dans mes veines
Et le rugissement des lions, tout près,
M'empêchent de trouver le sommeil.
En quête de chaleur, je quitte la tente
Et je grimpe sur le siège arrière de la Rover,
Explorant le ciel africain pour tenter d'y apercevoir une
touche de lumière.

En ce bref moment entre l'ombre et la lumière, le
sommeil et l'éveil qui est caractéristique de l'Équateur,
Comme une entaille dans le verre mince de la glace,
J'aperçois une paire d'yeux qui m'observent.
Mon cœur s'arrête de battre, puis me tonne aux oreilles.
Il n'est pas seul, et les deux hommes portent des lances.
Verrouillant les châssis, je les observe s'avancer.
Des lanières de cuir encerclent leur cou rouge,
Leur chevelure rougeâtre coiffée de nattes serrées
tombe indomptée sur leurs épaules.
Ils dégagent une odeur d'excréments, de sueur et de lait
sur,
Et transportent des calebasses d'où goutte le sang de
bétail dont ils s'abreuvent.
J'approche mon visage plus près de la glace.

Grands et élancés, la peau de ces hommes à demi nus
Est sombre et brillante comme celle des peuples
d'autrefois.
Une étoffe cuivrée est jetée négligemment sur les
épaules,
Ils ont les jambes peintes et les bras barbouillés de
rouge,
Des perles de verre aux oreilles, des bracelets et des
bandeaux ruissellent
De leur corps, bleu rouge blanc.
Ils brillent d'un éclat rouge et cuivré

Qui se reflète dans la lueur de leurs longues lances
Tandis qu'ils tapent doucement contre la vitre.

Lentement, j'émerge dans le petit matin froid.
Je n'appelle pas en direction de la tente. Je reste là et
Je fais la connaissance des Masaïs. Puis, ils repartent,
Aussi silencieusement qu'ils sont arrivés,
Deux afflux de sang dans l'immensité du ciel.

Dans la tente, cette nuit-là, il y avait une de mes amies, Pam George, qui est l'auteure de l'histoire qui suit. Pam est une artiste et une érudite. Au cours des années, depuis notre retour d'Afrique, je l'ai vu peindre des canevas, sculpter des caractères dans des tablettes de bois, teindre des tissus à la main et même construire des maisons, avec amour. Quand on l'observe dans son atelier, on ne peut soupçonner la détermination à toute épreuve de cette douce professeure d'université.

Cependant, lorsque les évènements dont vous allez lire le récit sont survenus, j'ai vu Pam bondir littéralement comme un guerrier brandissant la lance. Comme Erin Brockovich, Pam a accepté d'affronter une entreprise colossale afin que la justice triomphe. Ce faisant, elle a risqué de compromettre sa carrière et a dû faire face aux moments les plus sombres et les plus terrifiants de sa vie.

Il peut s'avérer accablant d'entendre parler de la corruption et des abus de pouvoir flagrants qui sont perpétrés partout dans le monde. Il est chagrinant de voir des gens agir d'une manière malhonnête et qui va à l'encontre du bien de tous. C'est pourquoi je dis merci aux femmes qui, comme Pam et comme les nombreuses femmes de ce livre, consacrent leur vie à l'amélioration de la condition humaine, se battent pour la justice et mettent leur temps, leur énergie et leur vision au service de causes qui, à toutes, nous tiennent à cœur !

Je crois qu'il existe une justice dans l'univers, une sorte de loi cosmique de l'équilibre que nous ne voyons pas ou ne connaissons pas toujours. Mais cette loi cosmique de la justice se manifeste à travers le courage de femmes comme Pam.

Un dernier mot sur Pam. Au moment où j'écris ces lignes, elle est sur le point de prendre sa retraite d'une carrière de trente-cinq ans dans l'enseignement et l'administration universitaires. Fidèle à elle-même, elle s'est proposée pour un autre poste, financé en vertu des dispositions de la loi Fulbright, et a obtenu une charge d'enseignement au Sri Lanka. Les pinceaux devront attendre encore un peu. Elle continue à forger une œuvre d'excellence en éducation.

Et si d'aventure, elle rencontre des circonstances difficiles sur sa route, je suis convaincue qu'elle saura être à la hauteur.

L'histoire de Pamela George
Réveiller le géant endormi

Au moment où j'ai choisi ma carrière, je savais qu'il me faudrait travailler fort et faire preuve de créativité. J'étais prête à cela ! Cependant, j'étais peu consciente qu'il faudrait aussi me montrer brave. Vraiment brave. C'est cela qui s'est avéré le plus difficile.

J'enseigne la psychologie appliquée à l'éducation et ma tâche consiste à former des professeurs, des conseillers et des directeurs d'école pour faire l'évaluation des élèves et des programmes scolaires. Cependant, mon travail va au-delà de ce mandat. Depuis presque trois décennies, je caresse le rêve d'une école où les étudiants seraient évalués à partir de leurs réalisations et où les résultats de tests ne compteraient que pour une faible part dans leur dossier scolaire. J'enseigne des méthodes d'évaluation moins désavantageuses pour les élèves que les tests standards de Q.I., d'aptitude ou de mesures de performance généralement employés. Je décris également l'utilisation abusive des tests standardisés qui est faite dans les écoles.

Ma mission commence le jour où Kemen, ma fille de huit ans, revient à la maison le visage plein de larmes, tenant à la main un formulaire de résultat de test.

« Maman, j'ai échoué en math ! parvient-elle à dire en pleurant, j'ai eu la pire note de la classe ! »

Je m'efforce de la calmer. Je suis certaine qu'elle se trompe. Kemen a toujours aimé les maths. En troisième année, elle n'a aucune difficulté avec ses devoirs et aide même les autres enfants. Cependant, en observant de plus près les résultats qu'elle a obtenus pour le test de fin d'année, je vois bien qu'elle a raison. Elle a obtenu une note de six sur un total de cent, la pire note de toutes ! Stupéfaite, je cherche une explication à ce triste état de choses dans le texte compliqué du rapport, mais sans succès.

Kemen est anéantie. Elle espérait avoir les qualités requises pour faire partie des classes pour élèves académiquement doués et voilà qu'elle doit reprendre sa troisième année ! Je ne sais trop si je dois me comporter en maman compréhensive ou en professionnelle outrée. Mais je sais que Kemen est forte en math et je connais les ratés des tests standardisés, je commence donc à chercher les raisons de ce résultat pour le moins contestable.

Je demande d'abord à voir l'énoncé de l'examen. Ma requête est sèchement refusée. Je demande ensuite une reprise de l'examen, qui est aussi refusée. Enfin, je demande à voir l'original de la feuille de réponses qu'elle a données. Dieu merci ! Cela m'est accordé. On découvre alors que la feuille réponse qu'elle a complétée est en fait une photocopie. Le surveillant a dû manquer d'originaux. Ne pouvant déchiffrer adéquatement les réponses consignées sur la photocopie, le correcteur automatique a passé outre et a inscrit un faux résultat, très bas.

Pour Kamen, le problème est réglé. C'est aujourd'hui une fière jeune femme qui, avec bonheur, étudie les mathématiques appliquées et les statistiques au collège. Pour moi, cependant, cette expérience n'est qu'un début.

Je commence à collaborer avec d'autres parents et des enseignants afin de prévenir les erreurs découlant du recours abusif aux tests standardisés. Mon engagement s'accroît lorsque j'ai à conseiller des parents dont l'enfant, à la suite de résultats d'un test de Q.I., a été identifié attardé mental par erreur. Je côtoie des enseignants dont le bon jugement est souvent contredit par les résultats de tests standardisés. J'observe des classes où, en prévision de l'examen, le programme scolaire se réduit à des sessions de bachotage d'un ennui mortel. De plus, je côtoie des étudiants de tous niveaux qui voient leurs horizons académiques compromis à cause d'examens qui, de toute évidence, ne reflètent pas adéquatement leurs habilités.

Si je suis témoin de tels ratages de l'évaluation, c'est que je vis et je travaille dans le Sud. Depuis toujours, cette région a mené la marche au pays en ce qui concerne l'évaluation rigide des enfants. Bien que les autres régions aient suivi le mouvement, c'est d'abord dans le Sud que l'on a exigé, pour la première fois, un examen d'entrée à la maternelle, des tests en vue d'un diplôme de première et seconde années, des reprises d'une année scolaire fondées sur des résultats à un test, des tests de compétence au lycée, et davantage ! L'évaluation fait marcher une économie très florissante. Des entreprises spécialisées dans l'édition de tests vendent des millions de tests aux départements d'instruction publique des états, aux directions d'école et aux conseils d'administration des établissements scolaires.

Je sais qu'il me faut informer les parents et les enseignants des problèmes que j'ai constatés avec les tests. Je ne suis pas particulièrement brave et je manque d'assurance, mais il est clair que c'est la chose à faire. C'est pourquoi j'écris un livre intitulé *Testing Our Children* (Nos enfants et les tests). C'est le premier d'une série de volumes illustrant une tendance qui va devenir populaire chez les auteurs de volumes réclamant une réforme de l'évaluation scolaire. J'ai voulu écrire un volume accessible, qui simplifie les statistiques d'évaluation et démystifie les questions posées par les tests. Le volume amène les parents et les enseignants à considérer des affaires de contestation de certains éléments de test portées en justice, et publiées. Il illustre les erreurs qui se rencontrent le plus fréquemment dans des éléments de tests ou dans des pratiques reliées aux tests. Il renseigne les parents sur leurs droits en matière d'évaluation et d'utilisation de tests.

Le volume reçoit un accueil favorable dans les médias de l'éducation et dans la presse régionale. Comme je l'ai escompté et surtout pour la bonne raison qu'il n'existe, à l'époque, que très peu de ressources en matière de tests pour aider les parents et les élèves, le livre est populaire et bientôt tous les exemplaires de la première édition sont vendus.

Cependant, au moment où je crois que la route est dégagée devant moi et que justice a été rendue, un géant endormi se réveille ! Une des entreprises spécialisées dans l'édition de tests les plus prospères au pays intente une poursuite judiciaire contre moi fondée sur mon livre *Testing Our Children*. Cet éditeur publie un test de Q.I. largement utilisé. Il allègue que mon livre, en révélant aux lecteurs des éléments spécifiques de tests qui doivent demeurer confidentiels, encourage les parents et les enseignants à enfreindre la législation protégeant les droits d'auteurs de l'entreprise. En plus de réclamer des dommages et intérêts d'un montant énorme, elle exige que mon livre soit retiré du marché et qu'il me soit dorénavant interdit d'écrire des textes, de donner des cours ou des conférences portant la question des tests standardisés.

Le ton agressif des avocats de la firme new-yorkaise qui représentent l'entreprise m'a littéralement sidérée, car je viens du Sud où les gens sont plus polis de nature. À la recherche de quelque erreur, je lis et relis les documents certifiés conformes que les avocats m'avaient fait parvenir. Abasourdie, je finis par les déposer, et me lance dans la recherche frénétique de moyens de m'en sortir. Le ton véhément employé dans les documents me fait peur, car je ne suis pas professeure titulaire à l'université et cette poursuite risque de compromettre mes chances de le devenir. Je suis ébahie par le montant d'argent exigé par l'entreprise pour compenser les préjudices subis : c'est une somme dont le montant dépasse en importance tout ce que moi, ou toute ma famille, ne pourrons jamais gagner de toute notre vie.

Que vais-je faire ? Si je m'effondre devant les menaces juridiques brutales de cette industrie, je vais certainement perdre mon *emploi*, lequel représente plus qu'un simple travail pour moi : il a un sens ; c'est une « vocation ». En revanche, si je me défends, je risque également de perdre mon *job*, une chaire de professeur pour laquelle j'ai travaillé dur et ai obtenu un doctorat. Pendant quelques jours, je suis si préoccupée que je suis incapable de ne rien avaler. Mes amis me traitent de « grande traumatisée » et s'inquiètent à mon sujet. Nuit après nuit, des pensées anxieuses m'occupent l'esprit et je ne fais que somnoler.

Un matin, aux premières heures du jour, je suis étendue sur mon lit, repliée sur moi-même, me sentant perdue dans une caverne sombre et inquiétante, lorsque, finalement, un rayon de lumière éclaire la chambre. Je me suis alors assise sur mon lit, traversée soudainement par un regain d'énergie à la pensée que je ne suis pas seule pour faire face à la situation. Pendant des années, j'ai rencontré des gens et j'ai correspondu avec des collègues, venant de tout le pays, qui ont partagé mes inquiétudes en ce qui concerne le recours abusif aux tests standardisés. À travers le pays, une coalition qui regroupe les éducateurs de même opinion et les défenseurs des droits civils a vu le jour. Il me faut faire appel au soutien de ces personnes !

Après avoir avalé mon petit déjeuner pour la première fois depuis des jours, je prends le téléphone. J'appelle John (un ardent défenseur de la réforme de l'évaluation), Diana (une procureure éprise de justice sociale), Bob (un expert du travail en réseau), Page (une éducatrice intelligente en milieu rural) et Chuck (un professeur de journalisme). Chacun d'entre eux fait ensuite appel à d'autres collègues. À la fin du deuxième jour, des messages d'encouragement arrivent de partout, d'un océan à l'autre.

Bientôt, la nouvelle de notre coalition se répand dans un public élargi ; elle rejoint les groupes qui se consacrent à la défense des droits civils et les universités partout au pays. Dans leurs milieux respectifs, mes collègues racontent une version simplifiée de mon histoire. On dit que la vaste industrie de l'édition de tests tente de créer un redoutable précédent, en matière de protection de droits d'auteur, en s'attaquant à une enseignante bien intentionnée d'une université du Sud qui a peu de chance de l'emporter.

À la fin de la semaine, un centre de plaidoyer en matière d'éducation, qui a son siège à Harvard, coordonne ma défense. Bientôt, un cabinet d'avocats renommé de Washington, dans le district de Columbia, décide de se charger de l'affaire bénévolement. Cette équipe d'avocats prend le parti de fonder ma défense sur le Premier Amendement, lequel garantit aux parents ou aux enseignants le droit de regard sur les pratiques d'évaluation et les outils servant à celles-ci.

Mon combat se poursuit et quelque chose d'inattendu se produit : je commence à me sentir brave ! La bataille que je mène pour continuer mon œuvre et les encouragements que les autres, qui croient à l'importance de mon travail, me prodiguent me transforment intérieurement. Je suis désormais capable de me défendre. Je n'ai plus besoin de me montrer toujours polie, surtout sous la menace. Je n'ai pas à reculer devant la puissante industrie de l'édition de tests. De plus, je n'ai pas à tout faire moi-même.

En quelques mois, l'affaire se règle favorablement à l'amiable. Le livre revient sur les rayons des librairies et je peux continuer d'écrire des textes, de donner des cours ou des conférences et de publier des critiques portant le recours abusif aux tests standardisés.

Un jour, vers la fin des délibérations, je regarde le groupe d'avocats importants de Boston, New York et du district de Columbia, ils sont réunis dans une salle de conférence à Washington. Ils ont été des collègues, ce sont maintenant des amis ; ils se sont fait les champions de *Testing Our Children* et ont partagé mon rêve d'avoir des méthodes d'évaluation adéquates pour les jeunes. Je leur suis grandement reconnaissante du soutien qu'ils m'ont apporté, de l'expertise, de l'habileté et de l'énergie dont ils ont fait preuve. Je ne me suis jamais sentie aussi brave de toute ma vie. Je souris à la pensée que l'industrie de l'édition de tests s'est attaquée à la mauvaise personne !

« Je me suis assise sur mon lit, traversée soudainement par un regain d'énergie à la pensée que je ne suis pas seule pour faire face à la situation. Il faut faire appel au soutien des autres ! »

— Pamela George

7- L'honnêteté

Chaque fois que je m'adresse à un auditoire de femmes, il est question d'honnêteté. Même si je n'ignore pas que les femmes sont honnêtes pour la plupart, je sais bien que l'honnêteté envers *soi-même* est pour les femmes une des choses les plus difficiles à atteindre. Nous disons oui alors que nous pensons non, nous acceptons des projets qui nous feront travailler tard le soir et nous priveront du repos dont nous avons tant besoin, et souvent nous sommes tellement occupées à prendre soin des autres que nous n'avons aucune idée de ce que nous ressentons vraiment au fond de nous-mêmes.

La chose la plus difficile, en ce qui concerne l'honnêteté, est peut-être de se rendre compte, à un certain moment, qu'un choix de vie que nous avons fait s'avère n'être pas le bon, soit qu'il corresponde à un stade que nous avons dépassé, soit qu'il ne nous convienne simplement plus désormais. Sous prétexte que nous avons investi beaucoup de temps, d'argent, des études, de l'intimité, une foi, en quelque chose ou quelqu'un, nous trouvons difficile de changer de direction.

Souvent, la famille et les proches peuvent accroître la pression, en nous incitant à marcher sur les traces de quelqu'un d'autre. Cependant, lorsque nous prenons conscience des sentiments réels qui nous habitent et que nous sommes disposés à abandonner notre investissement — que ce soit dans un projet ou dans un choix de vie — la récompense peut s'avérer au-delà de tout ce que nous aurions pu imaginer. Cette honnêteté à l'état brut peut nous rendre très vulnérables. Mais, la liberté et la joie qui en découlent dépasseront de loin les bénéfices que nous pensons tirer de la situation actuelle.

Une chose de ce genre m'est arrivée lorsque j'ai commencé à travailler à la première version de ce livre. À New York, lors du Salon du livre de l'Amérique, j'ai fait la rencontre d'une femme extraordinaire, une auteure et une psychologue de renommée mondiale. Nous nous entendons si bien que lors de notre brève rencontre, nous parlons d'écrire un livre en commun. Quelques semaines plus tard, nous commençons donc à travailler sur un projet de proposition de livre, que nous terminons en deux mois et faisons parvenir à mon éditeur.

Le jour même où notre projet doit être étudié, l'éditeur en chef m'appelle pour m'annoncer qu'il est accepté. Je déborde d'enthousiasme. Nous discutons des étapes à venir, des délais, de la date de publication, etc. Cependant, durant les quelques jours qui suivent, voilà que j'éprouve un malaise. Une bataille se livre en moi. Après avoir passé deux mois et m'être donnée corps et âme à l'écriture de ce projet, je n'ai plus envie d'écrire le livre désormais. Ma perspective n'est plus la même qu'au début. Maintenant, ce à quoi j'accorde de la valeur et souhaite véhiculer dans le livre est différent de ce qu'a été mon intention originalement.

Je suis à une croisée des chemins. Je sais qu'il me faut dire non à ce travail imposant, le refiler élégamment à ma coauteure et dire la vérité, à elle ainsi qu'à mon éditeur : je ne veux pas poursuivre ce projet. Et je le fais.

Je me sens humble et vulnérable. Il m'est difficile d'admettre que je me suis trompée. Et je suis perturbée à l'idée d'avoir rompu un engagement et de paraître non professionnelle.

Cependant, je me rends compte que, généralement, lorsque l'honnêteté vient du cœur et est empreinte de clarté et du désir de créer une situation profitable pour toutes les personnes concernées, il ne peut en résulter qu'un accroissement du bien-être général, même si, au départ, cela peut ne pas sembler évident. Si nous faisons appel à l'honnêteté pour manipuler les autres ou si nous l'évoquons pour échapper à nos responsabilités, cela ne fonctionnera jamais. Comme cela ne fonctionne pas non plus, si sous prétexte de dire la « vérité », nous critiquons ou portons des jugements. Ce n'est qu'une fois que nous sommes totalement honnêtes envers nous-mêmes que nous pouvons l'être envers les autres. Pour ma part, je découvre que plus je suis honnête — envers moi-même et envers les autres — plus je me sens libre.

Ces considérations s'appliquent certainement à ma décision de me retirer de l'écriture du livre évoquée précédemment. Mon éditeur accepte de poursuivre le projet avec ma coauteure, si celle-ci le souhaite ; je joue donc le rôle d'un élément ayant favorisé une collaboration potentiellement fructueuse entre deux personnes. Cela me donne également la possibilité de me consacrer plus entièrement à mon propre volume, lequel va représenter quelque chose de plus profond que ce que j'ai prévu au départ et finir par se développer pour devenir le livre que vous êtes en train de lire.

Je connais des gens qui ont changé complètement de direction dans la vie après avoir investi beaucoup plus que deux mois de leur temps. Par exemple, après vingt-cinq années de pratique du droit et de « vie parfaite », l'auteur Arnold Patent décide de faire autre chose, parce qu'il a assez d'honnêteté pour admettre qu'il n'est plus heureux. Cela prend du courage. Je suis bien certaine que des personnes comme Arnold Patent seront d'accord avec l'auteur anonyme de la citation suivante sur l'honnêteté : « On ne flirte pas avec l'honnêteté. Il faut l'épouser. »

Dans l'histoire suivante, Jacqui Vines est d'abord une femme d'affaires célibataire qui réussit sur toute la ligne. Elle croit avoir obtenu tout ce qu'elle désire de la vie en termes de succès. Cependant, le 11 septembre 2001, tout change pour elle, et, finalement, Jacqui doit admettre la vérité.

L'histoire de Jacqui Vines
L'héritage du onze septembre

Lorsque la Cox Communications fait l'acquisition de AT&T à Bâton Rouge, en Louisiane, je suis envoyée sur les lieux pour occuper le poste de vice-présidente directrice générale ; je suis la première et la seule employée de la Cox sur place. Tout en faisant marcher une entreprise de 150 millions de dollars qui emploie 550 personnes, mon rôle consiste à faire connaissance avec les employés qui sont demeurés chez AT&T, engager de nouveaux employés, former une équipe de cadres, et superviser la transition de l'entreprise d'une culture axée uniquement sur le profit à une culture axée sur le service aux clients.

J'ai beaucoup à prouver, car j'ai une formation en ressources humaines, et du point de vue de l'entreprise, une personne en ressources humaines est surtout quelqu'un qui a de la sensibilité. Afin d'être perçue comme une directrice générale sérieuse, il me faudra démontrer que j'ai un flair aiguisé et une connaissance approfondie du monde des affaires.

J'ai toujours cru au fond de mon cœur que Dieu me préparait pour quelque chose de grand et que mon destin était de côtoyer des groupes importants de personnes, et plus particulièrement, de mettre des gens en contact. Enfant, j'ai acquis une vaste expérience dans ce domaine. Ma mère m'a eue hors des liens du mariage. Pendant quatre ou cinq années, par intermittence, j'ai vécu avec elle, et ensuite, j'ai habité avec des oncles, des tantes ou des cousins. À l'âge de quatorze ans, j'ai finalement été prise en charge par le centre des services familiaux du Connecticut. J'ai grandi dans des foyers d'accueil et des foyers pour groupes de jeunes. De plus, étant Africaine-Américaine, j'étais tantôt placée chez des parents adoptifs noirs, tantôt chez des parents adoptifs blancs. J'ai fréquenté un lycée uniquement « blanc » après avoir fréquenté un lycée uniquement « noir ». De quatorze à dix-huit ans, je fais une psychothérapie qui me permet de me connaître et de bien me comprendre moi-même. Très jeune, j'acquiers ainsi une conscience de soi. Afin de survivre, j'ai dû faire preuve d'intuition et de détachement. De plus, quand il vous faut survivre dans un milieu donné, vous captez les détails et vous célébrez les différences, plus que si vous n'êtes que simple observateur.

À la Cox, je sens que je fais vraiment ce à quoi je suis destinée parce que je côtoie un groupe hautement diversifié de plus de cinq cents personnes. Ici, la polarisation des gens entre blancs et noirs est encore très importante. C'est pourquoi je me sens à ma place. Je crois que j'accomplis la mission pour laquelle j'ai été créée, et ce faisant, j'obtiens du succès. C'est là ma perception des choses.

Je vis une période de ma vie très intense, qui s'inscrit dans la continuité de ce qu'a toujours été ma vie en général, mais qui est encore plus trépidante. J'adore ce que je fais ! Je commence par m'impliquer à fond auprès des employés, des clients et du milieu ; je concentre ensuite mes efforts sur la productivité, et finalement sur l'innovation. Au comité de direction, j'essaie de montrer que je peux faire effectuer le travail. Aux employés, je montre que non seulement nous pouvons faire tout ce que j'ai dit, mais encore que nous sommes en train de le faire et que, déjà, nous obtenons des résultats. C'est un milieu très stimulant, très riche en possibilités. De plus, je suis si occupée que je n'ai guère le temps de penser qu'il peut y avoir autre chose dans la vie que ce travail. Célibataire, je suis heureuse de pouvoir me dévouer entièrement à ma carrière. Les sorties ne m'intéressent guère et j'ai peu de temps et d'énergie à consacrer à mes vieux amis ou ma famille. Ma vie semble totalement remplie.

Je suis devenue responsable des opérations en mars 2000. En septembre 2001, je prends l'avion pour Atlanta où se trouve le siège social de la Cox et où il est entendu que je présenterai mon premier budget. Durant la période de préparation du budget, je passe beaucoup de temps à comprendre les chiffres, à m'assurer que je saisis bien les problèmes de l'entreprise et à tenter d'anticiper les questions que les membres du conseil de direction pourraient me poser, tout en ne perdant pas de vue que je suis nouvelle à mon poste de directrice générale. L'importance des enjeux est telle à mes yeux — je dois impressionner mon patron et le patron de mon patron — que je n'ai, pour ainsi dire, parlé à personne avant de partir. Je suis totalement absorbée par les données du budget et par le désir d'être à la hauteur.

Même durant le trajet en limousine qui nous mène au siège social de la Cox, je révise ma présentation avec un de mes directeurs afin de m'assurer qu'elle est parfaite.

Cependant, c'est le matin du 11 septembre et quand nous arrivons au bureau, les gens sont rivés au téléviseur ; nous n'avons que le temps de nous joindre à eux pour voir avec horreur le deuxième avion percuter la seconde tour des Twins Towers à New York.

Presque simultanément, tous se lèvent pour aller appeler quelqu'un ou pour répondre à un appel. Je reste là, seule. Je n'ai personne à appeler en particulier et je n'attends pas d'appels. J'ai été si occupée à préparer cette présentation que j'ai négligé de rendre les appels. Personne n'est même au courant que je suis en voyage. Je n'ai pas eu de contact avec ma famille depuis si longtemps qu'il ne se trouve personne pour s'inquiéter à mon sujet et se demander où je me trouve.

Personne ne sait si je suis ou pas dans un de ces avions, et personne n'est anxieux de le savoir.

À quarante-deux ans, pour la première fois, parce que je n'ai personne à appeler, je me rends compte que tous les « succès » que je crois avoir eus à ce jour ne signifient rien. Malgré tout ce que j'ai réalisé, les possibilités que j'ai eues ainsi que la merveilleuse aventure que je suis en train de vivre, je suis seule. Certains peuvent m'envier, d'autres peuvent me placer sur un piédestal, mais, au bout du compte, je suis seule avec tous mes « succès ».

Je reste assise et j'attends que les autres reviennent. Quand ils reviennent, je reprends ma physionomie de circonstances et je me prépare à commencer ma présentation quand le groupe le jugera opportun.

Au moment où nous en avons terminé et que nous pensons au départ, nous apprenons que tous les aéroports sont fermés. Nous louons donc une voiture pour revenir à Bâton Rouge. Durant tout le trajet de huit heures, je discute avec mon directeur financier, l'un de ceux, qui nombreux, me doivent des comptes. Toutefois, pendant que je converse avec lui, en moi se déroule une tout autre conversation. Désormais, je ne vois plus la raison de cet héritage que je crée. Je peux bien avoir un impact sur les gens et les choses, cependant, une grande question demeure : à quoi bon tout cela ? Je n'ai jamais pensé à me marier et je n'ai jamais vraiment voulu avoir d'enfants. J'ai maintenant une révélation : ce qui donne un sens véritable à l'action est de pouvoir léguer à quelqu'un ce que l'on est et ce que l'on crée, autant d'un point de vue spirituel que matériel. Ce n'est pas mon cas.

Peu après ce matin du 11 septembre, je reçois un appel de ma nièce de dix-neuf ans, Samantha, mère célibataire d'une petite fille de dix-huit mois, qui me dit qu'elle a besoin d'aide. Elle ne peut demeurer chez ses parents et ne peut aller nulle part. Elle me demande si elle peut quitter le Colorado pour venir chez moi profiter de mon offre de séjour d'un mois.

En effet, j'offre à tout membre de la famille qui, à la suite de revers, n'a pas d'endroit où rester, la possibilité de séjourner chez moi pendant un mois. Je dis à celui ou celle qui désirent profiter de l'offre : « Pourvu que tu sois disposé à t'en sortir, tu peux rester à la maison pour un mois, le temps de te remettre d'aplomb. »

Étant l'une des rares personnes de la famille ayant réussi, j'ai appris, depuis longtemps, à délimiter mes frontières. Il y a encore des gens que je considère comme mes frères et mes sœurs, non pas dans le sens habituel du terme, mais des frères et sœurs d'adoption ou des demi-frères ou des demi-sœurs. Et, d'habitude, ils font appel à moi seulement quand ils ont besoin de quelque chose !

J'accepte et je dis à Sam qu'elle et sa fille peuvent venir, pour un mois.

Dès le départ, si je veux survivre et que les choses fonctionnent entre nous, il me faut établir une routine pour le bébé ! Pensez donc, je rentre du travail vers les dix-neuf ou vingt heures, et la petite Jennifer peut s'endormir à n'importe quel moment entre vingt-deux heures et minuit. Assez rapidement, je dois jouer le rôle de parent et je découvre que cela est naturel pour moi.

Bientôt, il apparaît que Sam est enceinte de cinq mois. Il n'est donc pas question que je la mette dehors après un mois. C'est ainsi que quatre mois plus tard, quand la petite Gracie vient au monde, j'accepte, en plus de la bambine que j'élève déjà, de m'occuper de sa petite sœur nouveau-née. De plus, je dis à Sam que je vais l'envoyer à l'école l'automne suivant. À ce moment, je m'occupe d'enfants depuis déjà six ou sept mois.

Sam dit souvent qu'elle aime ses enfants, mais laisse entendre qu'elle ne se sent pas capable de les élever. Plus d'une fois, elle me dit : « Cela semble si naturel pour toi. » Un soir, les filles sont couchées et nous sommes assises sur le canapé en train d'avoir une de ces conversations qui intéressent les jeunes adultes sur le sens de la vie, les buts que l'on se fixe et ce qui compte vraiment, et elle aborde à nouveau le sujet. Je sais qu'elle a quelque chose à me dire, mais qu'elle ne sait comment faire. Le regard baissé vers ses mains posées sur ses genoux, elle déclare finalement : « J'aime mes enfants, mais je ne sais pas si je peux les élever. »

Je comprends qu'elle est en train de me demander si je peux les prendre. Je la regarde, elle est si désemparée que j'en suis remuée. Je sais alors que je prendrai les enfants.

Je n'en dis rien et nous nous mettons à parler d'autres choses. Cette nuit-là, étendue sur mon lit, je réfléchis à ce qui s'est passé, me disant : « Voilà une chose qu'il me faut faire, pour moi et pour les enfants. » Voilà pour moi la leçon à tirer du 11 septembre : ce jour-là, Dieu m'a parlé et son message vient de m'être confirmé par la discussion que nous avons eue ce soir-là.

Il est certain que si cette demande avait eu lieu avant le 11 septembre, j'aurais refusé. J'aurais dit plutôt à Sam : « Je vais t'aider à trouver quelqu'un d'autre de la famille qui peut le faire et ensuite tu iras à l'école. » Cependant, maintenant, j'ai pris conscience d'un tas de choses. Je ne veux plus que le travail soit toute ma vie. Lorsque je sors du bureau, il y doit y avoir autre chose, je dois pouvoir accéder à une autre dimension. De plus, le succès ne se limite pas à un poste de vice-présidente, de directrice générale, de cadre supérieur ou autre. Il consiste plutôt à remettre ce que l'on a reçu à quelqu'un ou à quelque chose, que ce soit à la communauté, à des personnes ou à des enfants.

Je prends conscience que, finalement, quand les portes se ferment et que les lumières s'éteignent, je souhaite être capable de toucher quelqu'un. La vérité se fait à partir du moment où je suis prête à dire : « Un instant, je ne veux plus suivre cette route. » Il me faut faire preuve d'une honnêteté déchirante pour accepter le fait que, sans que j'en aie été consciente, il y a un grand vide dans ma vie. Afin d'être en accord avec ce que je faisais, je regardais ma vie à travers une lentille déformante. Et, il a fallu que survienne l'événement le plus tragique jamais arrivé en Amérique pour que cette lentille soit retirée de mes yeux.

Le matin suivant, au cours du petit déjeuner, je dis à Sam : « Si c'est ce que tu veux, je vais prendre les filles. » C'est à partir de ce moment que j'ai pris définitivement en charge l'éducation de mes enfants.

Je continue de les élever et je compte bien le faire le reste de leurs jours. D'une certaine façon, c'est comme un autre travail, parce que j'ai établi une routine quotidienne pour elles comme j'en ai une pour moi. Je me lève à cinq heures trente. Je prends un café et je fais de la lecture spirituelle jusqu'au moment de leur réveil. De sept heures à neuf heures, nous sommes ensemble et nous nous préparons pour le travail, la garderie ou l'école. Au bureau, tout le monde est au courant que je ne peux assister à des petits déjeuners d'affaires. Je passe toujours une demi-heure, seule à seule, avec chacune d'entre elles ; nous nous blottissons l'une contre l'autre, parlons de la journée à venir et de ce qu'elles veulent porter comme vêtement.

Le meilleur moment de la journée est le retour à la maison, le soir, dans la voiture, quand nous parlons de tout ce qui s'est passé dans la journée. À partir de ce moment jusqu'à leur coucher, qui a lieu à vingt heures trente, il n'est question que de bicyclettes, de jeux, de devoirs, de dîner, de comptines, de films de princesses, d'histoires, de prières et de baisers de bonne nuit. À la suite de quoi, je réponds aux courriels et rends les appels que j'ai reçus de la côte Ouest. À vingt-trois heures, je suis au lit. S'il me faut absolument travailler le soir, je demande à quelqu'un de venir garder les filles et je sors après qu'elles sont couchées. Un soir durant la semaine et un soir par mois, la fin de semaine, j'effectue du travail bénévole qui consiste, généralement, à donner des conférences en ville. Autrement, de neuf heures à dix-huit heures, je donne le maximum au travail. Ensuite, je consacre mon temps à mes filles.

Selon moi, cela importe peu qu'il s'agisse de votre enfant ou d'un enfant qui vous est confié. À partir du moment où vous acceptez le rôle de parent, que ce soit de manière formelle ou pas, un lien particulier se crée. Franchement, je n'ai jamais de doute : ces enfants sont à moi. Elles sont chères à mon cœur. Jennifer est réservée et délicate. Elle a des sautes d'humeur, mais c'est une enfant merveilleuse et une bonne âme. La petite Gracie est très remuante, elle n'a peur de rien, elle s'éveille en gloussant et elle s'endort en disant : « Fais de beaux rêves ! » Quelle joie cela a été de découvrir que je pouvais donner le bain à une petite fille de deux mois et demi ou trois mois, la mettre au lit avec un biberon chaud et qu'elle dorme ensuite toute la nuit ! Je me rends compte avec un respect mêlé d'admiration que je suis en mesure d'aider ces enfants à bien commencer leur existence et je sens que je peux avoir une bonne influence sur elles et les guider tout au long de leur vie. Voilà l'héritage qu'il m'importe de léguer.

Mes proches au travail se disent heureux que les filles soient dans ma vie, car ils avaient souvent l'impression qu'ils étaient ma seule famille et ils ont dû subir un peu trop de discours sur l'esprit de collaboration ! Les enfants mettent de l'équilibre dans ma vie.

Elles me permettent aussi de comprendre profondément, et d'une manière significative, les besoins des parents qui ont un emploi à l'extérieur ainsi que ceux de leurs enfants. Lorsque la Cox doit déménager dans des bureaux plus grands, je me laisse séduire par l'idée que me propose le promoteur de créer un milieu qui comporterait des aménagements commerciaux, comme un centre de conditionnement physique. Au moment où j'écris ces lignes, nous sommes sur le point de déménager dans un site qui comporte plusieurs commerces et des bureaux de l'université, et qui constitue, à cette époque, le premier centre commercial de Bâton Rouge.

Le complexe comprend également un club pour filles et garçons, ouvert jusqu'à vingt heures trente, et fournissant aux enfants des employés des programmes d'activités après l'école. De plus, le YMCA maintient une garderie pour les petits qui ne vont pas encore à l'école. J'ai compris, grâce à mes enfants, l'importance d'avoir la possibilité de quitter le bureau momentanément durant la journée et d'aller jeter un coup d'œil, par la fenêtre, pour voir comment les enfants se débrouillent.

Quand je pense à tout ce à quoi j'ai dû faire face au bureau — ou ailleurs - en comparaison, élever des enfants est un véritable tour de force. Être parent demande beaucoup d'humilité ; j'ai beau gérer une entreprise de 150 millions, je ne peux forcer une petite fille de deux ans à manger ses brocolis !

Voilà ce qui est au cœur de ma vie, voilà ce qui est important et voilà ce que Dieu me réservait et que mon ignorance m'empêchait de voir. Mon expérience appelle une toute nouvelle compréhension de ce que je croyais être le succès : la réussite n'est vraiment totale que lorsque le cœur est satisfait.

« Il me faut faire preuve d'une honnêteté déchirante pour accepter le fait que, sans que j'en aie été consciente, il y a un grand vide dans ma vie. Afin d'être en accord avec ce que je faisais, je regardais ma vie à travers une lentille déformante. »

— Jacqui Vines

8- L'intégrité

J'ai appris presque autant sur l'intégrité des moments où j'en ai manqué que des moments où j'en ai fait preuve. Un jour, je me suis mise à sortir avec un homme qui était sur le point de divorcer, sauf que sa femme n'était pas encore au courant. Plus tard, j'ai senti que j'avais trahi cette femme. J'ai eu des relations importantes avec des personnes que je tenais pour acquises ; je me soustrayais à l'intimité, que ce soit avec un ami ou même avec mon mari, sous prétexte d'un travail considérable. De plus, j'ai parfois exigé des choses de mes enfants qui étaient injustes et irraisonnables, simplement parce qu'on avait exigé ces choses de moi lorsque j'étais enfant.

L'intégrité est ce qui se passe lorsque nos mots et nos actions s'accordent avec nos valeurs et avec la voix qui nous commande intérieurement. J'ai trouvé un exemple magnifique de cette vertu, un jour, en tombant dans un magasine Life de 1995, sur un article à propos du joueur de basket de la NBA, Hakeen Olajuwon. Quand Spaulding créa une chaussure de sport à son nom, Oljuwon insista pour que le prix de cette chaussure ne dépasse pas trente-cinq dollars. Selon lui, une mère de trois garçons qui travaille à l'extérieur n'a pas les moyens de payer cent vingt dollars pour une paire de chaussures de sport. C'est cela l'intégrité : avoir une telle notion de nos valeurs que nous nous assurons de toujours agir en accord avec elles ; même si cela peut signifier une perte d'argent ou de prestige.

Selon le Flower Essence Repertory (Répertoire des essences de fleurs), un livre qui traite des propriétés curatives des fleurs : « La conscience doit faire partie de la connaissance de soi ; quand notre âme prend conscience d'elle-même, nous acquérons du même coup une voix intérieure et une existence morale. Cette moralité doit procéder de l'intérieur ; tant et aussi longtemps que les préceptes et les règles sont estampillés sur la personnalité de l'extérieur, l'être ne peut acquérir une réelle force de caractère. »

Cette idée que l'âme prend conscience de l'existence d'une voix intérieure et adopte une moralité fondée sur ce qui est intérieur plutôt que sur ce qui est extérieur constitue, selon moi, l'essence de l'intégrité. Un manque d'intégrité se produit lorsqu'un désaccord entre le corps et l'esprit amène une confusion qui exclut toute ferveur de l'existence. Lorsqu'il y a convergence entre l'esprit, le cœur et l'âme, l'enthousiasme fleurit naturellement, avec force et d'une manière directe.

On sent la notion d'intégrité au cœur de l'action qu'exerce Linda Chaé sur le monde des affaires. J'ai rencontré Linda grâce à une amie que nous avions en commun, celle-ci m'a d'ailleurs fait connaître plusieurs produits de soins pour la peau créés par Linda. Quoique j'aie l'habitude d'acheter ce genre de produits dans les magasins d'aliments naturels, j'ai trouvé les produits de Linda réellement différents ! J'ai utilisé une crème nettoyante et une lotion de la marque de Linda pendant deux mois, ma peau est alors devenue si douce que si quelqu'un me touche, il ou elle ne peut s'empêcher de faire un commentaire.

Pour des raisons évidemment personnelles, je considère que c'est un privilège d'avoir découvert Linda ! J'ai l'impression que ses produits sont une nourriture pour mon corps et ma peau. De plus, son histoire est une nourriture pour mon esprit et illustre une manière d'être qui est pour moi une source d'inspiration, et m'encourage à être toujours plus à l'écoute de la voix de ma conscience.

L'histoire de Linda Chaé
La merveilleuse vérité

Au milieu des années soixante, lorsque nous déménageons, ma famille et moi, de notre ferme à la ville, la mode, à mon nouveau lycée, est aux minijupes et aux cheveux plats. J'arrive avec ma permanente maison et les robes, abondamment garnies de rubans, que ma grand-mère a confectionnées pour moi. Je meurs d'envie de m'intégrer au milieu, mais il semble que je n'arrive jamais à rien de bon. Et, constamment, mon père me confirme cette idée en me tapant sur la tête à chaque faux pas. Il me faut cinq ans avant de comprendre comment je peux réaliser mon rêve.

Je suis en dernière année au lycée, lorsque, un jour, j'entends des filles parler de cours qu'elles suivent dans une école de mannequins. Elles apprennent comment tourner et virevolter avec grâce, et l'une d'entre elles discute d'une certaine façon d'appliquer le fard à joues. Je les trouve toutes si décontractées alors que moi, je suis là, debout, mon plateau dans les mains, essayant de trouver quelqu'un avec qui m'asseoir.

Tout à coup, un déclic se fait en moi. Si je vais à l'école de mannequins, moi aussi je serai décontractée ! Ma famille n'a évidemment pas les moyens de m'offrir des études aussi frivoles, aussi dois-je trouver du travail pour payer mes cours. Le premier jour de classe, je suis si heureuse que c'est à peine si je porte au sol… jusqu'à ce que je fasse la connaissance de Kathy, l'artiste du maquillage, qui m'informe qu'il me faut débourser encore au moins trois cents dollars pour me procurer les produits de maquillage dont j'aurai besoin.

J'ai déjà quitté mon autre emploi. C'est pourquoi je saute sur l'occasion quand Kathy me dit qu'elle a besoin d'une assistante. D'abord, mon travail consiste à assurer la propreté de son poste de travail à l'école. Mais, sous peu, je commence à travailler à l'entreprise de produits de beauté dont elle est propriétaire : je suis responsable des commandes de produits, je pose les étiquettes sur ceux-ci et j'effectue la livraison aux écoles de mannequins et aux écoles et salons d'esthétique. Je fais tout sauf la comptabilité.

À vingt ans, je suis au collège, étudiant pour obtenir un diplôme en histoire, et au même moment, je fais marcher, presque à moi seule, l'entreprise de Kathy. Un jour, elle me dit qu'elle souhaite vendre l'affaire. Je sais immédiatement que j'aimerais l'acheter, mais où trouver l'argent ? J'apprends que je peux obtenir un prêt de 10 000 $ du service d'aide à la petite entreprise, mais à condition que quelqu'un accepte de se porter garant pour moi. Mon père est décédé. Il a légué à ma mère une petite somme pour sa retraite, mais cela ne représente guère plus d'argent que la somme dont j'ai besoin. Ce soir-là, autour de la table de la cuisine, je parle toutefois à ma mère de l'occasion qui m'est offerte. Elle se dit heureuse de m'aider à me lancer en affaires. Je sais que mon père ne l'aurait pas approuvée, néanmoins, elle accepte de se porter garante pour mon emprunt.

Quelques jours plus tard, je suis l'heureuse propriétaire de ma propre marque de produits de maquillage et de soins de la peau. Ayant besoin d'une vitrine pour exposer mes produits, je commence à travailler dans un institut ; je fais des maquillages et des traitements du visage avec les produits de ma propre marque. Je suis enchantée de vendre des produits d'une telle qualité. Kathy avait l'habitude de m'en faire la réclame, disant qu'ils étaient naturels et délicieux. « Délicieux » était son mot préféré pour les décrire. Elle ne fabriquait pas les produits elle-même, mais les achetait à un fabricant auprès duquel je continue mes achats. Chaque produit porte le nom d'un fruit ou d'un légume, comme la crème pour les yeux au concombre ou la crème de jour à la pêche et a une odeur, eh bien, délicieuse ! Ma préférée, et c'est aussi celle qui se vend le mieux, est la crème de jour à la pêche. Le rêve que j'avais de faire quelque chose de bien est enfin sur le point de se réaliser.

La même année, âgée de vingt ans toujours, je me marie. Ma belle-mère, Julia, qui livre bataille au cancer du sein, vient habiter chez nous afin que nous puissions lui venir en aide. Julia se désole de l'enflure de son bras qui est survenue après l'ablation d'un sein et de ganglions. Tous les soirs, je lui dis : « Laissez-moi vous donner un massage et nous verrons si nous pouvons vous soulager. » J'ai les mains douées pour le massage et je trouve les points de congestion lymphatiques ; cela réduit l'enflure du bras de Julia. Chaque fois que je le peux, j'utilise abondamment la crème à la pêche.

Un jour, je remarque quelque chose d'étrange. Lorsque je donne le massage à Julia, une bosse dure, et parfois deux, se forme près de l'endroit où avait été le sein, à mi-chemin vers le bras.

Un autre jour, je m'apprête à donner le massage à Julia et je me rends compte que je n'ai plus de crème à la pêche à la maison. Je mele un peu d'huile d'amande avec un peu d'huile d'avocat, j'ajoute quelques substances nutritives et des huiles essentielles, et j'utilise ce mélange à la place de la crème à la pêche. Les bosses disparaissent.

Nous commençons à faire des expériences. Je lui donne toujours le même genre de massage, mais en essayant différentes crèmes. Pendant trois ou quatre mois, je mets de côté la crème de jour à la pêche. Il est certain qu'aucune bosse n'apparaît et l'enflure continue de diminuer. Un soir, je manque d'huiles pures. Je me dis : « Revenons à la crème à la pêche. » En une heure, deux bosses douloureuses, qui mettent trois jours à disparaître, se forment.

Au cours d'une visite de vérification de Julia chez son médecin, je parle à celui-ci des découvertes que nous avons faites concernant les massages et les crèmes. « Il est impossible qu'une crème puisse avoir de tels résultats, déclare-t-il, visiblement offusqué à cette simple idée, vous devez masser d'une manière différente à chaque fois. De plus, il n'est pas recommandé de donner des massages aux patients qui ont eu le cancer. Vous devriez cesser immédiatement. »

Julia me supplie de continuer à la masser, car cela la soulage. Au cours de la visite médicale suivante, comme j'obtiens toujours les mêmes résultats, je reparle des massages et des crèmes au médecin. Il est furieux que je n'aie pas tenu compte de ses recommandations, et encore une fois, écarte totalement l'idée qu'une simple crème puisse avoir ce résultat. Néanmoins, je me doute qu'il doit y avoir quelque chose qui ne va pas avec la crème à la pêche. Qu'est-ce que cela peut être ? Tout ce qu'on m'a jamais dit sur cette crème, c'est qu'elle contient de la pêche.

Je communique avec le chimiste de l'entreprise qui fabrique mes produits et je lui pose la question : « Quel est l'ingrédient dans cette crème à la pêche qui cause le durcissement de la lymphe ? » Il me répond qu'il ne peut me révéler les ingrédients entrant dans la composition des crèmes. Je le rappelle encore et encore, le suppliant sur un ton successivement poli, gentil, neutre, et même fâché, de me donner la liste des ingrédients dont j'ai besoin. À regret, il finit par accepter, mais refuse de me fournir des informations sur ces ingrédients. À ma grande surprise, il n'y a aucune trace de pêche dans la crème à la pêche.

Notez que ces évènements se passent en 1970, l'Internet, qui m'aurait permis de me renseigner facilement sur ces ingrédients, n'existe pas encore. Malgré tout, il faut que je sache. Je décide de retourner aux études afin de voir ce que je peux apprendre. Poursuivant mon travail à plein temps, je suis des cours du soir en chimie.

Un an et demi plus tard, je me retrouve dans un cours où il est question d'informations relatives à la sécurité des matériaux utilisés par le fabricant. Bien qu'à l'époque, il n'existe pas encore de lois de protection des consommateurs, ces documents relatifs à la sécurité ont été créés pour protéger les employés qui travaillent dans les usines. Dans le cadre d'un devoir exigé pour le cours, je demande les informations relatives à la sécurité de chaque ingrédient entrant dans la composition de la crème à la pêche.

Quelques semaines plus tard, le professeur distribue des enveloppes à chaque étudiant de la classe. J'ouvre la mienne avec une sorte d'appréhension, et avec horreur, j'apprends que la crème de jour à la pêche contient six ingrédients potentiellement cancérogènes ou pouvant contribuer à la formation de bosses et de tumeurs. Assise à ma place, je pleure à chaudes larmes.

Après le cours, je rappelle le chimiste de l'entreprise et je me mets littéralement à vociférer contre lui : « Je n'arrive pas à y croire ! Vous m'avez dit que ces produits étaient sans danger et non toxiques et voilà que j'apprends qu'ils sont cancérigènes ! »

« Vous ne comprenez pas, me répond-il d'un ton condescendant, les produits ne contiennent que des traces de ces ingrédients. Dans les informations relatives à la sécurité, on assume la présence des ingrédients en dose concentrée. Si une poudre est utilisée sous forme concentrée, elle peut se disperser, et portée par l'air, causer le cancer du poumon. Mais, personne ne va se mettre à respirer la crème à la pêche.»

J'insiste pour qu'il m'aide à comprendre de quelle manière cette explication est acceptable. Mais, il a réponse à tout. Il n'empêche que ma belle-mère a eu ces bosses. Sans le vouloir, j'ai fait une expérience sur un sujet humain.

Il finit par déclarer : « C'est très bien, vous n'avez qu'à ne pas acheter ces produits. Cependant, laissez-moi vous dire que vous ne trouverez aucun autre cosmétique qui ne contient pas ces ingrédients. C'est ainsi. Ces ingrédients sont nécessaires pour lier le mélange et assurer sa conservation. De plus, ajoute-t-il, le produit que vous avez acheté n'est pas différent des autres qui se vendent sur le marché. » Il poursuit en énumérant un certain nombre de marques connues. « Tous ces fabricants procèdent de la même façon et aucun d'entre eux ne se préoccupe du cancer. »

Plus tard, je le rappellerai pour lui faire part des résultats d'autres études montrant que certains des ingrédients en question causent le cancer chez les animaux. Il réagira en disant : « Ce n'est pas mon rôle ni le rôle de l'industrie des cosmétiques d'enrayer le cancer. Là n'est pas notre travail. Quelqu'un d'autre doit s'en occuper. »

Pendant les trois semaines qui suivent, mes pots de crème à la pêche restent sur l'étagère à amasser la poussière. Je ne peux me résoudre à les vendre. En fait, je me rends compte que les ingrédients suspects doivent se trouver dans tous les produits de la marque, aussi je cesse de les vendre tous. Mes produits sont exposés dans de magnifiques vitrines qui occupent une partie de la réception de l'institut de beauté où je travaille ; je n'ai aucune idée de ce que je vais en faire. J'utilise désormais des mélanges de fruits, de légumes et d'huiles essentielles pour mes soins aux clientes, et l'avenir de mon entreprise me préoccupe.

Que dois-je faire ? Je dispose d'un important stock de produits. Suis-je dans l'erreur ? Est-il possible que toutes les entreprises de l'industrie des cosmétiques vendent des produits cancérigènes ? J'ai fait ma propre expérience, mais tous les médecins et tous les chimistes à qui j'en ai parlé me disent que j'ai tort. Qu'est-ce que je sais ? Je ne suis qu'une étudiante en chimie. J'ai la triste impression, comme autrefois, d'être celle qui a toujours tort. Mon père aurait pensé que je suis folle. Je frémis en pensant à ce qu'aurait été sa colère s'il avait su que je mettais en péril l'investissement de ma mère.

Quelques semaines plus tard, une de mes bonnes clientes arrive à l'institut en fauteuil roulant. Elle a été atteinte du cancer pendant un temps, mais le fauteuil roulant est quelque chose de nouveau. La chimiothérapie l'a laissée vieillie et les traits tirés. Mon cœur se brise à la voir ainsi. Je m'approche d'elle, me penche sur un genou et lui prends la main. « Comment allez-vous, Edna ? Que puis-je faire pour vous ? »

« Ma chérie, répond-elle, je veux juste acheter quelques produits. Le médecin m'a annoncé que le cancer s'est propagé partout et qu'il ne me reste que six semaines, peut-être deux mois. J'aimerais aussi savoir si tu peux venir après ma mort, faire mon maquillage et coiffer, comme tu sais si bien le faire, cette curieuse perruque que je porte. Je t'en prie, viens, afin que, lors de mes funérailles, mes amis ne me trouvent pas trop laide. Il ne faut pas faire peur à ses amis. »

Je me retiens pour ne pas pleurer. Je la rassure : « Bien sûr, Edna, bien sûr, je viendrai. »

Elle ajoute ensuite : « Chère, je voudrais cinq pots de crème à la pêche. Pendant ces cinq ou six semaines qui me restent, je vais m'appliquer cette crème sur les pieds, je vais m'en appliquer partout. Je raffole de ce truc. »

Je ravale ma salive, je recule un peu et je lui dis : « Edna, je ne pense pas que vous devriez utiliser cette crème à la pêche. »

« Pourquoi, chère, tu m'as toujours conseillé cette crème et je l'adore ! »

« Eh bien, je viens tout juste d'apprendre quelque chose à propos de cette crème. J'ai suivi des cours à l'université et il semble qu'il y a certains ingrédients dans cette crème qui peuvent causer le cancer. »

Qui aurait pu penser qu'Edna est arrivée en fauteuil roulant à la voir bondir et se lever de son siège ? Elle s'approche très près de moi et s'exclame : « Quoi ? »

Je lui répète ce que je viens de lui dire et elle renchérit : « Tu sais, je n'étais pas si mal, il y a un an. Or, il se trouve que j'utilise cette crème depuis un an. Est-ce la raison pour laquelle il ne me reste que deux mois à vivre ? »

Je suis horrifiée. Et j'ai peur. Je n'ai que vingt-trois ans, mais je suis au courant des questions de responsabilité et de poursuite judiciaire. Tout à coup, un côté sombre de moi apparaît et je m'entends répondre à Edna : « Vous savez, cela arrive quand ces ingrédients sont présents en dose concentrée, et vous n'utilisez pas ces ingrédients en dose concentrée. Dans la crème à la pêche, ils sont très dilués ; en fait, on en trouve que des traces… » Et bla, bla, bla. Je ne fais que lui répéter les mots exacts du chimiste.

Edna s'incline alors vers moi en déclarant : « Je ne crois pas un mot de cela et toi non plus. Je ne suis pas fière de toi. » Elle se tourne vers l'étalage et dit : « C'est ton nom qui apparaît sur les étiquettes. Comment peux-tu mettre ton nom sur ces produits tout en sachant les ingrédients qu'ils contiennent ? »

« Mais je ne savais pas ! Je ne savais pas ! J'ai cherché tant et plus à me renseigner sur ces ingrédients. »

Elle me rétorque : « Tu te doutais que ces produits étaient suspects. Pourquoi ne m'as-tu pas protégée ? »

Je me mets à balbutier : « Je suis désolée, Edna. Je ne sais ce qui en est, en définitive, que depuis trois semaines, lorsque j'ai eu toute l'information scientifique, et, depuis ce moment, j'ai cessé de vendre les produits. C'est pourquoi je vous ai dit de ne pas acheter la crème tout à l'heure.»

Sa colère tombe d'un coup. Elle me saisit la main et me dit : « Linda, tu dois faire quelque chose à ce sujet. Je vais mourir, mais toi, tu es jeune et tu as la vie devant toi. Tu vas fabriquer une crème de beauté pour moi. Tu vas fabriquer une crème de beauté pour toutes les femmes, qu'elles soient atteintes du cancer ou pas. Nous méritons d'être belles. Nous méritons une crème qui sente bon. Et nous méritons de ne pas mourir pour cela. Dis-moi que tu le feras. »

Elle s'interrompt un moment avant de poursuivre : « Tu sais, Linda, tu as changé ma vie. Il y a un an, quand j'ai commencé à venir te voir, j'étais si découragée que je voulais mourir. Tu m'as parlé de Napoleon Hill qui disait : "ce que l'esprit de l'homme peut concevoir, ce à quoi il peut croire, il peut le réaliser." Ma chérie, je t'ai crue. Pénètre-toi de ces paroles. Fais-en ta devise et relis-les tous les jours. Garde-les devant les yeux, et dis-toi, Linda, en pensant aux femmes qui sont dans une situation comme la mienne, que tu te dois de faire quelque chose. »

« D'accord, Edna, lui dis-je, je le ferai. »

Environ dix semaines plus tard, je reçois l'appel. Je me rends au salon funéraire auprès de Edna et je m'emploie à la faire belle. Assise à côté d'elle dans une petite pièce sombre, je me mets à pleurer. Je caresse sa joue froide en disant : « Edna, je suis désolée si j'ai contribué à aggraver votre cancer. Je suis désolée si j'ai quelque chose à voir avec le fait que vous n'êtes plus des nôtres aujourd'hui. » Je sens alors l'esprit d'Edna et sa présence dans la pièce. Je poursuis : « Edna, je n'ai pas encore toutes les connaissances nécessaires en chimie. Mais j'étudierai. Je ne sais pas si c'est possible de fabriquer une crème qui est sans danger, mais, si tel est le cas, je vous jure que je la fabriquerai. »

De retour au salon de beauté, après les obsèques, je prends un grand bac à ordures. J'y jette tout ce qu'il y a sur les tablettes. Je fais ensuite de même avec tous les produits que j'ai en stock à l'entrepôt. Puis, je m'assois ; je viens de jeter à la poubelle trente-deux mille dollars. Je me prends la tête entre les mains. Comment vais-je pouvoir désormais effectuer les remboursements mensuels à ma mère et éviter qu'elle ne perde sa maison ! Je regarde vers le ciel en disant : « Edna, je n'ai plus de produits, je les ai tous jetés. Je n'en commanderai plus jamais. J'ai besoin de votre aide. Si de temps à autre, de là où vous êtes, vous pouviez me donner un coup de main, ce serait magnifique. De plus, s'il y a quelqu'un, là-haut, qui s'y connaît dans ce genre de chose, demandez-lui donc de m'ouvrir les portes, car j'ai une mission à accomplir. Jamais, au grand jamais, je ne vendrai de nouveau des produits qui peuvent être dommageables pour un être humain, encore moins pour les personnes atteintes de cancer. »

Depuis ce jour, je consacre ma vie à la recherche de moyens pour fabriquer des produits de beauté non toxiques pour les femmes. Au début, afin d'être en mesure de rembourser ma dette et d'assurer ainsi la sécurité financière de ma mère, je continue à travailler au salon de beauté et à donner des traitements faciaux, cependant je commence également à créer mes propres produits. De plus, afin de bien comprendre comment fabriquer des produits naturels et aider l'organe le plus important du corps à favoriser la santé et la vitalité de tout l'organisme, je poursuis mes études de chimie et d'histologie de la peau.

J'appelle régulièrement tous les fournisseurs de matières premières pour leur demander d'envisager des possibilités non dommageables pour la santé, les suppliant de trouver, par exemple, un procédé qui permette de lier les mélanges sans avoir à utiliser le polyéthylène glycol (PEG) comme émulsifiant. Ils finissent par me rendre mes appels. « Linda, disent-ils, votre nom et votre numéro de téléphone sont gravés à jamais dans les archives de l'entreprise ! Nous avons quelque chose pour vous… »

Au fil des années, pendant que je travaille à la création de produits non toxiques, la demande du public pour les produits naturels augmente. Je finis par avoir ma propre entreprise où je crée des produits à partir d'ingrédients que je connais et en lesquels je peux avoir confiance. Les femmes adorent mes produits ! Un jour, une firme de média new-yorkaise contacte un des chimistes que j'ai harcelés de questions pour lui demander s'il connaît une entreprise dont les produits peuvent faire l'objet d'une infopublicité sur les cosmétiques à base d'ingrédients naturels. Ils cherchent quelqu'un qui est agréable, passionné et différent. À New York, il ne semble n'y avoir personne qui ait les qualités souhaitées ! Le chimiste s'exclame : « J'ai la personne qu'il vous faut. »

Après une semaine de diffusion de la bulle d'information à la télévision nationale, les lignes de la plus importante entreprise de communication téléphonique du Midwest se bloquent en raison du nombre imposant d'appels qui arrivent en même temps. En deux semaines, nous vendons vingt-cinq mille unités de ces produits dont on n'avait jamais entendu parler en infopublicité. La première année, notre chiffre d'affaires s'élève à soixante-dix millions de dollars ; nous battons tous les records. Cela attire l'attention du magazine *Vogue* qui publie un article élogieux à mon sujet. Le *Times* de Los Angeles veut aussi m'interviewer, comme d'ailleurs tous les quotidiens du pays. On me dit à l'origine du look « tout naturel ». On titre les articles : « Linda Chaé crée des cosmétiques naturels ! C'est Mademoiselle "tout naturel" ! »

Néanmoins, à l'époque, mes produits ne sont pas aussi bons que ceux que je fabrique aujourd'hui. Car j'en viens finalement à disposer de suffisamment de fonds pour investir dans mes propres laboratoires. Ce qui me permet de poursuivre constamment les recherches pour trouver des moyens de fabriquer des produits non toxiques. Maintenant, trente ans après avoir fait mon entrée dans l'industrie des produits de beauté, je me rends compte que de grandes innovations ont été introduites. Aujourd'hui, d'importantes entreprises, spécialisées dans la fabrication d'ingrédients entrant dans la composition des produits de beauté, souhaitent fabriquer des ingrédients à base naturelle pour des produits très sophistiqués, comme des crèmes anti-âges. Aujourd'hui, nous sommes aussi en mesure de fabriquer des produits non toxiques pour traiter l'acné et le psoriasis. Nous pouvons fabriquer des déodorants qui ne contiennent ni aluminium ni propylène glycol. Nous fabriquons une pâte dentifrice naturelle qui ne contient aucun ingrédient toxique ; l'étiquette « garder hors de la portée des enfants de moins de six ans » n'est donc pas nécessaire. Nous avons même un shampoing qui mousse, sans être un danger pour la santé. Il y a cinq ans à peine, cela n'existait pas. Tous ces produits sont de loin meilleurs que tous les produits qu'il y a sur le marché portant la mention « non toxique ». Dans ce dernier cas, la mention signifie, tristement, que seulement moins de quarante-neuf pour cent des rats de laboratoire sont morts lorsqu'on les a exposés au produit.

En fin de compte, c'est le consommateur qui, vraiment, amène l'industrie à changer. Lorsque les femmes constatent l'effet sur leur peau de l'utilisation pendant trente jours de produits non toxiques, elles ne veulent plus se satisfaire d'autre chose. Le but que je poursuivais n'était pas seulement de créer ma propre marque et de réussir financièrement ; je souhaitais également que toutes les entreprises de cosmétiques puissent offrir à leur clientèle des produits qui soient sans danger. Ainsi, une percée s'est effectuée dans l'industrie des agents de conservation. Que ce serait donc merveilleux si toutes les entreprises utilisaient des produits non nocifs au lieu du formaldéhyde, l'ingrédient couramment utilisé ! Je souhaite que la prochaine génération soit en bonne santé parce que les femmes, au cours de leur grossesse, n'auront utilisé que des produits sans danger, étant donné que c'est tout qu'on trouvera alors sur le marché. C'est pourquoi, bien que je possède ma propre marque de produits, je fournis des formules de produits à de nombreuses autres entreprises spécialisées dans la fabrication de produits naturels de soins.

De plus, afin de rendre hommage à Edna qui a été pour moi une source d'inspiration et m'a donné la motivation de remettre en cause l'intégrité de l'industrie des cosmétiques, j'ai mis sur pied la fondation « Sans produits nocifs ». Cet organisme, à but non lucratif, fournit aux familles de l'information objective et non biaisée, sur tous les ingrédients toxiques, cancérigènes et qui sont même des poisons, que l'on retrouve dans presque tous les produits d'usage courant de soins de la bouche ou de la peau. Nous rencontrons régulièrement différents sénateurs et représentants de la population à Washington, de même que des membres de la Federal Drug Administration (FDA), pour essayer de faire passer la loi « Droit de savoir » qui concerne les ingrédients qui se trouvent dans les produits utilisés par toute la famille.

Aujourd'hui, d'autres occasions d'affaires intéressantes me sont offertes, mais je ne peux me détacher de ce que j'ai entrepris. À vingt-trois ans, grâce à Edna, j'ai eu le courage de croire que je pouvais avoir raison. Grâce à Edna, je me suis engagée à faire ce qui devait être fait, quoi qu'il en coûte. De temps à autre, je lui fais un clin d'œil et je l'entends me dire : « Bravo ma chérie ! »

« Jamais, au grand jamais, je ne vendrai de nouveau des produits qui peuvent être dommageables pour un être humain. J'ai consacré ma vie à la recherche de moyens pour fabriquer des produits de beauté non toxiques pour les femmes. »

— Linda Chaé

9- La totalité de l'être

Bien avant que cela ne devienne à la mode, dans ma famille, on lisait les étiquettes sur les produits et on utilisait les médicaments à base d'herbes pour soigner des problèmes comme l'hyperactivité et la dépression. De nos jours au pays, les mouvements favorisant les médecines douces, la santé et l'exercice prennent une ampleur croissante. Le yoga vient en tête, et dans les universités, on voit naître des écoles de thérapies douces. La « médecine intégrative » est une branche émergente de la médecine occidentale dont le but est de marier le meilleur des thérapies douces et complémentaires avec le meilleur de la médecine traditionnelle. Et, la « totalité de l'être », qui désigne l'union harmonieuse entre l'esprit, le corps et l'âme, cesse d'être le seul apanage de la pensée Nouvel Âge.

Toutefois, peu importe le type de thérapies que l'on préconise — traditionnelle, douce ou un mélange des deux — on observe que de nombreuses personnes se montrent grandement intéressées à prendre la responsabilité de leur santé. Parmi les femmes que j'ai interrogées pour faire ce livre, nombre d'entre elles ont exprimé une certaine méfiance à l'égard de la médecine occidentale, car cette dernière, selon elles, s'attache aux symptômes plutôt qu'aux causes des maladies. Ces femmes m'ont informée qu'elles souhaitaient non seulement jouer un rôle actif dans leur guérison, mais encore dépasser le stade des symptômes et de se rendre à la racine de la maladie ou du problème de santé. En Occident, on semble procéder surtout en traitant les symptômes. Il apparaît, en effet, que la médecine occidentale met du temps à reconnaître qu'une douleur dans une partie du corps peut être reliée à une douleur ailleurs, dans une autre partie du corps apparemment sans rapport avec la première.

La réalité, c'est que nous sommes des êtres holistiques et la physique nous dit que *tout est relié*. Pourquoi est-il si difficile de penser qu'un symptôme physique puisse être relié, ou pourrait correspondre à quelque chose d'autre que physique, par exemple à une tension émotionnelle ou mentale ?

Ainsi, pendant dix ans, ma petite sœur Wendy a consulté tous les docteurs de deux cliniques pour des symptômes de fatigue, de douleurs musculaires, de douleurs dans les articulations et pour de nombreux problèmes digestifs, dont la nausée. Les résultats ont été décourageants. On a procédé à des analyses et on n'a rien trouvé. Ou bien, on ne l'a pas pris au sérieux, ou bien on lui a dit que ce qu'elle éprouvait était invraisemblable. Même la possibilité qu'il puisse y avoir quelque lien existant entre les symptômes qu'elle décrivait n'était pas prise en considération.

Poursuivant toujours ses recherches, Wendy a trouvé un médecin, pour la première fois, une femme, qui avait une approche tout à fait différente. Cette femme lui a accordé plus de temps que les autres ne l'ont fait, elle l'a écoutée, elle lui a posé des questions et elle a écouté ses réponses. La consultation a duré deux heures, et non cinq ou dix minutes, comme c'était le cas avec les autres. La femme médecin a fait part à ma sœur de quelques hypothèses concernant ce que pouvait être son problème ; elle a parlé de maladie cœliaque. Ce qui a éveillé immédiatement l'attention de ma sœur : mon grand-père est mort de cela.

Personne, dans la famille, n'était au courant que la maladie cœliaque était héréditaire. Suivant la recommandation de son médecin, Wendy a entrepris une rigoureuse diète, sans blé ni gluten. C'est la seule manière connue de traiter cette intolérance. Bien qu'il lui a fallu du temps pour se rétablir de cette maladie débilitante — après plusieurs mois —, Wendy n'avait plus de problèmes digestifs, elle ne ressentait presque plus de fatigue et ses douleurs musculaires avaient pour ainsi dire disparu.

Forte de l'expérience de Wendy, mon autre sœur, Heather, qui souffrait aussi d'une myriade de symptômes inquiétants, a fait effectuer des analyses et a eu un diagnostic de maladie cœliaque. En observant la diète prescrite, elle a vu, elle aussi, sa condition de santé s'améliorer.

Bien sûr, le cas de mes sœurs concerne uniquement des symptômes et des traitements d'ordre physique. Le vaste domaine de la médecine qui tient compte à la fois du corps et de l'esprit va au-delà. Dans son livre intitulé *La vie sans conditions*, Deepak Chopra, un pionnier dans cette sphère, nous dit : « La science médicale ne rend pas compte fidèlement de la réalité à moins qu'elle admette qu'il existe un lien entre la maladie et les émotions, les croyances et les attentes d'une personne. »

Je comprends très bien ce qu'il veut dire. Il y a quelques années, j'ai consulté un praticien de la santé pour différents symptômes, dont une douleur à une dent qui durait depuis deux ans et qui se manifestait lorsque je mastiquais mes aliments du côté droit de la bouche, et une raideur dans le mollet que j'endurais depuis cinq ans, et qu'aucun exercice d'étirement ou aucune manipulation ne parvenait à faire disparaître pendant plus de cinq minutes.

Le praticien que j'ai consulté à cette époque, un chiropraticien formé à une technique de guérison fondée sur la libération des traumatismes du passé, et qui tient compte du corps et de l'esprit, m'a rappelé que lorsqu'un symptôme physique ne répond à aucun traitement physique, c'est probablement que l'origine du symptôme est d'ordre émotionnel. Il en a fait la preuve lorsqu'un jour, au cours d'une séance, je lui ai parlé de certaines questions d'argent qui faisaient l'objet de disputes entre mon mari et moi ; il m'a demandé : « Qu'est-ce qui est le plus important pour toi : la sécurité financière ou ton mariage ? » J'ai fondu en larmes et je lui ai avoué ne pas le savoir. Nous avons utilisé le sentiment de soulagement que j'ai éprouvé sur le moment comme une sorte de tremplin pour mettre en pratique la technique. Le matin suivant, mon mal de dents avait disparu et mon mollet allait beaucoup mieux.

Je suis bien consciente que la médecine occidentale fait des miracles ; je pense aux chirurgies que j'ai eues qui ont amélioré mon existence. En plus d'une occasion, la vie de ma mère a été sauvée grâce à la rapidité d'esprit et d'intervention de professionnels de la santé. Je leur voue une gratitude infinie et éternelle.

Néanmoins, je sens intuitivement qu'il faut aussi porter un regard scrutateur sur ce qui se passe d'un point de vue collectif quand il est question du traitement des maladies et de la guérison. Je suis consternée quand je vois à la télévision, aux heures de grande écoute, des messages publicitaires répandre l'idée qu'il faut prendre un médicament à chaque petit bobo, sans qu'il soit question des effets secondaires possibles (qui sont les résultats inévitables d'une approche fondée sur les symptômes). Les articles de la revue AARP sont tellement axés sur les médicaments d'ordonnance que j'ai cessé de la lire.

J'aimerais que nous en arrivions à prendre soin de nous-mêmes d'une manière qui ne nécessite pas toujours le recours à des médicaments prescrits par le médecin.

Je souhaite aussi que, avec une responsabilité accrue, nous considérions la possibilité de causes sous-jacentes à nos malaises physiques. Je ne dis pas qu'à l'origine de chaque symptôme physique se trouve une cause d'ordre émotionnelle, mais je crois que tous, nous avons la capacité de jeter un regard honnête sur nous-mêmes, surtout quand nous demandons de l'aide. De vieilles habitudes mènent notre vie. La bonne volonté dont nous faisons preuve pour les voir, s'en affranchir ou les changer est un gage de liberté.

Voici l'histoire de Mackey Mc Neil. Il s'agit d'un récit incroyable qui illustre comment une blessure émotionnelle profonde s'est manifestée par un symptôme d'ordre physique terrifiant, et qui nous montre comment s'est produite la guérison. Cette histoire nous parle de guérison d'un point de vue global et qui se fonde sur l'idée que tout est relié.

L'histoire de Mackey McNeill
Une vision trouble

Pendant une grande partie de ma vie, ma conception de la guérison consistait à prendre un comprimé et à attendre que les symptômes disparaissent. Comme par magie, je me sentais mieux, au moins pendant un moment. Cependant, il y a quelques années, j'ai fait l'expérience d'une tout autre forme de guérison. Plutôt que de supprimer les symptômes, je suis allée en profondeur, pour essayer de trouver l'origine des symptômes.

Tout commence un bon matin alors que je reviens au bureau dans ma voiture après un rendez-vous d'affaires. Soudain, la route devient floue devant mes yeux. Le phénomène dure quelques secondes, puis ma vision redevient normale. Une ou deux minutes plus tard, voilà que cela recommence. Je suis dans tous mes états. Craignant d'endommager ma voiture, de me blesser ou de blesser quelqu'un, je rentre au bureau le plus rapidement possible. L'alternance entre vision trouble et vision claire continue. Mon imagination se déchaîne et me suggère à l'infini les plus horribles possibilités : le cancer, une tumeur au cerveau, ou la dégénérescence de quelque maladie causant la cécité.

Dans un état de panique totale, j'appelle mon ophtalmologiste qui me donne un rendez-vous l'après-midi même. Il me fait passer tous les tests possibles, mais ne trouve rien. Il me recommande de consulter un neurologue. Après la rencontre avec le neurologue, je passe un test de numérisation IMR (Imagerie par résonance magnétique), et je consulte un spécialiste des oreilles, du nez et de la gorge. On procède à des analyses, on m'examine à l'aide de toutes sortes d'instruments jusqu'à ce que je n'en puisse plus, et personne ne trouve rien d'anormal. Les mois s'écoulent et j'ai toujours ces moments de vision qui devient trouble, ceux-ci sont alors suivis d'un sentiment de panique.

Un jour, je suis à l'église quand ma vision se trouble à nouveau. Je décide de faire l'expérience de fermer un œil. À ma grande surprise, je constate que lorsque mon œil gauche est fermé, je vois parfaitement. Le problème, quoi qu'en soit sa nature, n'affecte que l'œil gauche ! D'une manière étonnante, aucun des tests que j'avais passés n'avait permis de constater cet état de choses. Je retourne donc voir le neurologue pour lui faire part de cette nouvelle donnée. Cette fois, il diagnostique un tic affectant les muscles qui entourent mon œil gauche. Je suis soulagée d'apprendre que mon problème ne relève que d'un simple tic musculaire... jusqu'à ce qu'il me prescrive un médicament que, selon lui, je dois prendre « tous les jours et pour toujours ».

Je rentre à la maison, découragée. J'en ai assez de tous ces spécialistes qui ne voient en moi que des « morceaux détachés ». J'ai vu un généraliste, un ophtalmologiste, oto-rhino-laryngologiste et un neurologue, qui, tous, ont tenté de réduire mon problème à une partie de mon corps. Cela ne m'inspire rien de bon. Ce qui me dérange, par exemple, c'est que, durant cette période, j'ai aussi une dent du côté gauche qui fait problème. Je n'arrive pas à comprendre pourquoi il n'y aurait pas de lien entre le problème de l'œil et celui de la dent, étant donné qu'œil et dent sont à quelques centimètres l'un de l'autre ! Intuitivement, je sens qu'il y a quelque chose de plus profond à l'origine de ce problème d'œil.

Toutefois, je ne sais que faire. Je m'affale dans mon fauteuil préféré et je prends le dernier exemplaire du magazine *Body and Soul* (Le corps et l'âme), que j'ai commencé à lire il y a six mois environ. D'habitude, je n'ai guère le temps de lire des magazines, mais je lis celui-ci, car la première fois que mon mari a apporté un exemplaire à la maison, cela a éveillé quelque chose en moi. Depuis des années, je m'intéresse aux moyens d'être en bonne santé et de conserver sa santé, et cette revue s'avère la seule source d'information sur ces questions que je n'ai jamais pu trouver.

Je tombe sur un article où il est question de guérisseurs d'énergie. Dans l'article, on suggère que des symptômes physiques peuvent souvent être causés par des blocages énergétiques d'origine émotionnelle ; cela m'intrigue. J'ai toujours eu envie d'essayer quelque chose de ce genre au moins une fois, et de faire confiance à mon intuition pour me dire si cela est bon et sans danger. Pour moi, il y a quelque chose dans le concept de guérison de l'énergie qui sonne juste. De plus, comme j'ai tenté tout ce à quoi j'ai pu penser d'un point de vue physiologique pour traiter mon problème d'œil sans obtenir aucun résultat, cela vaut la peine d'essayer. Mais, où trouve-t-on un guérisseur d'énergie ?

Deux jours plus tard, je vais à une réception et je rencontre une amie à qui je demande : « Connais-tu une guérisseuse d'énergie ? » À ma grande surprise, elle me répond : « Mais oui, j'en connais une, et elle est très bien ! » J'appelle cette personne le jour suivant pour obtenir un rendez-vous.

En arrivant à la demeure de la guérisseuse, je frappe nerveusement à la porte. Dans l'article que j'ai lu, on dit que les guérisseurs d'énergie sont des gens très intuitifs. Je ressens un peu de malaise, à l'idée que la guérisseuse sera peut-être capable de lire dans mes pensées. J'entends une voix qui dit : « C'est ouvert », et j'entre dans la maison.

La guérisseuse est une femme d'à peu près mon âge. C'est une brune attrayante, elle me semble une personne tout à fait normale. Elle sourit, me prend dans ses bras et m'entraîne dans la pièce simple où elle travaille, cette pièce contient une table de massage, une chaise et une table couverte de cristaux. Elle me prie de m'étendre sur la table de massage et me demande si je veux une couverture. « Oui », lui ai-je répondu. Le rôle de la couverture chaude est de me rassurer et de m'aider à calmer mon agitation dans cet environnement qui est nouveau pour moi.

Elle m'informe qu'il importe peu que je dorme ou que je sois éveillée pendant qu'elle procède à son travail. Elle prend un des cristaux dans la main droite et le fait tournoyer au-dessus de mon corps. « Je sens votre énergie », m'explique-t-elle. La confiance tranquille qui émane d'elle me rassure, et je sens que tous les doutes que j'ai pu avoir sur ses méthodes fondent comme neige au soleil.

Immédiatement, elle me parle de mon œil gauche, bien que je ne lui aie pas dit que c'est la raison de ma visite. Elle me dit qu'elle sent un blocage d'énergie dans la région de cet oeil et me demande si j'ai eu une blessure de quelque sorte à cet endroit. Étonnée, je me souviens qu'il y a quatre ans, j'ai perdu l'équilibre en jouant au racquetball et que je me suis cognée à la tête. Il s'est formé une bosse de la taille d'un œuf. J'ai eu l'œil gauche au beurre noir, une fracture du bras gauche et une commotion cérébrale.

Elle me demande de lui en dire davantage sur les évènements qui se sont produits entourant cette blessure. Je lui dis que j'ai été adoptée toute petite. Quelques semaines avant l'accident, j'ai rencontré ma famille biologique pour la première fois et je devais les revoir le jour après mon accident. Cependant, j'ai dû annuler le voyage, car j'étais trop mal en point.

Elle ne dit rien de plus sur cette question et continue son travail. Je me sens détendue et je m'endors. La séance terminée, je prends rendez-vous pour une autre consultation. La semaine suivante, je n'ai qu'un seul épisode de vision trouble. Ce qui est une amélioration énorme, car avant la séance avec la guérisseuse, ces épisodes se produisaient de nombreuses fois chaque jour. Je me fais la promesse de ne plus jamais tenir pour acquis le cadeau merveilleux de la vision.

Je me présente à ma deuxième rencontre enthousiaste et détendue. Pendant que je suis étendue sur la table, elle me pose des questions sur le genre de relations que j'ai avec mes parents biologiques. Je lui dis que je les ai revus, il y a quatre ans, peu de temps après mon trente-huitième anniversaire. J'ajoute que je trouve que mes parents biologiques sont des gens merveilleux, très gentils, et qui m'ont accueillie avec amour dans leur famille. Le fait de les retrouver a été pour moi une bonne expérience, quoique déstabilisante du point de vue des émotions, car j'éprouve des sentiments d'ambivalence et de confusion, ne sachant trop comment composer avec le fait d'avoir deux couples de parents. Néanmoins, je garde le contact avec mes parents biologiques et je vais les visiter plusieurs fois par an.

« Que se passe-t-il maintenant ? », me demande-t-elle.

Je lui dis que, dans un mois, mes parents biologiques emmènent toute la famille — mon frère et ma sœur biologique, leur conjoint, ainsi que les petits-enfants — en croisière.

« Que ressentez-vous à propos de cela ? », poursuit-elle.

« De la gratitude », lui dis-je.

« Et quoi d'autre ? », s'enquit-elle.

Je ne veux pas admettre que j'éprouve quoi que ce soit d'autre. On m'a montré à être polie. On s'attend à ce que je sois reconnaissante, je suis reconnaissante. Il n'est pas opportun d'éprouver autre chose.

« Souhaitez-vous vraiment guérir votre œil ? », me demande-t-elle.

« Bien, j'ai certaines pensées qui reviennent continuelle-ment, lui dis-je. Vous allez peut-être dire que je ne suis pas raisonnable… » Soudain, tout déboule. « Aujourd'hui, mes parents biologiques ont les moyens de tous nous emmener en croisière. Quand je suis née, ils croyaient qu'ils n'avaient pas suffisamment d'argent pour me garder. Ma mère a admis, après coup, qu'ils auraient pu s'arranger. Mes parents biologiques m'ont manqué et, toute ma vie, j'ai traîné un fort sentiment de perte. J'aurais préféré demeurer avec eux et manquer d'argent plutôt que de faire cette croisière aujourd'hui. Le prix est trop cher payé. Trop de temps et d'amour ont été perdus à cause de l'argent. J'aurais voulu être avec eux durant ces trente-huit années. Je sens que j'ai été dupée ! »

En même temps que j'exprime cette myriade de pensées et d'émotions qui étaient enfouies en moi, je me sens coupable. Mes parents adoptifs sont extraordinaires. Ils m'ont appris tout ce qu'il est important de savoir dans la vie et m'ont aimée sans condition. En ressentant ce que j'éprouve, j'ai l'impression de les trahir. De plus, mes parents biologiques ont eu la gentillesse de me reprendre dans leur vie sans poser de questions, il semble que cela soit pour eux comme une gifle au visage. Je sens que mes entrailles se tordent et il m'est impossible de ne pas admettre la vérité : je suis en colère.

La guérisseuse me remet sur mes rails en disant : « Cessez de réprimer vos émotions et d'entraver votre guérison. Vos émotions ne sont ni bonnes ni mauvaises, ni justes ni injustes. Ce sont des émotions. Acceptez-les et appréciez-les. Voici les options qui s'offrent à vous : vous appelez vos parents bio-logiques, vous leur faites part de ce que vous éprouvez, ou bien, vous ne dites rien, vous partez en croisière et vous tombez gravement malade. À vous de choisir ! »

Je suis morte de peur. Je me demande : *comment puis-je appeler ces gens si bons et leur dire que je suis en colère ? Ils me font un si magnifique cadeau.* Et puis, ma vraie peur fait surface : *si je leur exprime que j'ai du ressentiment, ils peuvent me rejeter de nouveau !* Et ça, je ne pourrais le supporter !

« C'est à vous de décider », répète-t-elle.

Peur ou pas, il me faut les appeler. Si je veux guérir, il me faut prendre le risque qu'ils se mettent en colère et me rejettent.

« À quel moment, allez-vous appeler ? » demande-t-elle.

« J'appellerai dimanche à 19 heures », lui dis-je.

« Aimeriez-vous que je vous appelle à 18 heures afin de vous donner un peu de soutien et passer avec vous l'appel en revue », offre-t-elle.

J'acquiesce avec élan.

L'affaire réglée, je reviens au bureau, soulagée que le dimanche en question soit dans quatre jours.

Ces quatre jours ont passé à la vitesse de l'éclair. Le dimanche, remplie d'anxiété, j'appelle ma guérisseuse d'énergie à 18 heures, comme convenu. Elle me dit qu'elle m'aime et me prodigue ses encouragements pendant que nous revoyons ensemble toutes les étapes de l'appel que je dois faire. Elle m'assure que tout ira très bien.

À 19 heures, j'appelle mes parents biologiques. Quand ils répondent au téléphone, je suis en larmes et ma voix est entrecoupée de sanglots. Je commence par leur dire : « Il faut que je vous parle. J'ai besoin que vous m'écoutiez. J'aimerais qu'il y ait encore de l'amour entre nous à la fin de l'appel. » Puis, je m'interromps pour sangloter et prendre quelques bonnes respirations. C'est alors qu'une chose merveilleuse se produit. Mes parents biologiques me disent : « Tu peux tout nous dire, tout, nous ne t'en aimerons pas moins. Nous t'avons toujours aimée et nous t'aimerons toujours. »

« Mais, vous pouvez changer d'idée », dis-je, doutant encore de pouvoir compter sur leur amour. En larmes, je poursuis néanmoins : « Cela me met en colère qu'il y ait assez d'argent maintenant pour que nous allions tous en croisière ! J'ai perdu tant d'années que cela me fait mal au cœur. » En mettant ma main sur ma poitrine, je sens la douleur. « J'aurais préféré être avec vous pendant toutes ces années plutôt que de faire cette croisière. Je vous suis reconnaissante pour le cadeau, mais, en même temps, je me sens en colère et blessée. » Voilà maintenant que nous pleurons tous.

Mes parents biologiques me répètent alors : « Tu peux tout nous dire, tout, nous ne t'en aimerons pas moins. Nous t'avons toujours aimée et nous t'aimerons toujours. »

Ma douleur à la poitrine diminue. Cependant, ma plus grande peur, celle d'être rejetée, n'est pas disparue. Après encore d'autres paroles et d'autres larmes, la conversation se termine. Le souhait que j'avais au départ — qu'il y ait encore de l'amour entre nous à la fin de l'appel — est certainement comblé. Je suis ravie.

Après cette conversation, ma guérison est spectaculaire. Plus jamais, mon œil gauche ne se met à tressauter ni ma vision à devenir trouble. La guérison qui s'effectue dans mon cœur est encore plus extraordinaire. Je fais la croisière et je passe de vrais bons moments. Je prends contact avec ma famille biologique, et j'apprends à vraiment les connaître et à les aimer. Mon cœur déborde de joie lorsque mon frère, ma sœur et moi nous nageons avec masque et tuba ou lorsque nous jouons ensemble. Le meilleur moment c'est quand, pour la première fois, je célèbre mon anniversaire entourée des membres de ma famille biologique.

Cette guérison de la relation avec ma famille biologique m'a permis d'atteindre une compréhension accrue du lien existant entre mon corps et ma voix intérieure. Je me rends compte maintenant que les dimensions physiologique et émotionnelle de mon être ne sont pas séparées ; en fait, mon corps me permet de capter les messages de ma voix intérieure, car il me dit les choses d'une manière concrète et il ne ment jamais. Maintenant, je porte attention aux douleurs et aux tensions que je ressens ; ce sont des messagères qui me préviennent que, peut-être, il y a quelque chose qui ne va pas.

Selon moi, développer son intuition est comme faire n'importe quel apprentissage : au début, on se sent maladroit. Mais, si on continue à s'exercer, cela devient aussi naturel que de respirer. Acquérir la maîtrise de mon intuition m'a donné une nouvelle perception du mot « confiance ». Désormais, pour moi, la confiance est un voyage intérieur qui me permet de savoir ce qui est parfait pour moi à chaque instant.

Dans ma vie, tout a basculé à partir du moment où j'ai cessé d'avoir peur du rejet. J'ai eu le courage de commencer un cheminement personnel et de faire une thérapie d'accompagnement. Auparavant, j'aurais été tout à fait incapable de telles démarches.

Mon rapport à l'argent a aussi changé. En tant que CPA (comptable public agréé) et planificatrice financière, j'ai côtoyé des gens que j'ai aidés pour des questions d'argent tout au long de ma carrière et j'ai toujours eu l'impression qu'il me manquait quelque chose. J'étais toujours disposée à investir des sommes importantes pour permettre aux autres de réaliser leurs rêves, mais jamais pour réaliser les miens. Par exemple, l'année dernière, j'investissais de l'argent dans des fonds diversifiés d'entreprises dirigées par des femmes et au même moment, j'avais plusieurs idées d'expansion pour ma propre affaire auxquelles je n'accordais aucune attention. Je possède la plus importante société de comptables publics agréés fondée par une femme de Cincinnati et j'ai laissé passer de nombreux projets d'expansion nationale parce que cela aurait nécessité que j'investisse de l'argent pour *moi*.

Je me rends compte maintenant que ces hésitations étaient causées par mon rapport à l'argent : *le sentiment de n'avoir aucune valeur* a toujours dominé ma vie. Pas étonnant que ma vision soit devenue trouble ! Maintenant que je me permets de sentir et d'exprimer mes émotions les plus profondes sans porter de jugement sur moi-même, mon attitude envers l'argent a changé complètement. Je n'ai jamais eu de problème à mettre de l'argent de côté. J'ai toujours eu un fonds de réserve. En tant qu'entrepreneure, j'étais toujours disposée à prendre certains risques. Mais quand cela impliquait qu'il faille puiser dans mon fonds de réserve, je reculais.

Maintenant, je me rends compte du fait que c'est de la pure folie d'accorder aux projets des autres plus d'importance qu'aux miens. J'ai passé des soirées et des fins de semaine à travailler sur un livre traitant de la relation qui existe entre la joie et l'argent. Je prends maintenant conscience que si je souhaite vraiment que ce projet de livre se réalise, je dois en faire ma priorité. Je me fixe un délai et maintenant, je travaille deux jours par semaine sur mon livre, réduisant d'autant le nombre de jours que je passe au bureau. Ce qui entraîne une diminution importante de mes revenus, car en tant que CPA, je facture mon travail sur une base horaire, et durant mon absence, ce sont d'autres professionnels de la société qui facturent à ma place. Cependant, si je ne procède pas ainsi, le livre n'aboutira jamais, ma peur de ne pas avoir l'argent nécessaire l'empêcherait de voir le jour. Une fois que j'en fais une priorité, lui consacrant le temps et l'argent nécessaire, je peux le terminer !

D'ailleurs, je ne cherche même pas d'éditeur. Je sais qu'il faut que je le publie moi-même. Il me faut investir mon propre argent et faire appel à un éditeur professionnel, à des artistes et à des spécialistes de la mise en marché. Utiliser l'argent de quelqu'un d'autre pour réaliser mon rêve court-circuiterait ma démarche de guérison et tout ce que j'apprends sur le lâcher-prise et la peur.

Mon attitude par rapport à la dépense d'argent se modifie aussi. Peu de temps après ma guérison, je reçois une somme d'argent en cadeau. Par le passé, j'aurais directement placé cet argent dans le but de le faire fructifier et d'augmenter le fonds dont j'ai besoin pour me sentir en sécurité. Cette fois, je me rends chez un bon joaillier et j'utilise une partie de la somme pour acheter quelque chose qui me plaît sans égard au prix.

Aujourd'hui, je possède quatre entreprises, et une cinquième en partenariat en voie d'être lancée. Pour croître et se développer, ces entreprises ont besoin que j'y investisse mon propre capital. Le virage qui s'est produit, quand j'ai pris de l'assurance et que j'ai accepté de faire confiance à la sagesse qui m'habite, est à l'origine de cette réussite financière.

Selon moi, voilà le vrai sens de la guérison.

« Je me rends compte maintenant que les dimensions physiologique et émotionnelle de l'être ne sont pas séparées ; en fait, mon corps permet de capter les messages de ma voix intérieure, car il me dit les choses d'une manière concrète et il ne ment jamais. »

— Mackey McNeill

10- L'engagement

La première chose qui vient à l'esprit quand on prononce le mot engagement est le mariage, et les hommes qui en ont peur. Un coup d'œil sur les livres traitant de l'engagement nous apprend que la plupart de ces ouvrages parlent de la phobie de l'engagement qu'ont les hommes, et qu'ils se réduisent souvent à une série de conseils pour aider ces derniers à dépasser leurs peurs et à vivre enfin une relation heureuse et durable.

Nous pourrions nous étendre sans fin sur la notion d'engagement dans une relation. Cependant, j'aimerais aborder ici cette notion en lien avec les problèmes de dépendance et parler de l'engagement dont il faut faire preuve par rapport à soi-même pour se défaire de certaines habitudes néfastes qui sont répandues dans notre société. Car, si nous faisons tout notre possible pour atteindre la plénitude du cœur, de l'esprit et de l'âme, nous nous leurrons nous-mêmes si nous mettons de côté le problème des dépendances.

Je n'ai jamais pensé que j'avais un problème de dépendance quelconque. Je ne consomme aucune substance chimique et je prends très peu d'alcool, si ce n'est un verre de vin de temps à autre. Anne Wilson Schaef, dans son ouvrage *When Society Becomes an Addict* (Quand la société a un problème de dépendance), définit la dépendance comme toute habitude devant laquelle nous sommes impuissants. Dans notre culture, bien que l'alcool et les drogues soient les substances les plus aisément reconnues pouvant causer la dépendance, il en existe plusieurs autres, comme la caféine, le sucre ou les aliments, de même qu'il existe des activités comme le jeu, le sexe, le travail, l'inquiétude et l'accumulation d'argent qui peuvent devenir compulsives.

Pour ma part, j'ai dû affronter le problème de la dépendance au travail, laquelle est applaudie et encouragée par notre société. Les employeurs pensent qu'un employé toujours disposé à faire des heures supplémentaires est une vraie bénédiction ! Ils ne peuvent se tromper davantage. La dépendance au travail est généralement une dépendance à l'adrénaline, laquelle est une substance chimique sécrétée par l'organisme. Sous l'influence de fortes poussées d'adrénaline, il m'arrivait d'être incapable de m'arrêter de travailler pendant des jours. Même la fin de semaine, je ne passais pas de temps avec ma famille. Jamais, je ne faisais pas de pauses pour profiter d'une belle journée ensoleillée ou respirer l'air frais. Parfois, j'avais même du mal à m'arrêter pour aller au petit coin.

Selon les spécialistes de la question, comme Schaef, le phénomène de dépendance est progressif et peut mener à la mort, à moins que la personne atteinte ne fasse les efforts nécessaires pour se rétablir. Il m'a fallu regarder en face ma maladie pour constater combien elle affectait ma vie de famille, ma santé et mon bonheur. Ce problème m'empêchait de vivre de l'intimité avec ceux que j'aime. J'en ai beaucoup souffert et aujourd'hui, le simple fait d'y penser me fait pleurer.

Cela prend une forte dose d'engagement envers soi-même pour faire face à un problème de dépendance et aller chercher de l'aide pour se rétablir. De plus, comme tout engagement, c'est une promesse qu'il faut faire et renouveler chaque jour. Il m'arrive souvent de me demander s'il est possible de s'engager dans quelque chose à long terme. Par exemple, nous nous marions et faisons le vœu de vivre avec quelqu'un pour le reste de nos jours sans vraiment comprendre que l'engagement est quelque chose qui se vit au quotidien. Ainsi, j'essaie de me rétablir de ma dépendance au travail, mais je suis constamment tenaillée par la tentation de surcharger mon emploi du temps et de dépasser mes limites. Régulièrement, il me faut reconnaître que je suis impuissante devant cette maladie et continuer à chercher du soutien dans mes efforts pour me rétablir.

Toutefois, il est possible d'obtenir de l'aide ! Peu importe ce dont vous souffrez et que vous êtes en train de briser votre vie à cause d'un problème de dépendance, de dépression, d'insécurité ou de peur, il y a quelqu'un qui est déjà passé par là et qui peut sans doute vous aider. Je suis convaincue qu'une grande part de la souffrance que nous vivons dans notre monde pourrait être évitée, si nous acceptions seulement de montrer notre vulnérabilité. Comme Maya Angelou le dit dans son poème intitulé *Alone* : « Il n'y a personne, absolument personne, qui peut s'en sortir seul. »

Bien sûr, un engagement que l'on prend dans le but de se libérer d'une dépendance n'est pas de même nature qu'un engagement à faire des biscuits pour une kermesse paroissiale. Dans le cas des biscuits, on compte sur vous pour remplir une promesse que vous avez faite. Le fait que vous passiez une partie de la nuit debout pour respecter votre promesse ou que, au contraire, vous arriviez les mains vides à la fête, sera, probablement, sans conséquence grave. Il n'en est pas ainsi pour un mariage, un travail ou le rétablissement d'un problème de dépendance ; les conséquences sont évidemment beaucoup plus graves. Dans chaque cas, cependant, le véritable engagement se ramène directement à vous et à *ce que vous êtes disposé à faire pour vous-même*.

L'histoire de Chellie Campbell est pour nous une source d'inspiration. C'est le récit d'une femme qui est allée chercher de l'aide et qui a pris un engagement envers elle-même. Chellie me rappelle les paroles de la poète Minnie Richard Smith : « Un diamant, en fait, ce n'est qu'un morceau de charbon qui s'est attelé à la tâche. » Elle nous montre aussi que, loin d'être la prison que nous associons à ce mot, l'engagement peut mener à l'abondance de créativité, de bonheur et d'autres richesses.

L'histoire de Chellie Campbell
Je m'appelle Chellie C.

Je m'appelle Chellie C. et je suis alcoolique. Voici l'histoire de ce que j'étais, de ce qui est arrivé et de ce que je suis maintenant. Quelques-uns d'entre vous reconnaîtront peut-être là les premières paroles que prononce un conférencier lors d'une réunion des Alcooliques Anonymes (AA). D'autres peuvent n'en rien savoir, mais l'apprendront peut-être dans l'avenir. Moi aussi, un jour, j'ai été superbement inconsciente d'une dépendance à l'alcool que j'avais et qui allait en s'aggravant.

Tout a commencé par une habitude anodine : un petit verre de vin après le travail. Cela mettait un terme à la journée au boulot, me permettait de décompresser et de prendre le rythme d'une soirée de détente à la maison. Sournoisement et d'une manière insidieuse, lorsque la journée avait été un plus difficile qu'à l'ordinaire, au lieu d'un seul verre de vin, j'en prenais deux. Puis, comme tout bon alcoolique qui nie son problème, j'ai fait l'achat de verres plus grands de sorte que je pouvais toujours dire que je m'en tenais à deux verres. Je me demande bien qui je pensais leurrer ainsi.

J'avais de bonnes raisons de boire. Je vivais sous pression. J'animais des ateliers de gestion des tensions reliées aux questions d'argent, et il se trouve qu'à cet égard, j'étais la personne la plus tendue du groupe. J'essayais de maintenir à flot une petite entreprise après avoir perdu un crédit de

300 000 $ qu'on m'accordait chaque année. Je tentais de rembourser un solde de 80 000 $ sur ma carte de crédit tout en tâchant de vendre un appartement en copropriété de 160 000 $ qui ne valait plus que 90 000 $. En outre, il me fallait oublier le décès de ma mère, d'un oncle, d'une tante, d'un cousin, un bébé de six mois, et d'un de mes meilleurs amis. J'essayais tant bien que mal de sauver les apparences en m'affichant comme une leader dans mon milieu : j'étais présidente de la section locale de l'association nationale des femmes chefs d'entreprise, ainsi que membre du comité de direction du club Rotary de ma région. Durant la journée, je prenais une physionomie de circonstances que je noyais chaque soir dans l'alcool.

Bien sûr, j'étais au courant que j'avais un problème. Je savais qu'il me fallait agir. Je connaissais l'existence des Alcooliques Anonymes et du mode de rétablissement « un jour à la fois », mais j'essayais d'y arriver par moi-même. En me levant chaque matin, je me disais : « Juste pour aujourd'hui, je ne prendrai pas mon premier verre. » Et je tenais ma promesse jusqu'au moment de rentrer du travail. En fin de compte, il m'a fallu admettre le fait que la femme d'affaires — intelligente, avisée et instruite — que j'étais ne pouvait passer un seul jour sans boire. Pas un seul.

Un samedi, je suis allée déjeuner avec une amie dans un restaurant mexicain. Je raffole des mets mexicains. Surtout les margaritas ! Donc, Sally et moi avons commandé joyeusement nos boissons préférées et les avons calées d'un trait. « En prends-tu un autre ? », ai-je demandé à Sally d'un ton doucereux. « Oh non, a-t-elle répondu, pas à cette heure-ci. » Merde, ai-je pensé en souriant candidement. Plus vite on en aura fini de ce déjeuner, mieux ce sera.

Après le déjeuner, j'ai couru à l'épicerie me procurer de la tequila et du mélange à margaritas et je suis rentrée chez moi faire mes propres margaritas. J'ai bu et je me suis endormie sur le canapé. Je me suis réveillée le dimanche matin suivant, j'ai bu le reste de la tequila et je me suis rendormie. Le lundi matin, j'étais en colère contre moi. La fin de semaine, ne pouvais-je donc faire autre chose que boire ?

En peu de temps, j'ai atteint le fond. Finalement.

Voici ce à quoi cela a ressemblé : mon bar à la maison était presque vide, je suis allée à l'épicerie pour refaire mon stock. J'ai pris un Cabernet, un Merlot, quelques Chardonnay, du Chablis, de la vodka, du gin, du bourbon, de la tequila, des mélanges à margaritas et à Bloody Mary, ainsi que quelques liqueurs. J'avais en tout une douzaine de bouteilles dans mon caddie et des croustilles. Voilà pour les courses.

La caissière enregistra les bouteilles l'une après l'autre, me sourit et me fit, d'un air entendu : « Vous donnez une fête ? » Ne comprenant pas pourquoi elle me demandait cela, j'ai répondu : « Non. » Jamais je n'oublierai l'expression sur le visage de cette femme. Je me rappelle avec précision l'humiliation cuisante que j'ai ressentie quand j'ai réalisé que quelqu'un qui achète douze bouteilles de boissons alcoolisées doit nécessairement donner une fête ! J'ai rougi violemment et je me suis sauvée à toute allure. Jamais, je ne pourrai retourner dans ce magasin.

Ce soir-là, j'ai aligné les douze bouteilles sur le comptoir de la cuisine et j'ai regardé ma maladie en face. Seule, je n'y arrivais pas. J'avais besoin d'aide. J'ai appelé Barbara qui est membre des AA. Elle m'a semblé très contente que je lui demande de l'accompagner à une réunion. Elle a dit « qu'elle m'avait retenu une place ». Je lui ai demandé ce qui lui avait fait croire que je puisse avoir un problème d'alcool et elle m'a répondu qu'elle l'avait su lorsque, la fin de semaine que nous avions passée dans un centre de santé, j'avais apporté un pack de six bouteilles de vin. Ah.

Nous nous sommes donc rendues à la réunion des AA du mercredi soir qui avait lieu à la synagogue de l'université. Il s'agit d'une des plus grosses réunions AA au monde : il y avait au moins neuf cents personnes dans l'assistance. J'étais tout à fait sous le choc. J'ai fait la connaissance d'une communauté de gens merveilleux qui ont fait face à leurs démons, qui aident les autres et s'aident eux-mêmes à vivre sans alcool. Tous ceux à qui j'ai parlé m'ont donné leur numéro de téléphone et m'ont recommandé de les appeler si jamais j'avais l'idée de boire. Ce soir-là, je me suis engagée à ne plus boire, je suis revenue à la maison et j'ai jeté toutes les bouteilles que j'avais.

On m'a recommandé, dans les quatre-vingt-dix prochains jours, d'assister à quatre-vingt-dix réunions. « Êtes-vous tombés sur la tête ? ai-je explosé, avez-vous vu mon emploi du temps ? Savez-vous qui je suis ? » Impassibles, ils ont hoché la tête. « Quatre-vingt-dix jours, quatre-vingt-dix réunions. Si tu veux avoir ce que nous avons, tu dois faire comme nous. »

« Qu'est-ce que vous en savez ? », ai-je gémi.

« Nous sommes abstinents d'alcool et toi, tu ne l'es pas », m'ont-ils répondu. C'était logique.

Je suis donc allée à leurs quatre-vingt-dix réunions en quatre-vingt-dix jours. Cela ne me disait guère. Les salles seraient probablement vides si on demandait à chaque alcoolique présent à une réunion d'avoir eu, au préalable, le goût de s'y rendre. « Viens, amène-toi. », disent-ils. On ne s'inquiète pas de savoir comment tu te sens. On te demande simplement de venir.

Les vieilles habitudes ont la vie dure, mais si vous montrez suffisamment de détermination, vous en venez à bout. Dans les mois qui ont suivi, j'ai dû affronter tous mes défauts de caractères et ressentir toutes les émotions que j'essayais d'éviter de ressentir avec l'alcool. Après une réunion, il m'arrivait parfois de regagner ma voiture et de m'effondrer en sanglots derrière le volant. De bonnes âmes frappaient contre la vitre et me demandaient si tout allait bien. Certaines nuits, je pleurais avant de m'endormir. Je regardais la lune brillant dans la nuit profonde et je me faisais la promesse : « Un jour, dans six mois d'ici, je vais avoir moins mal. »

C'est finalement arrivé.

Si tu maintiens ton engagement, le rétablissement fait suite à la dépression. Et comme on a coutume de dire dans AA : « Ça marche AA, si tu fais les efforts qu'il faut. » Ma vie a changé et je suis devenue une nouvelle personne, capable de profondeur et de maturité. J'ai acquis une nouvelle conscience de moi-même et j'ai développé de l'empathie pour les autres. Mes ateliers sur la gestion du stress relié aux problèmes d'argent ont gagné en popularité quand j'ai commencé à dire la vérité sur ce que j'avais vécu. Le récit de mes échecs et des moyens que j'ai pris pour m'en sortir a donné à d'autres le courage d'affronter leur passé et de surmonter leurs problèmes. Un éditeur a publié mon livre *The Wealthy Spirit* (Un esprit en santé), lequel a trouvé des lecteurs dans le monde entier. J'ai balayé les débris du passé et je me suis construit une nouvelle existence, meilleure que l'ancienne, pendant que l'état de mon compte en banque s'améliorait aussi.

Peu importe jusqu'à quel point les problèmes d'argent vous inquiètent, je suis passée par là.

Peu importe jusqu'à quel point vous vous sentez malheureux, je suis passée par là. Et, je sais que vous pouvez arriver à vous en sortir, parce que moi je l'ai fait. Si vous allez chercher de l'aide et si vous suivez un programme pour vous rétablir, les choses ne peuvent manquer de s'améliorer. En fait, votre vie peut devenir extraordinaire. J'ai maintenant un travail que j'adore, même que je n'ai pas l'impression de travailler. Mes clients m'apprécient et me paient bien. Je ne suis ni Donald Trump ni Bill Gates. Je ne donne pas de recettes pour devenir milliardaire. Il y en a d'autres pour cela.

Je suis simplement une fille d'âge moyen, de classe moyenne, qui fut un jour misérable et sans le sou et dont la vie s'est enrichie, intérieurement et matériellement. Je gagne un revenu dans les six chiffres ; je n'ai pas de dettes, j'ai des économies, quelques placements et un plan de retraite ; je pars en vacances pour une nouvelle destination chaque année. Maintenant, durant mes loisirs, je bois du coca diète. J'ai d'excellentes relations avec ma famille et mes amis. La base spirituelle sur laquelle se fonde ma vie et mon travail devient de plus en plus solide. Comme jamais auparavant, je gagne de l'argent et j'ai de la joie de vivre.

Consciemment et inconsciemment, nous créons notre vie. Nous la créons à partir des pensées, des attitudes, des croyances, des sentiments que nous avons et à partir des choix qui en découlent. L'histoire de notre vie se résume à la somme des décisions que nous avons prises. Nous avons un tel pouvoir, et dire qu'il y a encore tant de gens qui se sentent impuissants. Nous accordons du pouvoir à certaines choses et nous nous croyons incapables de changer quoi que ce soit. Mais, nous sommes responsables de tous nos choix.

Nous choisissons l'endroit où nous habitons, qui sont nos amis et le travail que nous voulons faire. Nous pouvons décider de faire de l'exercice ou de ne pas en faire, de fumer, de consommer de la drogue, de faire des dons à des organismes de charité, d'avoir un animal, de nous marier, d'avoir des enfants. Nous choisissons nos lectures, nos pensées et nos croyances. Notre vie est le reflet de nos choix. Chaque instant est un moment de pouvoir. À chaque instant, nous pouvons choisir de continuer la même chose ou nous pouvons remettre en question notre choix. Une vie remplie de richesses, intérieures et matérielles, vous attend.

Il y a un chemin qui mène de la pauvreté à la prospérité, de l'échec à la réussite. Je le sais, parce que je l'ai moi-même parcouru. Vous le savez, vous aussi, mais peut-être l'avez-vous oublié. Laissez-moi vous le rappeler. La route vous appelle. Venez. Ils seront nombreux à marcher avec vous.

« *Notre vie est le reflet de nos choix. À chaque instant, nous avons le pouvoir de décider. À chaque instant, nous pouvons choisir de continuer la même chose ou nous pouvons remettre en question notre choix.* »

– Chellie Campbell

11- L'ouverture

Pendant la première étape d'un vol que j'effectuais, récemment, à destination de Los Angeles, mon voisin de siège était le sergent Karl Mohr, un technicien médical d'urgence de la garde nationale militaire. Il revenait d'une mission en Irak et n'avait pas vu sa femme depuis dix-huit mois.

Cette expérience l'avait profondément marqué. En poste au Kurdistan, il avait établi des liens solides avec les gens de là-bas, qu'il décrit comme des gens heureux, même les plus pauvres. Il a observé que, partout, les gens sont pareils et que ces gens ont les mêmes besoins et les mêmes espoirs que la plupart d'entre nous : ne pas subir de mauvais traitements, pouvoir envoyer leurs enfants à l'école et vivre dans un monde où la peur est absente.

Je lui ai demandé comment il avait fait pour entrer en contact avec les Kurdes ; il m'a répondu : « Tout est une question d'écoute. Les Kurdes aiment chanter et raconter des histoires. Chaque fois que c'était possible, je déposais mes armes, je retirais mon attirail et je m'assoyais avec eux. Malgré tout ce que j'avais à faire, je prenais le temps de m'arrêter et de les écouter. »

Écouter, ai-je pensé, voilà une munition secrète. Et surtout faire preuve de l'ouverture nécessaire pour réellement entendre ce qui est dit.

Je savais bien que c'était vrai. Il y avait à peine quelques mois, mon mari et moi avions atteint le fond en ce qui regardait les difficultés de communication que nous avions. La situation ne manquait pas d'ironie puisque j'exerçais le métier de conférencière et que lui avait été rédacteur de textes techniques et qu'il avait même dirigé une entreprise de documentation dont il avait été propriétaire. Nous étions tous les deux reconnus comme de grands communicateurs.

Cependant, une communication véritable fait toujours intervenir deux parties : un émetteur et un récepteur. J'ai appris par la suite que mes talents de communicatrice se fondaient principalement sur l'habileté à transmettre de l'information, non pas sur celle de la recevoir. Dans une conversation avec un interlocuteur, je passais mon temps à interrompre, car je pensais toujours que mes propos étaient plus importants que les propos de l'autre. En fait, j'écoutais très peu ce que l'autre disait parce que j'étais trop occupée à penser à ce que j'allais dire aussitôt que j'en aurais la chance. Quand deux personnes engagées dans une prétendue conversation jouent toutes deux le rôle d'émetteur, il n'y a pas de place pour l'écoute de l'autre et la communication est radicalement rompue.

Grandement désireuse d'améliorer la communication avec mon mari, je priais pour apprendre à bien écouter. J'ai été guidée vers un atelier d'une semaine, intitulé « Le processus de vivre ». Ce programme s'inspirait des travaux de Anne Wilson Schaer, chef de file du mouvement pour le rétablissement des problèmes de dépendance. Durant toute une semaine, j'ai assisté à des réunions au cours desquelles, le groupe s'entraînait à écouter. Cela n'avait pas d'importance si la personne qui avait la parole prenait une minute ou une heure ; pourvu que ses mots viennent du cœur, plutôt que de l'intellect, les autres se montraient ouverts et l'écoutaient sans l'interrompre. S'il arrivait que des participants se sentent nerveux et ennuyés par les propos de la personne qui parlait — ou soit que celle-ci prenne trop de temps —, ils devaient assumer la responsabilité de leurs sentiments sans l'*interrompre*. Grâce à cette démarche, j'ai acquis l'ouverture nécessaire, que je possède encore aujourd'hui, pour vraiment entendre l'autre et le *recevoir*.

C'est pourquoi il y a peu de chose de nature à me surprendre dans l'histoire de Leah Green qui suit. Par ailleurs, c'est pour moi une source d'inspiration sans bornes. Il est irréfutable que le simple fait d'écouter quelqu'un peut avoir des effets considérables et amener la guérison. Que la paix ait pour fondement l'acte tout simple d'écouter l'autre est une réalité que le travail de personne comme Leah nous démontre.

Dans chaque communication entre des êtres humains, il y a toujours une part du masculin et du féminin, l'émission et la réception, la parole et l'écoute. Des conflits surviennent lorsque tous jouent le rôle de transmetteurs ; l'harmonie règne lorsque le désir d'émettre est tempéré par une ouverture à l'écoute de l'autre.

L'histoire de Leah Green illustre la grandeur et la richesse de l'expérience humaine qui est vécue lorsque nous avons l'ouverture nécessaire pour écouter l'autre et recevoir ce qu'il a à donner.

L'histoire de Leah Green
L'arme secrète

Nous sommes en 1991, la première Intifada, ou soulèvement des Palestiniens contre les Israéliens, fait rage. Je marche sans bruit en compagnie d'un groupe d'Américains dans les allées tortueuses du camp de réfugiés d'al-Fawwar, près de Hébron. Nous entendons les soldats israéliens pénétrer dans le camp de l'autre côté. Au détour du chemin, nous arrivons près d'une femme d'âge moyen qui fouille dans les décombres. Notre hôte explique à cette femme que nous sommes là pour rencontrer des Israéliens et des Palestiniens, afin d'écouter leur histoire et de nous rendre compte par nous-mêmes de la situation.

La femme se tourne alors vers nous, indique le tas de débris d'un geste désespéré, en disant des paroles que notre hôte traduit : « Ma maison était là. » La femme pleure rageusement en ajoutant que son fils cadet a été abattu par des membres de l'armée israélienne et que son fils aîné a été condamné à la prison à perpétuité par un tribunal militaire. Après la prononciation de la sentence, sa maison a été rasée par un bulldozer. Ses deux filles et elle n'ont plus pour se loger que l'abri de fortune qui servait aux animaux. La femme pousse des gémissements que notre hôte traduit : « Pourquoi les Américains nous haïssent-ils ? Qu'est-ce que nous vous avons fait ? Nous avons tout perdu ! Nous essayons seulement de survivre ! » Sous le choc, nous l'écoutons déverser sa colère et son chagrin. Pour la plupart d'entre nous, c'est la première fois que nous prenons conscience que de nombreux Palestiniens pensent que les États-Unis leur font la guerre.

Puis, à notre grande surprise, elle sort un mouchoir de sa poche, s'essuie les yeux et nous invite à prendre le thé dans son hangar. Nous nous assoyons avec elle sur le sol de terre battue et nous buvons du thé fort et sucré en écoutant ce que chacun a à dire.

Mon initiation au processus de réconciliation israélo-palestinienne a commencé en 1982. Jeune femme encore, j'ai suivi un entraînement d'un an dans une communauté en Israël appelée la Neve Shalom/Wahta asSalaam. Cette communauté est bien connue maintenant, mais elle était nouvelle au moment où j'y suis allée ; les fondateurs étaient des pionniers de la première heure en matière de réconciliation israélo-palestinienne. Ils avaient mis sur pied une école, « l'école de la paix », fréquentée des Israéliens et des Palestiniens ; ceux-ci, pour la première fois de leur vie, étaient en contact les uns avec les autres en tant qu'êtres humains. J'ai vu des gens raconter la simple vérité de leur propre histoire et de leur propre souffrance pendant que leurs adversaires écoutaient sans critiquer ou sans discuter. Un lien se formait et un petit espace de paix était créé.

Cette expérience a eu un tel impact sur moi que, durant les quelques années qui ont suivi, j'ai continué à travailler au processus de réconciliation israélo-palestinienne, tant en Israël qu'aux États-Unis. En 1990, j'ai tenté une autre démarche : j'ai entrepris d'emmener des Américains au Proche-Orient pour écouter des histoires d'Israéliens et de Palestiniens. Je sentais que cela pourrait faire du bien à ceux qui sont impliqués dans le conflit et éclairer les Américains sur la situation. Compte tenu des stéréotypes véhiculés dans la communauté juive dans laquelle j'ai grandi, cela m'apparaissait particulièrement important que les Juifs-Américains se rendent sur place pour écouter ces histoires. On disait : « Tout ce que veulent les Palestiniens, c'est de nous jeter à la mer. On ne peut leur faire confiance. Nos deux peuples se sont toujours fait la guerre. » Je souhaitais travailler à amener les Juifs et les Palestiniens à se souvenir que nous sommes tous cousins, et que la paix est possible.

En 1996, après de nombreux voyages d'écoute fructueux au Proche-Orient, mon travail en vint à être connu sous le nom de projet d'écoute compatissante. Le projet est un effort de réconciliation fondé sur les idées de Gene Knudsen Hoffmann, une artisane de la paix, qui, il y a vingt ans, encourageait la communauté qui milite pour la paix à pratiquer l'écoute compatissante. Hoffmann reprenait les idées de Thich Nhat Hanh, un moine bouddhiste qui exhortait les conciliateurs à demeurer ouverts à tous les aspects d'un conflit. Les Américains qui participent au projet d'écoute compatissante sont entraînés à écouter tous les partis avec respect. L'objectif du projet est de mettre en place une structure internationale de soutien pour la paix au Proche-Orient, tout en offrant aux gens sur le terrain un moyen pratique de résoudre les conflits.

Ce qui nous distingue des autres organisations travaillant avec les Israéliens et les Palestiniens, c'est que notre travail s'effectue principalement en Cisjordanie, un territoire occupé par les Israéliens où les tensions sont toujours très fortes. Là-bas, les Palestiniens vivent sous l'occupation israélienne ; souvent les seuls Juifs qu'ils connaissent sont des soldats de l'armée israélienne et des colons israéliens avec qui ils ont des relations hostiles. Nous amenons des gens ordinaires, du côté des Palestiniens autant que du côté des Israéliens, à se rencontrer. Pour eux, c'est souvent pour la première fois qu'ils ont l'occasion de se parler en tant qu'êtres humains.

Au cours de la dernière décennie, j'ai emmené des groupes de centaines d'Américains au Proche-Orient et je leur ai donné l'occasion d'écouter des milliers d'Israéliens et de Palestiniens dans le but de découvrir l'être humain derrière le stéréotype. Personne n'a jamais refusé d'être écouté. Nous nous sommes assis avec les gens dans des foyers, des bureaux, sur la rue, dans des camps de réfugiés, dans le bureau du Premier ministre israélien, dans le bureau du Président palestinien et dans des bases militaires. Nous avons écouté des colons, des cheikhs, des maires, des rabbins, des étudiants, des Bédouins, des militants pour la paix et des terroristes. Nous avons appris qu'il est facile d'écouter ceux avec qui nous sommes d'accord. En revanche, lorsque nous écoutons des personnes avec lesquelles nous sommes en désaccord ou que nous tenons pour ennemies, l'écoute relève du tour de force.

Les principales prémisses à l'écoute compatissante sont que, dans tout conflit, chacune des parties souffre de la situation, et que chaque acte de violence est l'expression d'une blessure non guérie. Notre tâche, en tant que conciliateurs, consiste à entendre les plaintes de chaque partie et à trouver des moyens pour que chacune des parties prenne conscience des souffrances de l'autre et de son humanité. Nous apprenons à écouter avec une « oreille spirituelle », à discerner et à reconnaître les éléments de vérité présents dans les paroles de tous, surtout dans celles de ceux avec lesquels nous sommes en désaccord. Nous apprenons à mettre de côté nos opinions personnelles et à soutenir la personne qui raconte son histoire. De plus, nous apprenons à élargir notre capacité à accueillir la douleur de quelqu'un.

Permettez-moi de vous donner un exemple. Un jour, nous étions dans une pièce avec des Israéliens qui avaient perdu des membres de leur famille au cours d'attaques terroristes palestiniennes. La souffrance était palpable. Les larmes coulaient sur nos visages lorsqu'un père a raconté que son fils de douze ans avait été kidnappé, torturé et assassiné par des Palestiniens. Un autre homme a pleuré en refaisant le récit du meurtre récent de sa femme. Ces Juifs étaient venus de New York en Israël et avaient pu jouir d'une paisible existence communautaire, pour la première fois de leur vie, dans une colonie juive de Cisjordanie. Ils avaient eu le sentiment d'être finalement de retour à la maison pour voir, des mois plus tard, leur vie voler en éclats.

Une autre fois, nous étions dans un camp de réfugiés palestiniens à Gaza. Nous avons à nouveau versé des larmes lorsque nous avons entendu la colère qu'exprimait un réfugié palestinien ; c'était un membre du Hamas qui avait vu, enfant, son père et d'autres parents être tués devant lui. On l'a arrêté plusieurs fois et torturé. Il a été arrêté un jour, la veille de la naissance de son premier enfant, un fils, qu'il n'a pu prendre dans ses bras que cinq ans plus tard. Nous avons senti le chagrin que cela lui causait. Pour ma part, j'ai pensé qu'il m'était arrivé d'éprouver des désirs de vengeance pour des incidents bien insignifiants en comparaison. Je me suis souvenu des fois où j'ai été incapable de pardonner des manquements tellement moindres.

En 1998, nous avons commencé à donner des ateliers d'écoute compatissante aux Israéliens et aux Palestiniens afin qu'ils puissent continuer le travail dans leurs communautés respectives. Ester, une survivante israélienne de l'Holocauste de près de quatre-vingts ans et Mary, une Palestinienne chrétienne dans la vingtaine, participaient à un de nos premiers ateliers. Pour chacune, c'était la première fois qu'elles se trouvaient face à face pour écouter l'histoire de la souffrance de l'ennemi.

Le deuxième jour, vingt-cinq d'entre nous ont formé un cercle autour d'Ester et de Mary pour les écouter raconter leur histoire. D'abord, Ester a raconté comment elle avait survécu à la Deuxième Guerre mondiale. Elle avait grandi en Allemagne, mais avait été envoyée en Angleterre à l'âge de quinze ans, grâce au Kindertransport, un groupe britannique qui s'employait à faire sortir des enfants juifs d'Allemagne. Elle a trouvé extrêmement difficile d'être séparée de son frère et de sa sœur ainsi que de ses chers parents. Les trois enfants s'en sont sortis, mais le père et la mère ont été exterminés à Auschwitz. Finalement, Ester s'est mariée et elle est venue vivre dans une région que l'on appelait alors la Palestine, mais qui allait bientôt devenir Israël.

Ester nous a parlé de ce que cela signifiait d'élever une famille dans le nouvel État d'Israël et de surmonter de si nombreuses guerres ; elle nous a confié combien il était désolant, après toutes les persécutions et la terreur qu'avaient connues les familles juives en Europe, que celles-ci ne puissent vivre sans menaces de violence. Elle nous a dit combien cela l'attristait que tous ses enfants et petits-enfants aient fait partie de l'armée et aient subi les effets terribles de la guerre et des combats. Elle nous a décrit ce que cela signifiait de vivre dans la peur continuelle d'attentats suicides et de craindre quotidiennement pour sa famille et ses amis.

Cependant, la partie plus touchante de son histoire est que, récemment, elle est parvenue à pardonner aux Allemands.

Chaque année, elle se rend en Allemagne et va dans les écoles raconter aux enfants ce qu'elle a vécu durant l'Holocauste. Elle dit que la capacité qu'elle a de pardonner lui vient de ses parents qui lui ont enseigné à ne pas haïr. « Ils ne me permettaient même pas de haïr les épinards ! » a-t-elle dit.

Pendant qu'Ester parlait, Mary, la jeune femme palestinienne, qui, auparavant, n'avait jamais eu de contact avec un Juif israélien, écoutait l'histoire que racontait Ester et pleurait comme nous tous. Mary a écouté Ester exprimer sa douleur et raconter le parcours étonnant qui l'a amenée à pardonner aux Allemands. Pour la première fois de sa vie, elle a ouvert son cœur à un Juif israélien.

Puis, ce fut le tour de Mary qui s'est assis doucement et nous a raconté des détails atroces sur son enfance et son adolescence, dans Jérusalem-Est, sous l'occupation israélienne. Elle nous a parlé des camarades de classe qu'elle a perdus. L'un d'entre eux revenait de l'école à bicyclette lorsqu'il a été atteint par derrière par des soldats israéliens. Il est tombé à terre et a rendu l'âme devant elle et d'autres de ses camarades.

Une autre fois, elle nous a raconté qu'elle revenait de l'école lorsque des soldats israéliens l'ont encerclée et harcelée. Elle était terrifiée à l'idée qu'ils allaient l'enlever pour la tuer et que sa famille n'entendrait jamais parler de ce qui lui était arrivé. Son récit était le récit d'humiliations et de harcèlements qui se produisaient quotidiennement. Pendant qu'elle parlait, elle semblait très secouée et à la fin, tout son corps tremblait violemment.

Quand Mary a eu terminé, tous essuyaient leurs larmes en silence, accueillant en eux ces deux incroyables histoires. Puis, Ester s'est levée, a traversé la pièce et a pris Mary dans ses bras, comme si celle-ci était l'une de ses petites-filles. Ester berçait et réconfortait Mary qui pleurait. Nous avons tous versé d'autres larmes, bouleversés d'être les témoins de ce premier contact humain et affectueux entre des ex-ennemis.

Les années qui ont suivi, Ester est restée en contact avec Mary. Un jour, elle a même amené des amis allemands pour qu'ils rencontrent Mary sur les lieux de son travail, un couvent magnifique dans la vieille ville de Jérusalem. Peut-on imaginer quelque chose d'aussi inconcevable ? Une femme juive amenant des amis allemands rencontrer son amie palestinienne ! Elles se sont liées au cours de l'atelier et leur amitié dure encore aujourd'hui, malgré le conflit qui persiste dans la région. La dernière fois que j'ai revu Ester, il n'y a pas très longtemps, elle m'a confié : « Vous auriez dû voir l'étincelle dans les yeux de Mary quand je suis entrée cette première fois ! »

En mars 2003, un petit-fils d'Ester, qui servait dans l'armée israélienne, a été tué par des Palestiniens durant une opération militaire. Au moment où elle a appris la nouvelle, Ester assistait à une cérémonie commémorative au Musée de l'Holocauste à Jérusalem. Elle a dit que maintenant plus que jamais, elle poursuivait son engagement à la cause de la réconciliation.

Une fois que des contacts humains ont eu lieu entre des gens de camps opposés, tout devient possible. Tout d'un coup, c'en est fini des formules malfaisantes comme « Les Palestiniens sont tous des terroristes » ou « On ne peut jamais faire confiance à un Juif », ou « Les Juifs n'ont jamais montré de sympathie pour notre histoire ». Le secret consiste à reconnaître la souffrance de l'autre.

Quand le fossé est franchi et qu'un contact humain s'est produit, la paix peut s'installer. Vous avez créé un contexte qui permet à deux personnes d'envisager la paix. Et je crois que c'est cela le plus important. Si la paix n'est pas quelque chose d'envisageable, s'il nous est impossible de l'expérimenter dans notre cœur, jamais nous ne croirons qu'elle est possible. Même au cas où un accord de paix serait conclu au plan politique, il faut des personnes sur le terrain comme Mary et Ester pour construire une paix réelle entre les gens. Quand nous prenons place avec des Israéliens et des Palestiniens et que nous écoutons leur histoire, sans tenir compte de leur positionnement politique, il devient possible d'affirmer que ces gens sont profondément humains. Pour ma part, j'ai constaté que j'éprouvais de la compassion pour les extrémistes des deux côtés. Ce n'est pas que je ferme les yeux sur ce qu'ils ont fait, c'est simplement qu'à entendre leur histoire, il m'arrive parfois d'imaginer que j'aurais fait les mêmes choix qu'eux. Et cela donne une perspective toute différente.

Voilà le travail que nous accomplissons. Cela progresse lentement et laborieusement, mais des gens sont transformés à un plan très profond. Une fois que le cœur s'est ouvert à une personne de l'autre bord, il ne peut jamais se refermer complètement. Selon moi, voilà comment le changement se produit : une personne et un cœur à la fois.

« Nous avons appris qu'il est facile d'écouter ceux avec qui nous sommes d'accord. En revanche, lorsque nous écoutons des personnes avec lesquelles nous sommes en désaccord ou que nous tenons pour ennemies, l'écoute relève du tour de force. »

— Leah Green

12- L'acceptation

J'étais en onzième année quand a eu lieu l'intégration des écoles publiques de Baton Rouge. En ce temps-là, au début des années soixante, les régions les plus méridionales du pays étaient en proie à de fortes tensions raciales. J'en ai eu un exemple près de moi. Mon père, un journaliste, faisait un reportage montrant la brutalité dont les policiers faisaient preuve envers un groupe de manifestants Africains-Américains. Il était en train de filmer, lorsqu'il a été frappé avec un bâton électrique à bétail par un policier à cheval qui essayait de l'empêcher de montrer à la face du monde ce qui était en train de se passer.

L'école Robert E. Lee High, pour blancs seulement, que je fréquentais à l'époque, était l'une des trois écoles qui avaient été choisies pour initier le vaste mouvement de déségrégation. Le premier jour d'école, avant le début des classes, les étudiants et les professeurs, à la fois curieux et anxieux, étaient dehors et attendaient l'arrivée des étudiants africains-américains. L'événement faisait date dans la région et brisait une tradition de ségrégation raciale de plus d'un siècle.

Les cinq garçons et filles sont arrivés à l'école, escortés par les policiers ; ils paraissaient apeurés et seuls. J'éprouvais de la sympathie pour eux et je souhaitais intérieurement que leur intégration dans ce monde blanc soit facile. Je craignais les écarts de comportement de certains de mes amis ou camarades. Bien que le premier jour se soit déroulé sans incident, il ne fallait pas oublier que nous avions grandi dans un monde de blancs et de noirs, où le seul mélange racial qui nous était familier se produisait lorsqu'une femme africaine-américaine travaillait comme domestique à la maison d'une femme blanche.

À l'époque de mes grands-parents, il arrivait souvent que des femmes africaines-américaines s'occupent des enfants dans les foyers blancs. Ma grand-mère, par exemple, qui a grandi sur une plantation dans la région du Mississippi, a été pour ainsi dire élevée par une nourrice noire africaine-américaine, qui était sans doute plus proche d'elle que n'importe quel membre de la famille. Bien qu'elle ait toujours évoqué avec tendresse ces jeunes années et sa nounou, ses conditionnements à l'égard des Africains-Américains en général étaient si ancrés que je ne pouvais sortir avec elle pour aller prendre un café tellement je craignais que quelqu'un, à portée de voix, entende les remarques déplacées qu'elle faisait sur les Africains-Américains.

Malgré le fait que j'ai subi les conditionnements de cette culture, j'ai eu la chance d'avoir un père qui avait un sens inné de l'égalité de toute vie humaine et une mère qui avait grandi dans un environnement tout à fait différent. Née et éduquée en Angleterre, elle n'avait pas d'idée toute faite sur la question des différences entre les races.

En fait, ma mère entretenait une relation étroite et affectueuse avec notre domestique Katie. Chaque fois que ma mère partait et nous laissait à la maison mes petites sœurs et moi, Katie était notre gouvernante et notre nounou. J'ai toujours vu ma mère prendre soin d'elle autant qu'elle prenait soin de nous. Dans son grand âge, bien après qu'elle eut cessé de travailler pour notre famille, Katie a toujours pu compter sur ma mère en cas de besoin. Nous avons été les seules personnes blanches à assister à ses funérailles.

Je remercie le ciel d'avoir été élevée par des parents qui défendaient la tolérance et préconisaient l'absence de préjugés. À une certaine époque, je servais bénévolement dans la Peace Corps en Afrique occidentale, et pour la première fois de ma vie, je me suis trouvée faisant partie de la minorité. Ce fut l'un des moments les plus précieux de mon existence. Un jour, je me suis rendu compte que je ne remarquais plus si la peau d'une personne était brune ou noire. Je me souviens du grand sentiment de liberté qu'une telle acceptation de la différence m'a apporté.

Toutefois, cette expérience d'acceptation était peu de chose en comparaison avec ce dont mon amie Catherine Carter me donnerait l'exemple. Je n'avais pas vu Catherine — qui a aussi grandi dans le Sud, en Louisiane — depuis de nombreuses années, lorsque j'ai appris qu'elle était en ville. J'ai donc pris contact avec elle afin que nous puissions dîner ensemble et nous faire part mutuellement de ce que nous avions vécu depuis notre dernière rencontre. Je ne m'attendais aucunement à ce qu'elle m'a raconté ce soir-là.

Catherine, elle-même, n'était pas préparée à vivre ce qui lui est arrivé. Je raconte ici son histoire, car, pour moi, cette histoire confirme que l'acceptation des différences est le premier pas vers la guérison, de même que c'est une attitude qui conduit toujours à l'amour.

L'histoire de Catherine Carter
Qu'est-ce que l'amour ferait ?

Un jour, je travaille à mon bureau, absorbée par le travail, les échéances, les parcs de voitures et les ordinateurs, lorsqu'un message se met à clignoter dans ma tête, clair, fort, incontournable. Je m'enfonce dans mon fauteuil et j'entends une voix qui me dit : « Tu vas devoir te dégager de tout cela parce que bientôt tu auras besoin de tout ton temps et de toute ton énergie pour te consacrer à quelque chose d'autre.»

« Tout cela » représente pas mal de choses. Je suis la maman d'un petit garçon de neuf ans bien en vie, présidente d'une entreprise d'édition, ainsi que rédactrice en chef et éditrice associée d'un magazine régional de voyages. J'écris un article hebdomadaire pour un journal régional, je fais du bénévolat dans une association locale féminine et j'enseigne à l'école du dimanche. De plus, je donne des cours de méditation et aussi souvent que possible, je participe à des ateliers de méditation ou à des retraites qui ont lieu en dehors de la ville. Je siège au conseil d'administration de divers organismes communautaires et il se passe rarement une semaine sans que mon mari, ou moi, ou notre entreprise fassions une apparition dans l'actualité locale. On parle beaucoup de nous dans le petit coin de cosmos que nous habitons.

Le message ne donne pas de précision sur ce « quelque chose d'autre ». Néanmoins, la voix s'impose d'une manière absolue et autoritaire. Et elle termine par les mots suivants qui sonnent on ne peut plus juste : « Si tu ne t'arranges pas pour passer plus de temps avec ton fils, tu vas rater son enfance. »

Je commence donc à démanteler et à simplifier l'organisation de ma vie. N'étant pas de celle qui recule devant les responsabilités, il me faut procéder graduellement à mon retrait. Je termine les tâches que j'ai déjà acceptées et refuse tout autre nouvel engagement. Je m'exerce à dire « non ». De plus, je commence à consacrer plus de temps à mon fils. Je me réjouis de passer le prendre à l'école et de l'emmener à ses cours de violon. Je me rends compte combien il m'a manqué et je suis reconnaissante d'avoir reçu ce message qui a changé ma vie.

Il a fallu environ un an pour en arriver à un point où mon emploi du temps quotidien ne soit pas complètement chargé avant le début du mois. Je prie même pour ne plus avoir besoin d'emploi du temps un jour. Plus précisément, je demande à Dieu d'être mon secrétaire particulier et le gestionnaire de mon temps, et de me faire savoir, un jour à la fois, où il faut que j'aille et qui je dois rencontrer.

Un soir, vers la fin de cette année-là, Richard et moi passons la fin de semaine chez des amis qui habitent une plantation à la campagne. Après un souper agréable, nous desservons et nous préparons à faire la vaisselle tous ensemble. D'une manière inattendue, Richard demande alors à notre hôtesse : « Cela vous dérangerait-il si Catherine et moi allions faire une promenade ? Il y a longtemps que nous avons été seuls tous les deux. » Elle répond : « Bien sûr que non. » Je suis surprise et à la fois heureuse que nous ayons du temps pour être seuls en tête-à-tête. L'année qui vient de s'écouler, Richard a ouvert un bureau à l'extérieur de la ville et il passe beaucoup de temps absent de la maison.

Nous nous promenons dans le bois de pins qui entoure la grande demeure ornée de colonnes blanches de nos amis. Nous faisons quelques pas en silence, puis Richard me dit : « Il y a longtemps que je n'ose te regarder dans les yeux. Après avoir entendu ce que j'ai à te dire, il se peut que tu ne veuilles plus jamais me parler et que tu souhaites faire appel à un avocat dès demain matin. »

Je me fige intérieurement. Je n'ai aucune idée de ce qu'il a à me dire. Nous avons alors trouvé un endroit pour nous asseoir. Richard fixe le sol pendant un moment, puis il dit : « Je suis tombé amoureux d'un homme. »

Je suis ébahie, la tête vide. Je ne peux penser à rien. Il poursuit en disant que c'est quelqu'un que je lui ai présenté. Il ajoute qu'il passe beaucoup de temps avec des amis homosexuels à New Orleans et qu'il croit qu'il est bisexuel. Il parle longtemps, pendant une heure peut-être ou plus, mais je n'ai pas conscience du temps. Je l'écoute et, silencieusement, tout mon univers vole en éclats ; j'assiste à ma version personnelle du Big Bang.

Pendant les mois qui suivent, je me sens désorientée à un point que je n'aurais jamais cru possible. Souvent, je me réveille au milieu de la nuit ne sachant pas où je suis, ni même en quelle année nous sommes. Je me souviens de cette conversation qui a eu lieu dans le bois de pins comme le moment où ma vie a été placée dans un malaxeur dont on aurait ensuite pressé le bouton en position « marche ».

Néanmoins, je reçois de l'aide, sous forme visible ou invisible. Bien que je sois souvent confuse et très triste, je suis aussi habitée par une sorte de grâce. Pendant six mois, je sens la présence d'anges qui me soutiennent littéralement, particulièrement quand je dois sortir en public. La plupart du temps, je reste à la maison ou bien je sors dans la nature. Je me sens si fragile que la simple pensée de tomber par hasard sur des gens que je connais me perturbe. Dans notre ville du Sud, les gens sont très conservateurs — la ville est appelée le cœur du Sud protestant — et il m'est impossible d'affronter la réaction que j'imagine que mes bons amis auraient s'ils savaient la vérité.

La relation avec mon fils est vitale pour moi. Je l'aide dans ses devoirs, je le soutiens dans une situation difficile qu'il vit à l'école à ce moment-là et je le conduis à ses leçons de violon. Je transforme la souffrance que j'éprouve au cœur en amour et en attention pour lui. Richard et moi consultons un conseiller spécialisé en ce qui concerne l'homosexualité. Selon ce spécialiste, il serait trop difficile pour Stephen d'apprendre que son père et moi avons des problèmes. Il nous recommande d'attendre que l'enfant ait passé le stade de la puberté pour lui dire que son père est homosexuel.

Richard est un roc. Il reste avec moi et veut m'aider à surmonter le choc. Pendant des mois, je pense que la famille peut rester unie et que cela peut marcher d'une façon ou d'une autre. J'aime beaucoup ma famille. Nous partageons des moments joyeux et nous rions souvent. Je me sens anéantie à la pensée de perdre cela. Puis, nous allons voir des conseillers, et je lis des livres qui traitent de l'homosexualité et pose mille questions sur ce que cela signifie d'être homosexuel. Richard s'assoit avec moi et me parle pendant des heures afin de m'aider à comprendre cette nouvelle donnée.

Cela est seulement une indication du changement qui s'est produit en lui. Richard est une meilleure personne maintenant que le « diable » est sorti de la boîte. Auparavant, au travail, il se conduisait en tyran, établissant des règles strictes, s'obligeant lui-même et obligeant tout le monde dans l'entreprise à faire des sacrifices. Pendant des années, il a insisté pour que tous soient au travail à sept heures trente. Même une mère célibataire, bonne travaillante, qui était parfois en retard au travail à cause de son enfant qui était malade, n'échappait pas aux reproches. Je comprends maintenant sa conduite quand je pense à la souffrance qu'il devait cacher aux autres.

Richard m'apprend qu'il sait qu'il est homosexuel depuis l'âge de cinq ans. Il a grandi dans une petite communauté agricole et n'a jamais imaginé qu'il pouvait vivre sa vie comme il le souhaitait. Il a assumé le fait de devoir nier ses sentiments et a cherché le bonheur autant que cela était possible dans une existence conformiste. Cependant, quand il est tombé amoureux et qu'il n'a pu continuer à nier les sentiments qu'il éprouvait, aucun des deux choix qui s'offraient à lui, c'est-à-dire continuer à vivre dans le mensonge ou dire la vérité, ne lui semblait acceptable. Il me dit que peu de temps avant notre conversation dans le bois de pins, il était resté un long moment sur un balcon à New Orleans, à penser qu'il n'y avait d'autre solution que le suicide et à tenter de réunir tout son courage pour passer à l'acte.

Parfois, je ressens de la compassion pour sa souffrance, et parfois, je me sens affreusement trahie. Il aurait dû m'en parler ! Je ne l'aurais jamais épousé ! Comment a-t-il pu faire une erreur aussi terrible ? Malgré tout, je ne peux m'empêcher de constater que Richard a toujours essayé de faire de son mieux. Et, je sais qu'il m'aime. Je n'en doute jamais. Même dans l'état de confusion dans lequel je me trouve, il y a une chose dont je suis certaine, c'est qu'il n'est pas question que je refasse ma vie sans lui.

Un soir, quatre mois environ après la promenade dans le bois de pins, Richard et moi allons au lit ensemble, comme nous avons coutume de le faire. Je me réveille au milieu de la nuit, en proie à un grand désespoir. Je ressens une douleur émotionnelle plus profonde et plus noire que tout ce que je n'ai jamais éprouvé auparavant. Pendant les quelques heures qui suivent, qui m'apparaissent une éternité, je vis une souffrance terrible. Après des heures de cette agonie, tout ce à quoi je peux penser est que la mort serait préférable à la torture que j'endure : me passent alors par l'esprit de nombreux moyens par lesquels je pourrais mettre fin à mes jours.

Peu de temps avant l'aube, je repose sur mon lit, noyée de sueur dans un état d'épuisement total et, silencieusement, je me mets à implorer Dieu : « Aide-moi, aide-moi, oh mon Dieu, aide-moi. » Je L'appelle à l'aide sept fois avant de tomber dans un sommeil hébété.

Quand Richard se lève pour se préparer au travail, je commence à m'agiter dans le lit et je m'assois. Je lui marmonne quelque chose au sujet de la mauvaise nuit que j'ai passée. À voir son visage, je comprends que cela est évident. Je dois avoir une mine terrible. Rien d'étonnant, j'ai l'impression d'avoir passé la plus grande partie de la nuit en enfer.

Ce matin-là, à huit heures, le téléphone se met à sonner. Mes amis les plus proches et les membres de ma famille m'appellent l'un après l'autre pour me dire : « Est-ce que tu vas bien ? ou Je pensais à toi et je me demandais comment tu allais. » Un seul d'entre eux a appelé sous l'instigation de mon mari qui était inquiet à mon sujet. Les autres ont tous appelé parce qu'ils ont senti un besoin urgent de le faire. Plusieurs de ces personnes sont des gens auxquels je ne parle que rarement, car ils vivent au loin.

Au début de l'après-midi, je secoue la tête en riant à la pensée de la réponse que j'ai eue. J'ai reçu sept appels : un pour chacune de mes invocations. Il est clair que je ne suis jamais seule et sans aide, même en ces moments de noir tourment que je viens de vivre.

Je touche alors le fond. Et, à partir de ce jour, bien que je sois encore vulnérable et blessée, je me sens de plus en plus équilibrée. Lentement, je commence à me reprendre et à faire des pas en direction de l'aventure inconnue qu'est ma nouvelle vie. Après un moment, mes bienfaiteurs invisibles me font savoir gentiment que le temps est venu pour moi de marcher seule. Je suis un peu chancelante au début, mais graduellement je retrouve mon assurance.

Plus je deviens forte, plus je remets sérieusement en cause mon idée que continuer la vie commune est faisable. Un soir, je suis dans le garde-manger de la cuisine et j'entends un autre message. Le contenu est décidément plus optimiste que le précédent. La voix me dit : « Catherine, tu peux rester avec ton mari, si tu veux, mais tu te compliques les choses bien inutilement. » Et elle ajoute sur un ton joyeux, en un gloussement presque : « Ma chérie, tu vas avoir le beurre et l'argent du beurre. » Je comprends alors que je peux garder dans le cœur tout l'amour que nous avons l'un pour l'autre, et néanmoins commencer à chercher un autre partenaire, quelqu'un qui voudrait vivre avec une femme et pourrait recevoir l'amour que je peux donner à tous les plans.

Quand je raconte cette expérience à Richard, il se dit d'accord pour la séparation, mais il ne semble pas, toutefois, pressé de partir. Un soir, nous sommes en train de décider comment nous réglerions les détails du divorce et il me montre un dépliant, qu'il a reçu le jour même, provenant des propriétaires actuels de notre première maison : un duplex que nous avions complètement rénové à une certaine époque. Quand j'avais vu cette maison pour la première fois, je m'étais écriée : « Je ne peux vivre ici ! C'est un véritable trou à rats ! »

Richard m'avait répondu : « Je te jure que tu l'aimeras quand elle sera rénovée. » Et c'est ce qui est arrivé. Une fois la rénovation terminée, c'était une œuvre d'art. Nous l'avons vendue, il y a des années. On lit dans le dépliant qu'elle va être rasée pour faire place au stationnement d'un hôpital, mais les propriétaires souhaitent que soient préservés les « magnifiques éléments architecturaux » qui la constituent. Quiconque le désire peut se rendre sur place et prendre ce qui lui plaît. Après avoir terminé sa lecture, Richard lève les yeux et me dit : « Nous avons construit ce mariage avec amour, une étape à la fois, et c'est ainsi que nous allons aussi le défaire. »

La partie la plus ardue est la négociation avec les avocats. À ma grande surprise, les questions juridiques s'avèrent les plus épineuses auxquelles nous avons à faire face. Malgré tout, je me rends compte que la meilleure façon de composer avec ces problèmes, et d'autres problèmes complexes, est toujours la même : chaque fois que je dois prendre une décision, je me pose la question : « Qu'est-ce que l'amour ferait ? »

Le moment venu, Richard déménage dans un charmant appartement que j'ai trouvé pour lui dans une conciergerie située non loin de la maison. Stephen peut s'y rendre à bicyclette et nous restons tous très proches. Les procédures de divorce se terminent exactement deux ans après cette promenade que nous avons faite dans le bois de pins. Peu de temps après, je pars à l'extérieur pour faire des études et Richard déménage dans le Northwest, où décidément les gens ont une attitude plus tolérante envers les homosexuels que dans la ville où nous habitons. À l'âge de quatorze ans, Stephen est parti vivre avec lui. À ce moment-là, Richard n'a pas de partenaire. Ce n'est qu'un an plus tard, toutefois, qu'il a dit la vérité à son fils sur son homosexualité. Cela n'a pas dû être facile pour Stephen ; néanmoins, il accepte le fait et ne cesse jamais d'aimer son père pour autant.

Pendant ce temps, je continue de penser que je suis sur le point de rencontrer le parfait nouvel homme de ma vie. Cela n'arrive pas. Pendant plus de quinze ans, je cherche, j'observe, j'attends et j'espère que quelque chose va arriver. Puis, un jour, je laisse tomber. À partir de ce moment-là, je commence à expérimenter une liberté extraordinaire. Peu de temps après, cela ne manque pas, je rencontre quelqu'un avec qui une merveilleuse relation amoureuse s'établit et continue de se développer par la suite.

Quand je regarde en arrière, je vois la perfection de tout cela. Quoique cela ait pris plus de temps que je l'aurais voulu, ces quinze années qui se sont écoulées m'ont permis de guérir mes blessures et de refaire ma vie, une vie fondée sur l'honnêteté autant que sur l'amour. J'ai dissipé les dernières traces de ressentiment qui me restaient d'avoir vu la vie parfaite que je croyais mener voler en éclats. Je vois la sagesse de la providence qui nous a fourni à Richard, Stephen, mon nouvel amour et moi, les bonnes occasions au bon moment. Cela nous a tous fait grandir et l'amour que nous éprouvons les uns pour les autres a grandi aussi.

Nous nous retrouvons à l'occasion des Fêtes, des anniversaires ou pour faire des voyages en famille. Notre famille aimante s'est agrandie pour accueillir l'homme qui partage maintenant la vie de Richard. Je l'appelle mon beau-mari ! Et, ce prochain Noël, seize ans après le début de toute cette aventure, mon nouveau compagnon de vie va se joindre à notre réunion de famille. Du commencement à la fin, l'amour a été présent à chaque étape de ce grand virage qui s'est produit dans ma vie. Par chance, j'ai été alertée et j'avais déjà confié à Dieu mon emploi du temps. C'est Lui qui a tout arrangé. Je n'ai eu qu'à faire acte de présence.

Je me rends compte que la meilleure façon de composer avec ces problèmes et d'autres problèmes complexes est toujours la même : chaque fois que je dois prendre une décision, je me pose la question : « Qu'est-ce que l'amour ferait ? »

— Catherine Carter

13- L'harmonie

« Les femmes sont responsables de leurs relations avec les autres », a dit une spécialiste de la question, Justin Sterling, lors d'un séminaire de fin de semaine auquel j'ai assisté un jour. À dire vrai, cette idée me faisait peur. Il y a déjà tellement de choses dont je suis responsable.

Néanmoins, le concept est devenu plus clair pour moi quand j'ai pris connaissance des résultats d'une recherche effectuée par une équipe dont fait partie le docteur Deborah Tannen, auteure de renom et spécialiste de la différence sexuelle. J'ai vu une vidéo qui montrait les différences entre des filles et des garçons, observés à divers niveaux de scolarité entre la deuxième année et l'université.

Réunis dans une même pièce, les garçons se déplacent constamment, toujours à la recherche de quelque chose à faire. S'ils s'assoient, ils ne se font pas face généralement — dans un cas observé, ils étaient presque parallèles l'un à l'autre — et se regardent rarement d'une manière directe. Cependant, ils interagissent entre eux. La plupart du temps, ils expriment leur désaccord avec l'autre, écrasent l'autre, miment des agressions l'un envers l'autre et donnent à entendre que l'autre fait les choses de la mauvaise façon.

Par contre, les filles, même celles de deuxième année, vont, en règle générale, immédiatement s'asseoir l'une en face de l'autre, se regarder d'une manière directe et se mettre à parler. Elles ne cherchent rien d'autre à faire, satisfaites de faire déjà quelque chose : parler. Elles se soutiennent mutuellement en se montrant d'accord avec ce que l'autre dit et en surenchérissant. Elles se rassurent réciproquement qu'elles font les choses correctement.

Le docteur Tannen me fait remarquer que les garçons sont vraiment en relation les uns aux autres, toutefois d'une manière différente des filles. Néanmoins, je me suis rendu compte que ces différences, dont elle fait la synthèse dans son ouvrage *You Just Don't Understand : Women and Men in Conversation* (La seule chose est que vous ne comprenez pas comment les femmes et les hommes conversent), sont éloquentes.

Il semble que, de nature, les femmes soient portées à créer l'harmonie. Combien de fois n'avons-nous pas entendu dire que si les femmes menaient le monde, il n'y aurait pas de guerre ? Il y a bien sûr des exceptions ; toutefois, je suis profondément convaincue que les femmes n'aiment pas la guerre, ou ne la souhaitent pas, comme les hommes semblent le faire. Je ne pense pas que le fait de dire que nous avons tendance à chérir davantage la vie que les biens ou le pouvoir politique soit une généralisation abusive. Nous croyons à l'existence des situations « gagnant-gagnant » et qu'il n'est pas nécessaire qu'il y ait toujours un perdant. Et, en général, nous pensons rarement que le fait de tuer des gens est la solution d'un problème, quel qu'il soit.

Dans la production *Troie*, c'est cette vision des choses qui est exprimée par Agamemnon, roi de Mycènes, lorsqu'il réplique « La paix est une affaire de femmes ». Il crache presque les mots comme si c'était une faiblesse de souhaiter la paix, ou quelque chose de pitoyable. Malgré tout, je l'entends comme un vibrant hommage au don et à la tendance naturelle que nous avons, dans les moments de conflits, à ne pas perdre de vue les valeurs primordiales, et à lutter, comme les Grecques l'ont fait, pour que soient protégés la vie, les foyers et l'harmonie.

Dans l'histoire qui suit, moins dramatique, mais profondément émouvante, Yaniyah Pearson nous raconte le combat intérieur qu'elle a mené contre les jugements qu'elle portait sur un groupe de jeunes qu'elle côtoyait. Des circonstances se sont présentées qui lui ont fourni l'occasion idéale de dépasser ces jugements et d'atteindre l'amour universel profond qui unit tous les humains, et permet de créer l'harmonie entre les générations.

Cette histoire me rappelle une de mes citations préférées de Mère Térésa : « Si nous n'avons pas la paix, c'est que nous avons oublié que nous sommes des frères et des sœurs. » En lisant l'histoire de Yanihah Pearson, on comprend qu'elle, elle s'en est souvenue.

L'histoire de Yaniyah Pearson
Le tempo

C'était un jour parfait pour rouler. Le ciel était clair et l'air était vif. Tout en entassant dans ma Pontiac Bonneville quatre jeunes adultes et leurs effets personnels, j'étais reconnaissante de ces conditions météo accommodantes. Nous nous rendions à Washington, dans le district de Columbia, pour rejoindre cent vingt-cinq jeunes venant de partout à travers le pays et assister à la conférence de la YouthBuild and AmeriCorp National Young Leaders Council.

J'étais directrice du programme YouthBuild dans Brooklyn, à New York, depuis cinq ans et j'étais très contente que les quatre étudiants de notre Comité des politiques et moi puissions finalement faire ce voyage. YouthBuild est un programme national qui fournit aux élèves qui abandonnent le lycée un emploi où ils reçoivent une formation sur le tas dans le domaine de la construction et de la rénovation domiciliaires dans leur milieu. L'objectif plus global est la formation de meneurs. Quoi de mieux alors que de participer à la convention nationale et de tenter de faire élire notre délégué au National Young Leaders Council (Conseil national des jeunes meneurs) ?

Néanmoins, mon enthousiasme était quelque peu tempéré par l'inquiétude. Il me faudrait passer cinq heures dans une voiture avec quatre jeunes adultes. De quoi allions-nous parler ? Quelle sorte de musique allions-nous écouter ? Je savais qu'ils souhaiteraient écouter du rap ou du hip-hop, ce qui ne correspondait pas du tout à mes goûts. J'aime la musique classique, New Age ou soul. J'aime une musique qui s'adresse au cœur et stimule l'esprit. Il m'arrive souvent d'assister à des séances de percussion où les participants bougent en suivant le rythme puissant des batteurs. Comme beaucoup de ma génération, je trouve que le rap et le hip-hop sont terre-à-terre, grossiers et offensants. Néanmoins, étant la minorité, j'étais résolue à me soumettre à leurs choix.

Nous roulions depuis une heure et trente sur l'autoroute au son d'une station de musique rap et hip-hop et je combattais un sentiment croissant d'isolement. Je me sentais pris au piège dans la voiture et agressée par les sons et les rythmes de la musique, l'affreux mot N..., les mots dénigrants pour désigner les femmes, et la glorification de la violence et de la cupidité. Il n'y avait aucun moyen d'y échapper ; j'ai pris une grande respiration et j'ai pensé à l'abîme qui me séparait de ces jeunes.

D'habitude, je m'entends assez bien avec les jeunes. J'aime bien penser que je suis une personne accessible, attentive, et à certains moments, amusante. Les rencontres du comité des politiques sont généralement détendues et intéressantes. L'équipe fonctionne bien. Il y a certainement des différences culturelles entre les adolescents du YouthBuild et moi, mais jusqu'à maintenant, je n'en avais jamais senti le poids. Nous étions tous des Africains-Américains, mais la vie m'avait choyée. J'ai grandi au Massachusetts, dans un quartier suffisamment sécuritaire pour pouvoir s'y promener sans devoir être accompagné d'un adulte ou d'une bande. De classe ouvrière, mes parents souhaitaient la réussite de leurs enfants. J'ai fréquenté un lycée privé et j'ai obtenu mon diplôme du collège.

Les jeunes du YouthBuild dont je m'occupe n'ont pas profité d'aucun de ces avantages. Ce sont des décrocheurs qui vivent dans les communautés les plus démunies de Brooklyn, à New York. Ils doivent affronter la pauvreté, les gangs de rue, l'abus de substances, et sont soumis à des avanies comme le contrôle antidopage. À mon collège, une fois l'an, le conseil des étudiants distribue des drogues comme la marijuana ou l'acide gratuitement. Pour mes jeunes, le fait d'être pris par les policiers avec un joint peut signifier la fin de l'espoir d'obtenir un emploi au Home Depot ou d'obtenir de l'aide du gouvernement fédéral. Leur réussite me tient à cœur plus que tout ce à quoi j'ai jamais tenu. Cependant, je ne me fais pas d'illusions en ce qui concerne l'écart existant entre nos réalités respectives et les visions du monde qui en découlent. Et parfois, dans des situations comme celle que je vis, à ce moment, l'existence de ce fossé m'empêche d'entrer en contact avec eux à un plan profond.

Retournant ces pensées dans ma tête, il m'est venu tout à coup à l'esprit que je ne faisais pas beaucoup d'efforts pour tenter de combler le fossé me séparant de mes étudiants. J'ai toujours cru que je représente l'autorité, et qu'ils doivent faire les choses comme je l'entends s'ils veulent que s'ouvrent devant eux les portes d'un meilleur avenir. Ce sont eux qui doivent venir à ma rencontre, et non le contraire. Je ne vais pas changer ma façon de m'exprimer ; ce sont eux qui doivent changer la leur. Je ne vais pas remettre mon système de valeurs en cause ; par contre, nous passons des jours entiers à réduire le leur en pièces. Pendant ce trajet au cours duquel j'emmenais mon comité dans le District de Columbia, mon attitude s'est mise à me peser lourdement.

Il en allait ainsi de mon inconfort qui était sur le point de devenir intolérable. En dépit de ce qu'il me semblait alors, je me suis dit que cinq heures, c'était vraiment bien peu de temps. J'ai pris quelques bonnes respirations et j'ai lâché prise. J'ai retrouvé mon calme et je me suis préparée à continuer de supporter la musique en silence.

À ce moment-là, l'un des garçons a demandé s'il pouvait mettre une cassette. J'ai acquiescé, et retenant mon souffle, je l'ai regardé introduire la cassette et appuyer sur le bouton « en marche ». À ma surprise, un de mes airs préférés de musique soul a empli la voiture. J'ai souri intérieurement et je me suis détendue. À partir de là, nous avons commencé à avoir du plaisir, fredonnant ensemble les mélodies, nous racontant des blagues et élaborant des stratégies pour que notre délégué soit élu.

Le soir, nous sommes arrivés à l'hôtel, fatigués, mais heureux et plein d'expectation. Tout de suite, j'ai offert mon aide au personnel du conseil national, mais toutes les tâches importantes pour la bonne marche du congrès avaient été distribuées. Mon rôle allait consister simplement à apporter du soutien aux jeunes meneurs responsables de l'événement. C'était un plaisir exceptionnel. Le premier jour, je me suis rendu compte que ma tâche était de donner de l'amour à l'état pur. Tout ce que j'avais à faire était d'écouter les jeunes du personnel du Conseil et les jeunes meneurs qui portaient la réussite de l'événement sur leurs épaules, et de faire preuve de compassion.

Le jour suivant, je me suis rendu compte que ma capacité d'aimer s'était améliorée. Tout ce que je faisais consistait à étendre à d'autres personnes le lien dont j'avais fait l'expérience avec mes étudiants durant le voyage. À la fin de la journée, j'étais remplie de joie. Je me sentais proche des autres comme je ne l'avais jamais été avant. Quand il se produisait des conflits entre le personnel et les jeunes meneurs, j'étais capable de rester calme et de ne pas réagir. Auparavant, l'expression de leur colère m'aurait mise en colère à mon tour. Les jeunes gens s'adressaient à moi pour exprimer leur mécontentement et les désillusions qui survenaient, à certains moments, en rapport à leur rôle de meneur. Les membres du personnel s'adressaient à moi quand ils avaient simplement envie de se détendre. J'étais devenue une observatrice sacrée et un baume bienfaisant.

Au milieu de ce tourbillon d'excitation, je me suis rendu compte que mon attitude envers la vie était devenue profondément différente. J'avais l'impression que cette incroyable assemblée de cent vingt-cinq jeunes de toutes races, venus des quatre coins du pays, qui avaient émergé de la pauvreté et de la misère et qui, grâce à YouthBuild, communiquaient maintenant entre eux, générait une vague d'amour qui se répandait en cercles concentriques. J'étais sous l'effet d'un charme, des anges répandaient sur moi de la tendresse et de la joie. J'étais amoureuse de tout le monde.

À chaque contact que j'avais avec quelqu'un, mon cœur se remplissait davantage jusqu'au point où j'ai senti que j'allais exploser. J'avais besoin de laisser aller un peu de cette émotion. De la musique ! Il me fallait de la musique ! Pendant deux jours, nous n'avions fait que parler. Il n'y avait aucune musique d'ambiance ni de chansons. Dans ma chambre, je n'avais même pas eu le temps de mettre la radio.

Ce n'est que le dernier soir que mon souhait a été comblé. Dans l'hôtel, un autre groupe avait mis au programme de leur banquet de clôture un concert « Debout avec les gens » et les organisateurs avaient gentiment invité quelques-uns d'entre nous à y assister. Les artistes invités venaient de différents pays et la presque totalité des pièces qu'ils ont interprétées était le résultat d'un mélange de chansons traditionnelles de leur pays et de musique moderne américaine. L'influence de la culture africaine-américaine hip-hop était indéniable. Imaginez ce qu'a été la jubilation des jeunes gens d'écouter la musique qu'ils entendent dans les rues du centre-ville, interprétée dans cette magnifique salle des congrès par des jeunes venus de partout à travers le monde. J'en avais les larmes aux yeux, et les jeunes étaient simplement heureux.

Après le spectacle, nous nous sommes précipités dans l'entrée de l'hôtel pour raconter notre expérience à tout le monde. Que faire de cette énergie dans un hôtel de la banlieue de Washington, dans le district de Columbia ? J'ai décidé d'aller faire une petite promenade.

En sortant du trottoir, j'ai vu un groupe de dix jeunes hommes d'origines ethniques diverses, des participants à la conférence, qui formaient un petit cercle. Ils faisaient un concours de style libre — c'est-à-dire un concours d'improvisation de rythme —, élément central de la culture hip-hop. Tout à coup, j'ai souhaité faire l'expérience de leur univers de l'intérieur, non pas comme simple spectatrice ou chercheuse, mais comme l'une des leurs, sans éprouver un sentiment de séparation.

Lentement, j'ai pris ma place dans le cercle. Ils se tenaient coude à coude et un courant d'une force indiscutable les traversait. En peu de temps, je me suis mise à balancer avec les autres en suivant les *tempos*, c'est-à-dire des sons qu'émettaient deux jeunes hommes. Ces sons gutturaux qui imitaient des instruments de percussion donnaient le rythme. Chaque fois qu'un rappeur se sentait inspiré à faire quelques rimes, il prenait place au centre du cercle. La synchronisation était presque parfaite : dès que l'un avait terminé sa prestation, un autre, d'un bond, le remplaçait.

Je sentais le rythme du cercle vibrer à travers mon corps. Je me suis mise à me sentir légère et à ne plus faire attention au sol qui me portait. J'étais comme suspendue dans l'air, quoique tout à fait présente et en sécurité. J'écoutais les paroles, mais c'était le rythme qui retenait mon attention et qui m'emmenait dans cet état de transe. Certaines paroles étaient pleines de messages positifs qui élevaient l'âme. D'autres véhiculaient un contenu plus délinquant avec des jurons et des fanfaronnades, et parlaient de voyous et de coups de feu. Chose étonnante, les paroles négatives n'avaient pas sur moi un effet différent des paroles positives. De toutes se dégageait un amour de grande qualité. *Comme pour un feu de cèdre et de cornouiller*, ai-je alors pensé, *la flamme reste magnifique même lorsqu'on ajoute de vieux journaux dans le brasier. La beauté du feu l'emporte.*

L'expression d'amour la plus forte venait de ceux qui donnaient les *tempos*. Jamais au centre, toujours en retrait, ils procuraient à la musique son fondement. C'est le « tempo » qui fournit l'inspiration au rappeur. Il ou elle dépend complètement de cette pulsation continuelle sur laquelle chaque mot est emporté. Il n'est pas facile de maintenir le rythme. Cela demande une bonne maîtrise de sa respiration, de l'endurance et la capacité de se concentrer.

Me balançant en suivant le rythme, j'ai pensé à mes séances de percussion pendant lesquelles le rythme nous faisait perdre la conscience de nous-mêmes. Pour la première fois, j'ai pu établir un lien entre la spiritualité de cette musique et celle de la musique de ces jeunes, laquelle j'en étais venue à aimer et à respecter. Toutes les deux font appel au pouvoir du rythme. Cependant, ces jeunes possédaient aussi le pouvoir des mots et la capacité de se succéder harmonieusement l'un l'autre, de se faire de la place et de jauger collectivement, d'une manière intuitive, l'espace entre un commencement et une fin.

Comme l'heure du couvre-feu approchait, les jeunes ont défait le cercle en échangeant des sourires, des tapes sur l'épaule et en s'entrechoquant les paumes de la main. Je me suis sentie à la fois étreinte et invisible ; ce qui, ironiquement, m'a semblé approprié. Pour avoir le droit d'entrer dans leur cercle, je n'avais rien fait d'autre que de m'abandonner aux mêmes courants que ceux dont ils avaient été animés.

Seule dans ma chambre d'hôtel, je ne pensais pas à dormir. J'étais encore sous le coup de l'excitation de la soirée. J'avais envie d'écrire. Bien que je n'aie pas eu le culot d'aller déclamer des rimes au centre du cercle, un kaléidoscope de mots tournait dans ma tête. Encore un autre cadeau qui venait de ces jeunes hommes. Je me suis assise et j'ai écrit quelques vers.

Le matin suivant, quand les animateurs nous ont demandé de faire part au groupe de quelques-unes de nos réflexions sur la journée précédente, je n'ai pu résister : je me suis précipitée à l'avant et j'ai récité les vers que j'avais composés en l'honneur des frères du style libre. À mesure que je parlais, ils ont commencé à émettre des *tempos* pour m'accompagner ; c'était le signe de reconnaissance le plus authentique qu'ils pouvaient me donner.

Lorsque je repense à cette soirée, je ressens de la gratitude pour cette magnifique occasion que j'ai eue de dépasser les barrières culturelles et de me rendre compte que le sentiment de séparation est une illusion. La musique même que j'ai détestée lors du voyage à la conférence était devenue un moyen d'atteindre l'amour. Nous avons tous la capacité de nous aimer les uns les autres et de trouver le lieu profond où nos esprits se rejoignent. Cela peut se faire à l'aide du langage universel de la musique, ou de quantité d'autres moyens. Car, il est vrai que nous prenons tous nos origines à la même source créatrice. Et, comme je l'ai exprimé dans mes vers :

La vérité est — que nous partageons les rythmes, les vibrations
D'un *tempo*, la façon de nous relier à lui. Un *tempo* universel qui ne vieillira jamais
Car il a toujours existé.
Il y a toujours eu un *tempo* là, dans mon cœur,
Dans le cœur de mes ancêtres,
Dans le cœur de la Mère, notre Mère la Terre,
Et même avant qu'Elle ne naisse, le *tempo* était —
Comme le souffle de Dieu — imprégnant tous les univers.

« *Nous avons tous la capacité de nous aimer les uns les autres et de trouver le lieu profond où nos esprits se rejoignent.* »
— Yaniyah Pearson

14- La liberté

Je haïssais le collège. Quoique j'aimais bien lire et apprendre de nouvelles choses, pendant cette période de ma vie, je me sentais perdue. Je suis allée en journalisme, faute de savoir que faire d'autre, mon père était journaliste, et je n'avais aucune idée des autres spécialisations. Il s'avéra que je ne pouvais supporter les délais et le travail sous la pression continuelle qu'exigeait la production du quotidien de l'université, non plus que je ne tolérais les réunions interminables et ennuyeuses auxquelles je devais assister afin d'en écrire le compte-rendu. De plus, ce qui n'arrangeait pas les choses, je me suis jointe à une association d'étudiantes. Après m'être pliée aux formalités ardues et stressantes requises pour être invitée à participer, j'ai finalement découvert que mes intérêts sociaux et politiques et ma conscience entraient en conflit avec les activités du groupe qui consistaient principalement à planifier des fêtes ayant pour thèmes les îles des Mers du Sud. De plus, loin de me toucher, les cours que je suivais dans le but d'avoir un moyen de gagner ma vie m'accablaient.

C'est pourquoi je n'oublierai jamais le jour où je suis sortie de la classe après l'examen final, lors de ma dernière année d'études. Encore dans le quadrilatère entourant le site magnifique de l'université, je me suis juré que jamais je ne remettrais les pieds dans une salle de classe. J'avais vingt ans et j'étais libre.

Il nous arrive trop souvent d'associer la liberté avec des choses extérieures. Un jour, j'ai entendu Jack Canfield, mon mentor et mon coauteur, affirmer qu'il était d'accord avec l'idée de Tony Robbins selon laquelle la réussite est la liberté de faire ce que nous souhaitons, quand nous le souhaitons et avec qui nous le souhaitons. Pour beaucoup, la liberté est surtout une question de survie. Ainsi, pour les femmes afghanes, la liberté signifie d'avoir la possibilité maintenant d'aller à l'école. Pour la plupart des détenus, elle signifie être à nouveau « dehors ». Pour un nombre incalculable de personnes partout à travers le monde, c'est le droit de parler librement et d'exprimer ouvertement et honnêtement leurs émotions qui est remis en cause quotidiennement.

Cependant, avec les années, j'ai appris que la véritable liberté est plus une question d'état intérieur qu'une absence de restrictions extérieures. Victor Frankl nous en offre un vivant exemple, lui qui a survécu aux camps de concentration de la Deuxième Guerre en s'attachant continuellement à voir le bon chez tous ceux qui l'entouraient, même chez ses ravisseurs et ses geôliers. « Même après avoir été dépouillé de tout, il a une chose qui ne peut être retirée d'un homme, une dernière liberté qui lui reste : celle de choisir son attitude en toutes circonstances, et de choisir celle qu'il souhaite », a-t-il affirmé. Voilà ce qu'est la véritable liberté !

Selon une légende populaire, une femme pleine de sagesse qui voyageait un jour en montagne a trouvé une pierre précieuse dans un ruisseau. Le jour suivant, elle rencontra un autre voyageur qui avait faim. La femme ouvrit son sac et partagea sa nourriture avec l'inconnu. Celui-ci vit la pierre et demanda à la femme de la lui donner. Sans hésitation, elle la lui remit. Tout heureux de sa bonne fortune, l'homme poursuivit sa route. Il se disait que la pierre allait lui procurer la sécurité pour le reste de ses jours.

Cependant, quelques jours plus tard, il revient rendre la pierre à la femme. « J'ai réfléchi, a-t-il dit, je sais la valeur de cette pierre, néanmoins, je vous la rends, car j'ai l'espoir que vous allez me donner quelque chose de plus précieux encore. Je souhaite avoir cette chose en vous qui vous a permis de me donner la pierre. »

Surtout dans une culture matérialiste comme la nôtre, la liberté en ce qui concerne les besoins et les désirs d'ordre matériel est une des libertés les plus profondes et les plus vraies. Dans notre société, nous valorisons beaucoup l'accumulation de richesses et de possessions, laquelle est souvent associée au sentiment que nous ne pouvons être vraiment heureux qu'en ayant suffisamment d'argent. Il est certain que la richesse nous donne des possibilités : philanthropie, voyage ou études, que nous ne pourrions réaliser autrement. Néanmoins, nous entendons parler de gens qui sont riches et qui pourtant, au plus profond d'eux-mêmes, se sentent isolés et insatisfaits. Par un curieux caprice du destin, les leçons de la vie reliées à l'argent découlent souvent du fait d'en avoir trop ou pas assez !

Voici l'histoire de Despina Gurlides. Despina a dû s'interroger sérieusement sur le sens de la liberté dans sa vie et sur la manière dont cette notion était liée à la réussite. Son histoire me rappelle ce que j'ai lu, un jour, à propos des femmes qui occupaient des postes de direction dans une entreprise chef de file en technologie de pointe. Leur moyenne d'âge était de trente-six ans. Elles étaient à la tête d'une fortune évaluée à dix millions de dollars en moyenne. Elles voyaient rarement leur famille et leur vie, pour la plupart, tournait autour de leur ordinateur. Elles ne prenaient pas le temps de profiter de leurs possessions matérielles et tiraient peu de satisfaction de leur argent. En fait, elles avaient les moyens de faire appel à des gouvernantes pour leurs enfants et à des services d'entretien pour leur foyer ; ce qui leur permettait de travailler plus et plus fort. Elles espéraient qu'un jour leur réussite leur apporterait la liberté. Cependant, force leur était d'admettre qu'elles ne vivaient pas la vie qu'elles souhaitaient et qu'en conséquence, elles n'étaient pas libres.

Il est clair que l'abondance matérielle ne constitue pas un passeport pour la liberté, comme plusieurs s'y attendent. J'ai entendu dire qu'aux États-Unis, la plupart des gens sont plus prospères que 99 % de la population mondiale, et plus prospères que 99, 9 % de tous les êtres humains n'ayant jamais vécu sur la planète. En dépit de cela, la tension et l'isolement qui font partie de notre vie peuvent parfois nous donner l'impression d'être moins libres que nos ancêtres qui avaient une vie plus simple.

Il s'avère peut-être nécessaire d'envisager la liberté sous un autre angle. La vérité la plus essentielle est peut-être que la liberté réside dans le fait de reconnaître que nous avons assez, et que la vraie abondance est le sentiment de posséder ce qu'il nous faut en quantité suffisante. Dans son volume *A Big New Free Happy Unusual Life,* Nina Wise écrit : « Notre désir de liberté ne peut se satisfaire de voitures, de maisons ou de diamants ; ni d'avions à réaction ou de comptes en banques dans des paradis fiscaux ; ni d'ordinateurs miniatures ou d'armes puissantes. Notre désir de liberté est satisfait le jour où nous reconnaissons que tels que nous sommes, nous avons tout ce qu'il nous faut, et que ce qui nous nourrit n'a rien à voir avec les objets que nous achetons, mais dépend plutôt de la vitalité de notre vie intérieure. »

Quand nous prenons conscience de cela, je crois que nous sommes vraiment libres.

L'histoire de Despina Gurlides
Qu'est-ce que tu veux vraiment ?

Toute ma vie, j'ai voulu la réussite, la performance, le respect et la prospérité et, à trente-sept ans, il semblait bien que j'avais atteint mes objectifs. Je suis née de parents immigrants grecs, dans Astoria, le village grec de New York ; j'ai été la première de la famille à fréquenter l'université. J'aimais bien l'enseignement, mais je n'ai pas poursuivi cette carrière parce qu'elle n'était pas assez lucrative. À la place, j'ai obtenu un MBA (Maîtrise en administration des affaires) en bénéficiant d'une bourse d'études et j'ai commencé à gravir les échelons jusqu'aux postes de direction. Au début de la trentaine, j'étais vice-présidente d'une entreprise de divertissement milliardaire. J'ai épousé un homme, non pas par amour, mais parce que je pensais qu'il réussirait encore plus que moi. Et, j'ai eu raison. Au début de la trentaine, Michael est devenu l'un des plus jeunes P.D.G. d'une banque d'investissement ; nous vivions très bien. Nous possédions un magnifique appartement en copropriété dans un immeuble d'avant-guerre de Manhattan et, pour les fins de semaine, nous avions une maison dans les Hamptons avec un terrain de tennis et une piscine. J'avais tout pour être heureuse et pourtant, je ne l'étais pas.

De l'extérieur, ma vie semblait merveilleuse. Je pensais que notre mariage était parfait. Michael et moi étions les meilleurs amis du monde. Nous adorions faire les magasins ensemble, choisir des vêtements l'un pour l'autre ou du mobilier pour la maison, dîner dans de beaux restaurants et recevoir des amis. Quoique, en fait, nous ayons peu d'amis proches ; nous avions surtout des relations d'affaires. Nous invitions principalement des gens susceptibles de promouvoir nos carrières. À bien y penser, notre mariage ressemblait plus à une association d'affaires qu'autre chose. Nous ne nous disputions jamais, il est vrai. Par contre, il n'y avait pas de passion non plus. À l'époque, cela n'était pas un gros problème pour moi. *Après tout*, me disais-je, *nous étions dans la trentaine, le sexe ne doit pas être quelque chose de si important. Nous avons des intérêts et des objectifs communs ; voilà ce qui est important.*

De plus, mon travail était extraordinaire. J'étais vice-présidente d'une entreprise de divertissement et responsable de trois services. J'étais respectée et cela se reflétait dans le salaire et les primes qu'on me versait, sans parler de tous les à-côtés dont je profitais : chaque mois de février, un voyage de ski de dix jours à Aspen pour un « atelier de planification » (le président aimait skier) ; à l'automne, des rencontres de travail dans des endroits de villégiature superbes et la possibilité de profiter de généreuses notes de frais ; des dîners d'affaires à la salle à manger privée de l'entreprise (Sophie, le chef français, me préparait toujours les desserts au chocolat que je préférais) ; toute la musique que j'aimais et les vidéos que je voulais tout à fait gratuitement ; et la liste était longue.

D'accord, peut-être mon emploi n'était pas si extraordinaire après tout. Mon patron, Nathan, un gros homme terrifiant, pouvait abuser de sa situation et souvent se le permettait. Il pensait que le salaire que nous touchions était suffisamment important pour que nous supportions sa grossièreté. Souvent, il criait contre moi et critiquait mon travail. La première semaine où j'ai commencé à travailler pour lui, il est entré dans mon bureau en criant qu'à cause de mon incompétence, j'avais démoli son service. Quand je lui ai fait remarquer que je n'avais pas le talent qu'il fallait pour détruire tout un service en une semaine, et que j'avais simplement essayé de mettre un peu d'ordre dans le fouillis que lui-même avait créé, il m'a souri pour la première fois. Je me suis aperçue qu'il me mettait à l'épreuve. Nathan ne pouvait tolérer les mauviettes, et s'il pensait que vous en étiez une, il allait vous écraser. J'étais bien déterminée à ne pas lui céder et j'ai réussi. Néanmoins, il me l'a fait payer. Chaque matin, au cours des cinq années pendant lesquelles j'ai travaillé pour lui, j'avais mal à l'estomac avant de partir au travail. Les vomissements faisaient partie de ma routine matinale. Je ne trouvais là rien d'anormal. Au moins, contrairement à Michael, je n'avais pas d'ulcères.

C'est ainsi que je continuais à travailler et à dépenser une grande partie de mon salaire en consultations médicales afin de découvrir pourquoi j'étais toujours si fatiguée. Il est certain que l'édifice dans lequel je travaillais — un des gratte-ciel de la Sixième avenue dont les fenêtres n'ont jamais été ouvertes depuis trente ans — ne pouvait être la seule cause de mon malaise. Le travail commençait à m'ennuyer, les politiques de l'entreprise à me peser et je n'en pouvais plus de supporter mon patron. À la maison, j'en avais aussi assez de ce mariage sans passion que j'avais créé. La fin de semaine, la plupart du temps, je restais à la maison, je faisais la grasse matinée, et je passais le reste du temps affalée sur le canapé à lire des romans. Au début, Michael faisait preuve de compassion, il essayait de me remonter le moral en cuisinant mes plats préférés. Plus tard, il est devenu trop occupé pour se rendre compte de quelque chose. Toutes les semaines, il prenait le Concorde pour aller à Londres, parfois seulement pour une réunion d'une journée. Il était épuisé, mais je l'encourageais. Comment aurions-nous pu nous payer autrement le genre d'existence que nous avions ?

L'argent était absolument essentiel, car le magasinage était devenu ma principale évasion. Lorsque Michael rentrait tard du travail, ce qui, les dernières années, arrivait très fréquemment, j'allais faire les magasins. Il m'arrivait parfois de dépenser 1000 $ pour faire l'achat de trois paires de chaussures que j'allais ensuite oublier dans un placard. Parfois je renouvelais complètement ma garde-robe et je m'achetais de magnifiques tailleurs, pour porter au travail, bien sûr. Que diable y avait-il d'autre à faire que de travailler ?

Il me semblait que je n'avais plus d'amis. Quelque part, le long de la route, je les avais tous perdus. J'avais été trop occupée à travailler le soir, à faire les magasins, ou à passer le temps en compagnie de Michel pour entretenir d'autres relations. Quand ce n'était pas le travail, c'était la fatigue. La fin de semaine, je craignais la sonnerie du téléphone, car je n'avais pas d'énergie pour parler à personne. C'était Michael qui décrochait l'appareil ou bien le répondeur se chargeait de l'appel. Rien d'étonnant que les gens ont cessé de m'appeler.

De plus, mon apparence physique souffrait aussi de cette existence de « luxe » que je menais. À cause d'une alimentation trop riche et du manque d'exercice, moi qui n'avais jamais eu de problème de poids, j'avais perdu ma silhouette et mon tonus. Mes tailleurs m'allaient bien, mais ne me faisaient pas paraître séduisante. Je portais les cheveux très courts, à peine trois centimètres. J'avais un style sophistiqué, un style qui disait que j'étais compétente. Cependant, je ne me sentais pas très féminine. Je ne me rappelais plus la dernière fois qu'un homme m'avait regardée dans la rue, alors qu'étant jeune, j'attirais le regard des hommes. Encore une fois, je me disais que j'étais mariée, dans la trentaine, et très occupée. Être séduisante ne faisait pas partie du programme.

Ma vie s'était installée dans ce qui semblait une routine qui allait durer le reste de mes jours. Cependant, grâce à Dieu, une puissance supérieure à la mienne écrivait le scénario. Un jour, soudainement, le sol s'est dérobé sous mes pieds. Les évènements qui se sont produits au cours d'une période de six mois, l'année de mes trente-sept ans, ont été des avertissements de plus en plus sérieux : un homme a braqué une voiture de métro dans laquelle je me trouvais. Quelqu'un a lancé une pierre en direction de notre voiture pendant que nous roulions et a fracturé le pare-brise. J'ai pris l'avion pour San Francisco pour affaires le 17 octobre 1989 et je suis arrivée là-bas juste à temps pour vivre l'horreur du tremblement de terre.

On m'avait dit que les malchances arrivent par trois, aussi ai-je pensé que c'était terminé. Au contraire. Quelques mois plus tard, mon mari a demandé le divorce. Pendant nos sept années de mariage, il avait accumulé beaucoup de ressentiment. Finalement, il l'exprimait maintenant. À l'époque, il ne m'a pas dit qu'il avait une liaison avec la secrétaire d'un client et qu'il souhaitait l'épouser.

Le jour qu'il empaquetait ses affaires en préparation de son déménagement, j'ai été impliquée dans un accident de taxi. Sans être trop sérieusement blessée, je saignais. Je suis rentrée à la maison et je suis tombée par terre en pleurant. Je ne pouvais rien d'autre que lâcher prise : ma vie tombait en morceaux. Je suis entrée dans une « nuit noire de l'âme » qui me paraissait une sorte de mort. Pendant des mois, j'ai pleuré. La bulle de mon arrogance a éclaté, et la vie que j'avais créée était partie pour toujours.

Graduellement, j'ai commencé à faire des choix qui m'ont transformée et ont transformé ma vie. J'aurais pu jouer les victimes ; il y avait des tas de gens qui se seraient fait un plaisir de me plaindre, me disant à quel point Michael était horrible, et combien je méritais mieux. Cependant, la vérité était que pendant des années, Michael avait été un bon mari et qu'il avait fait pour le mieux. Au début, il m'avait aimée passionnément, mais je ne lui avais pas rendu son amour. Quand le sexe est absent d'un mariage, la plupart des hommes entretiennent de nombreuses liaisons, mais Michael a été fidèle pendant longtemps. Je me sentais reconnaissante à son égard d'avoir pris soin de moi pendant nos sept années de mariage et d'avoir le courage de partir.

Je me suis rendu compte qu'un mariage où le sexe et la passion sont absents n'est pas une bonne chose. J'étais trop jeune à trente-sept ans pour vivre comme je le faisais. Je me suis inscrite dans un centre de remise en forme et après deux mois d'entraînement, mon corps s'est tonifié. Hum... J'ai commencé à me rappeler ma jeunesse. Mes cheveux ont allongé et je me suis mise à porter davantage attention à mon maquillage. Un jour, chez mon nouveau coiffeur, j'étais en train d'enfiler mon manteau quand un bel homme a regardé dans ma direction et m'a souri. Je me suis retournée pour voir à qui il souriait, mais il n'y avait personne derrière moi. C'était à moi qu'il souriait ! Cela m'a tellement embarrassée que j'avais peine à passer la main dans la manche de mon manteau. Pour la première fois depuis des années, je me suis sentie en vie, et belle. J'ai commencé à sortir et à aimer les émotions que je ressentais ; mon corps sortait de sa torpeur.

J'ai repris contact avec mes amis. Ce qui est extraordinaire avec les amis véritables, c'est qu'ils continuent à vous aimer, même si vous vous éloignez. Des amis qui venaient de différents coins du pays et que je n'avais pas vus depuis des années sont venus passer du temps avec moi et m'ont donné l'attention dont j'avais besoin. Des gens que je côtoyais au travail m'ont invitée à sortir. Nous discutions de choses personnelles et non de travail. Je me sentais très fragile, et les gens réagissaient en ouvrant leur cœur.

Quoi qu'il en soit, le plus important changement s'est produit sur le plan de ma croissance spirituelle. Je me suis mise à me poser des questions sur le sens de la vie et à obtenir des réponses. J'ai lu des volumes qui contenaient des vérités que je connaissais à un certain point, mais que j'avais oubliées. *Nous créons notre propre réalité*. Bien sûr, je savais cela. J'avais créé ma vie. J'étais partie avec l'intention d'obtenir tous les biens matériels auxquels je pouvais penser. Ô combien j'avais eu de la chance d'avoir pu faire ce que je voulais, mais ô combien j'avais eu aussi de la chance de me rendre compte que cela n'apportait pas le bonheur !

J'ai pris conscience que j'avais plus de possibilités que je pensais. Je n'étais pas obligée de travailler pour un patron abusif. Pour la première fois, l'idée m'est apparue que je pouvais quitter mon emploi et c'est ce que j'ai fait, à la grande surprise de Nathan. Il pensait que j'étais liée à lui par des menottes dorées. Cependant, j'étais libre ; libre de refaire ma vie.

J'ai pris un congé et j'ai passé des mois seule à dormir, à aller au cinéma, à faire des promenades dans Central Park, à laisser le temps couler sans rien prévoir. J'avais eu l'intention au départ de prendre quelques mois de congé et de retourner ensuite au travail. Cependant, j'ai pris conscience que je ne voulais pas retourner dans le monde de l'entreprise. De plus, chose étonnante, je ne voulais plus demeurer à New York non plus. Cette ville magnifique où j'étais née et où j'avais vécu m'apparaissait alors inadéquate. *Ne serait-il pas agréable*, me suis-je dit, de vivre près de la nature, *dans un endroit où les gens et le climat seraient plus amicaux ?* La copropriété que je possédais dans le Upper West Side valait beaucoup d'argent ; je pouvais la vendre et repartir à neuf.

J'ai senti l'appel de la grande baie de San Francisco. J'ai donc vendu ma copropriété et j'ai déménagé dans le Marin County. J'ai appris à conduire et j'ai commencé une nouvelle vie, me disant que maintenant j'allais être heureuse. Cependant, les choses n'ont pas marché comme je m'y attendais. Je n'ai pu trouver du travail, surtout après l'effondrement de l'industrie de l'Internet, et mes économies disparaissaient plus rapidement que je ne l'aurais escompté. En quelque temps, je me suis retrouvée dans une situation financière critique, vivant à crédit et me demandant si je n'avais pas fait une erreur terrible.

Un soir, j'écoutais la télé et je suis tombée sur une station de télévision communautaire. Un homme faisait une conférence et ses propos m'ont frappée. Il disait qu'il ne fallait pas se trahir soi-même et prendre un emploi que l'on déteste, simplement par peur de ne pouvoir survivre. Ses paroles s'adressaient-elles à moi ? Je ne voulais plus travailler dans le monde des affaires, même dans un milieu plus accueillant comme San Francisco. Rien d'étonnant à ce que je ne trouve pas d'emploi ; je n'y mettais pas de cœur. Il a aussi parlé des gens qui vivent comme des ânes, en tâchant d'éviter les coups de bâton (leurs peurs) et d'atteindre la carotte (leurs désirs).

Étais-je en train de vivre comme un âne ? Il a évoqué qu'il était possible d'en finir avec cette existence asinienne si nous affrontons la vérité et si nous nous montrons disposé à faire tout ce qu'il faut pour trouver la véritable liberté et le bonheur, lequel vient de l'intérieur et non de possessions matérielles, de l'exercice du pouvoir ou des relations que nous avons. Ses paroles me touchaient et j'ai été heureuse d'apprendre qu'il donnait des conférences dans la région. J'ai assisté à la suivante et à l'écouter, j'ai senti que mon cœur s'ouvrait davantage. C'était comme si j'étais enfin arrivée au port.

Néanmoins, ma vie ne s'est pas magiquement transformée. Je ne trouvais toujours pas de travail et j'étais écrasée par le solde débiteur de mes cartes de crédit. Une faillite a suivi. J'ai dû vendre tous mes biens, réduire mon niveau de vie et emménager avec une colocataire. Cela a marqué le début d'une seconde « noirceur de l'âme » encore plus terrifiante que la première. Le sentiment d'échec que me causait l'incapacité de payer mes factures et la terreur que je ressentais, à l'époque, à la pensée d'être sans abri me donnait, l'impression que j'allais mourir. Toutefois, même la mort m'apparaissait comme une délivrance !

Cependant, j'ai surmonté ces épreuves. J'ai commencé à assister régulièrement aux conférences de ce maître spirituel pour en apprendre davantage. Ce dernier s'est révélé un guide pour moi et a été d'un grand soutien. Il disait que les barrières de la liberté sont gardées par la mort et la peur. Si cela était nécessaire pour avoir la liberté, j'étais prête à les affronter.

Et, je l'ai fait. Plus je me montrais disposée à suivre les élans de mon cœur plutôt que mes croyances, plus j'étais heureuse. Encore et encore, je me posais la question : *Qu'est- ce que tu veux au juste* ? Plus j'étais honnête, plus il était facile de laisser tomber toutes choses extérieures qui avaient fabriqué mon image de la réussite et du bonheur.

Maintenant, après trois ans, pour la première fois de ma vie, je peux affirmer que je suis véritablement heureuse. J'ai réduit mon niveau de vie au point où il ne m'est plus nécessaire de faire un travail que je déteste uniquement pour payer les factures. Au même moment, faisant passer mon bien-être avant l'argent, j'ai commencé à chercher un travail qui me procurerait de la joie.

Ainsi, j'avais toujours voulu enseigner. Cependant, j'ai choisi de faire carrière en affaires, car je ne voulais pas être pauvre. Aussitôt que j'ai pris la décision de gagner ma vie en donnant des cours particuliers de mathématiques à des étudiants de lycée et de collège, je me suis rendu compte, à ma grande surprise, que dans ma région, c'était un domaine très lucratif. Combien de personnes savent qu'il est possible de gagner sa vie honorablement tout en accomplissant facilement quelque chose qu'on aime ? Grâce à moi, des étudiants qui auraient échoué à leurs cours ont obtenu la meilleure note. J'ai pu constater l'effet de ce résultat sur leur estime de soi. Malgré que je n'aie jamais été très proche des jeunes gens, j'ai maintenant six ou sept étudiants que j'adore. Souvent, ils me font part de leurs aspirations et, de mon côté, je leur livre un peu de la sagesse que je suis en train d'acquérir.

J'aime aussi beaucoup l'écriture, mais cela est si naturel pour moi que je n'ai jamais pensé que je pourrais être payée pour le faire. Occupant un emploi à temps partiel à la fondation pour la paix mondiale créée par mon maître, j'ai commencé à mettre à profit mes habilités de MBA en participant à l'élaboration du budget de l'organisme. Puis, j'ai commencé à m'occuper de la publication des volumes et des articles qu'il écrivait — une véritable bénédiction — et à travailler dans un charmant bureau, en compagnie de vrais amis, tout en ayant la possibilité de passer l'heure du lunch sur la plage.

Cet emploi m'a ouvert la porte à d'autres emplois reliés à l'écriture. Je gagne maintenant ma vie comme éditrice indépendante. Je reste chez moi, assise au soleil dans ma véranda, lisant et corrigeant des manuscrits. De plus, je peux choisir le travail et les auteurs qui me conviennent. Désormais, le travail n'est plus pour moi un moyen pénible de gagner de l'argent, mais une façon d'exprimer de l'amour grâce aux talents que Dieu m'a donnés.

Il y a quelques semaines, lors d'une réunion, des amis parlaient de ce qu'ils feraient s'ils gagnaient à la loterie. La plupart d'entre eux disaient qu'ils quitteraient leur travail, se reposeraient ou voyageraient autour de monde. Pour ma part, j'ai pris conscience que je ne voudrais rien changer. Je continuerais de travailler à la fondation, de publier des volumes et de donner des cours à mes étudiants. Seulement, je le ferais gratuitement !

Je pensais qu'on ne pouvait atteindre la liberté que si on avait suffisamment d'argent. Je sais maintenant que la liberté consiste à cesser de désirer des choses que l'on n'a pas et à ne pas laisser ses choix être motivés par la peur. On peut faire confiance aux élans qui viennent du cœur. Il n'y a que les choix faits avec amour qui procurent de la joie.

Je pensais qu'on ne pouvait atteindre la liberté que si on avait suffisamment d'argent. Je sais maintenant que la liberté consiste à cesser de désirer des choses que l'on n'a pas.

— Despina Gurlides

15- L'acceptation de soi

Lorsque le film *Pretty Woman* est sorti sur les écrans, je me rappelle le choc que j'ai éprouvé quand j'ai appris que les affiches servant à faire la promotion du film étaient le résultat d'un montage. On avait utilisé la tête magnifique de Julia Robert, mais le corps d'une autre femme. Même le corps de Julia n'est pas considéré comme étant assez parfait.

Pour de nombreuses femmes, l'identité soulève un combat sans fin qui tourne autour du désir d'être quelqu'un d'autre qu'elles-mêmes. Nulle part ailleurs cela n'est-il plus évident que dans les efforts que nous faisons pour atteindre le certain idéal de beauté que nous présentent la publicité et les médias. Nos aspirations de minceur sont impossibles à réaliser (la plupart des tops modèles sont plus minces que 95 % de la population), et au pays, chaque heure, il se dépense un million de dollars en produits de soins pour la peau et en cosmétiques !

Regardons les choses en face, les critères qu'on nous propose sont hors d'atteinte.

Pour ma part, je me suis battue avec cette question toute ma vie. Au début de l'adolescence, j'ai commencé à être affligée d'une forme très sérieuse d'acné qui a duré pendant de nombreuses années, et qui s'est poursuivie même à l'âge adulte. En plus d'être terrifiée à l'idée que le fait de ne pas être séduisante me rendait indigne d'amour, ou de quoi que ce soit d'autre qui ait de l'importance, je me sentais affreuse. Les évènements venaient constamment confirmer mes peurs. Je me rappelle le jour où, revenant de l'école, j'ai découvert la robe sans bretelles d'organdi bleu pâle, amplement plissée, que ma mère m'avait achetée pour aller au bal des finissants du lycée. Je ne l'ai jamais portée, car personne ne m'a invitée (à cette époque, les filles n'invitaient pas les garçons). Au lycée, je n'étais pas invitée à sortir non plus. J'étais l'amie des filles populaires — toutes des meneuses de claques qui avaient un petit ami footballeur —, mais je n'étais pas assez jolie pour être véritablement l'une des leurs. Je ne demandais que de m'intégrer et d'être comme elles.

Au propre et au figuré, j'ai encore des cicatrices qui datent de cette période. Pendant quarante-deux ans, je me suis maquillée tous les jours : fond de teint, mascara, rouge à lèvres, tout le tralala, même les jours où je ne pensais ni sortir ni voir personne. Autrement, je ne pouvais supporter de me voir, même en passant, dans un miroir. Je ne pouvais accepter ma laideur, et je voulais la cacher ; même si la plupart du temps, les autres ne faisaient même pas attention à ma peau.

Un jour, à l'époque où je travaillais à ce livre, j'ai cessé simplement de m'en faire. Je me suis regardée dans le miroir, j'ai constaté que je ne portais pas de maquillage, et cela ne m'a tout simplement pas dérangée. Désormais, je n'associais plus qui j'étais avec ce à quoi je ressemblais. Il me semblait qu'en même temps que j'évoluais vers une plus grande authenticité, m'accepter moi-même devenait tout à coup quelque chose de naturel. J'étais passionnée par ma vision des choses par rapport à ce livre ainsi que toutes les découvertes spirituelles que je faisais simultanément. Je comprends maintenant que le contact avec notre guide intérieur nous permet non seulement de nous accepter telles que nous sommes, mais encore de trouver en nous-mêmes des ressources d'amour inimaginables. Ne pas s'accepter soi-même devient impossible.

J'ai lu quelque chose à propos de Bette Midler qui m'a frappée. Elle disait que le sentiment qu'elle avait, enfant, de ne pas être comme les autres, l'a toujours dérangée : « Si seulement j'avais su que ma différence serait un avantage plus tard, mon enfance aurait été plus facile. » Dans mon cas, ma différence est aussi devenue un avantage, car il m'a fallu dépasser les doutes que j'avais sur moi-même et trouver ma valeur au-delà de mon apparence physique.

Quand j'ai entendu l'histoire de Wanda Roth qui suit, j'ai été immédiatement fascinée de voir à quel point cette femme était différente. Peu d'entre nous peuvent se vanter d'avoir une lionne comme meilleure amie ! Malgré tout, Wanda, n'a pas eu une enfance facile à cause de sa différence, et en fin de compte, c'est grâce à son amie, la lionne, qu'elle a appris qu'elle pouvait être heureuse telle qu'elle était.

La citation de Masha Mikulinski qui se trouve dans mon livre *Diamonds, Pearls & Stones* est éloquente : « La personne que vous essayez d'être est probablement loin d'être aussi intéressante que celle que vous êtes vraiment. »

L'histoire de Wanda Roth
Partager son lit avec une lionne

Au cours de ma longue expérience avec les animaux, domestiques ou exotiques, je me rappelle qu'il m'a été donné une seule fois de pouvoir observer un animal qui se rendait compte de qui il était et de ce à quoi la nature le contraignait. Lorsque Peaches, la lionne africaine que j'élevais, a vécu un tel moment, j'étais aux aguets. Le fait d'avoir été témoin de cette miraculeuse transformation m'a changée moi aussi.

Voici d'abord l'histoire de mon enfance. J'ai grandi à New York, dans le Bronx. Dès mon plus jeune âge, j'étais capable de dire si les gens disaient la vérité ou pas ; je sentais qu'il y avait une dissonance si la façon d'agir de quelqu'un ne correspondait pas avec ce que la personne ressentait intérieurement. Avec toute l'innocence et la franchise de l'enfant, je demandais à un oncle, par exemple : « Pourquoi es-tu en colère ? » ou je disais à une tante : « De quoi as-tu peur ? » C'était habituel pour moi de demander aux adultes : « Pourquoi ne dites-vous pas la vérité ? »

Je pouvais toujours savoir si quelqu'un était triste. Je disais alors : « Tu es si triste » et les gens se mettaient soit à pleurer soit à crier contre moi. Le fait d'être ainsi exposés faisait peur aux gens et les rendait mal à l'aise. La grande compassion que j'éprouvais rendait les gens vulnérables. Ils me traitaient d'enfant irrespectueuse et me disaient des choses comme : « Comment oses-tu me parler ainsi ? Tu ne sais pas de quoi tu parles. Tu n'es qu'une enfant ! » Ces réactions dures me heurtaient et me plongeaient dans la confusion.

En dépit de l'amour que mes parents me portaient, j'étais enfant unique, ils ne me comprenaient pas eux non plus. Les amis de la famille et la parenté me traitaient de sale gosse ; ils se plaignaient de moi à ma mère et lui demandaient comment il se faisait qu'elle me laissait leur parler ainsi. Avec le temps, c'est devenu clair qu'ils souhaitaient que je me tienne loin d'eux. Je me suis sentie si seule.

Je me suis donc repliée sur mon propre univers. Comme je suis née avec le très intense sentiment d'être connecté au monde animal — mon premier mot a été cheval — je me suis tournée vers les animaux pour avoir de la compagnie. C'était eux ma famille plus que les humains. À partir de quatre ans, je ramenais à la maison tout ce que je pouvais tenir dans les mains : des bêtes à fourrure, à plumes ou à écailles ; peu importe, je les aimais toutes. Aucun animal ne me faisait peur. Un jour, je suis descendue à la cave et j'ai attrapé des souris et des rats. Ma mère s'est mise à crier quand je les ai apportés à la maison. Une autre fois, j'ai ramené une couleuvre que j'avais trouvée dans le champ près de la maison. Ma mère était horrifiée encore. J'ai eu un petit poussin qui se cachait la tête sous mon bras. Cependant, quand il a grandi et est devenu un coq, il lui a fallu partir. J'ai supplié ma mère de le garder, alléguant que c'était mon ami, elle n'a rien entendu : ce qu'elle voulait c'était une volaille qui ponde des œufs.

J'ai nourri tous les chats errants qui sont venus dans notre cour et j'ai joué avec eux. Ma mère a finalement cédé à mes demandes et m'a permis d'avoir un petit chien. J'étais enchantée. Pour la première fois, je voyais des yeux francs d'où la peur était absente. Cependant, nous avons déménagé et j'ai dû trouver un autre foyer pour mon chien. La déception entraînée par cette succession d'animaux que je ne pouvais garder, pour une raison ou une autre, s'est ajoutée aux sentiments de tristesse et de solitude qui ont tant marqué mon enfance.

L'époque du lycée a été encore pire. C'était dans les années cinquante et je vivais dans un quartier urbain difficile. Les garçons ne m'invitaient jamais à sortir et j'ai continué à me replier sur moi-même. Je n'aimais pas la façon dont les jeunes se traitaient les uns les autres. À l'école, il y avait des gangs et chaque jour, j'avais l'impression d'être en zone de guerre.

Un jour, j'avais environ seize ans, j'ai vu une fille de mon âge qui portait des vêtements d'équitation : une culotte de cheval et des bottes. Je suis parvenue à savoir où elle prenait des leçons d'équitation et j'ai persuadé ma mère de me permettre de prendre l'autocar pour aller à cette écurie. C'était un trajet d'une heure et demie dans chaque direction, mais chaque minute en valait la peine. J'étais au paradis. Comme je n'avais pas d'argent, j'ai pris un arrangement avec le propriétaire de l'écurie : je promenais les chevaux, je les brossais et, en échange, il me permettait de monter. Pendant les deux années qui ont suivi, je ne vivais que pour les samedis, pour prendre l'autocar et aller retrouver les chevaux. Je me rappelle, chaque samedi soir, j'entrais en courant dans la cuisine et j'allais poser les mains sous le nez de ma mère en disant : « Sens cette bonne odeur ! » Et elle souriait de me voir si heureuse.

À la fin du lycée, je me suis trouvé du travail sur Wall Street. Le matérialisme et la malhonnêteté de ce milieu m'ont presque rendue folle. J'ai alors décidé de sortir un peu de la solitude et de réaliser le rêve que j'avais eu toute ma vie : voyager en Afrique. En 1968, pendant un mois, j'ai visité les réserves est-africaines et j'ai participé à un safari photo. Cela m'a permis de m'immerger dans la vie sauvage africaine.

Une fois de retour aux États-Unis, j'ai utilisé les contacts que j'avais à Wall Street pour obtenir un emploi dans une entreprise californienne qui s'occupait d'animaux exotiques. J'étais contente de travailler avec des animaux, et je me suis même fait quelques amis qui aimaient les bêtes autant que moi. Ce travail était pour moi comme une bouffée d'air frais ; je communiquais facilement avec les zèbres et les éléphanteaux, l'amour simple, d'où l'ego était absent, qu'ils me portaient me ravissait.

Cependant, mon bonheur a été de courte durée, car sans que rien le laisse prévoir, l'entreprise a fait faillite. J'étais anéantie. Cela en était fini de ce travail et de mes contacts avec tous les animaux que j'aimais. Les emplois qui offrent la possibilité de travailler avec des animaux de ce genre étaient rares. Je ne pouvais me faire à l'idée de travailler avec des êtres humains qui, selon moi, ne savent pas ce qu'est l'intégrité, ont du mal à prendre leurs responsabilités, et ne sont pas disposés à explorer ou à découvrir leurs sentiments profonds. C'était tellement plus facile d'être en compagnie d'animaux !

J'avais besoin de me retirer. J'ai disparu pendant six mois, seule dans un grand ranch, sans même le téléphone. Chaque soir, je faisais une promenade avec Stormy, un appaloosa hongre dont la robe portait des marques étonnantes, et King, un sage et gentil berger allemand. Nous nous endormions tous les trois sous les étoiles, dehors dans les collines. King se couchait toujours à mes côtés, veillant sur moi et me protégeant. Le matin, à mon réveil, Stormy se penchait au-dessus de moi. Un éclair moqueur dans les yeux, il faisait tomber de l'herbe humide sur mon visage.

Au cours de cette période, j'ai passé beaucoup de temps à essayer de comprendre pourquoi j'étais incapable de fonctionner dans le monde comme les autres. C'était clair que je voyais des choses que les autres ne voyaient pas et que je me préoccupais au plus haut point de choses qui n'intéressaient pas les autres. Je n'étais pas dans mon élément sur cette terre. Je n'avais personne à qui parler et je menais une vie très solitaire. J'ai passé de nombreuses soirées dans la stalle de Stormy, les bras entourant son cou. Il me tirait près de lui avec sa tête et hennissait doucement pendant que je pleurais.

J'ai bientôt trouvé un travail dans un parc qui était utilisé par les studios, le cinéma et les commerciaux pour entraîner les animaux exotiques à se comporter d'une manière affectueuse envers les humains. Grâce à ce travail avec les animaux que j'aimais tant, je me suis sentie à nouveau vivante et libre. Puis, trois lionceaux sont nés au parc : une femelle et ses deux frères.

Mon ranch était une maison mobile de deux mètres et demi sur seize cachée sous de grands arbres et de laquelle je pouvais voir Stormy courir tout son soûl. J'ai supplié mes employeurs de me laisser prendre la petite lionne chez moi. Comme il fallait qu'elle soit apprivoisée, ils ont accepté.

Je l'ai appelée Peaches. Tout de suite, j'ai constaté qu'il y avait quelque chose de magique en elle et qu'elle était différente de tous les autres lions que j'avais déjà côtoyés. Elle avait un regard doux et ouvert, et la démarche bondissante d'un petit chiot. À la différence de ses frères ou des autres grands félins que j'avais connus, elle avait un air de totale innocence. La plupart d'entre eux, même à un tout jeune âge, ont une lueur prédatrice et sournoise dans le regard et ils marchent comme s'ils étaient toujours prêts à attaquer. Peaches ne semblait pas se rendre compte qu'elle était une lionne. Elle mangeait au même plat que le chien et jouait avec le cheval.

Je sentais que j'étais profondément en contact avec l'âme de cette lionne et que nous communiquions intensément l'une avec l'autre. Chaque jour, nous jouions ensemble dans les champs et faisions la sieste côte à côte ; nous mangions ensemble et dormions dans le même lit. Parfois, dans son sommeil, il lui arrivait de sucer mon pouce. Cette petite lionne de trente-cinq kilos aimait bien s'étendre par-dessus moi. Cependant, quand elle s'endormait, elle roulait sur le côté et nous finissions tous les deux par terre, complètement réveillées. Le fait de vivre avec Peaches me permettait de retrouver ma spontanéité et mon entrain.

Peaches grandissait. Elle et Stormy aimaient bien jouer ensemble aussi. Il était clair qu'il y avait entre eux un lien d'amour et de confiance. Ils couraient ensemble dans les champs et se donnaient de petits coups de pied. Par jeu, Stormy tentait de faire trébucher Peaches, l'évitant habilement de peu au dernier moment. À cette époque, Peaches avait vieilli et grossi, elle pesait cent vingt-cinq kilos, elle pouvait se retourner rapidement. Elle courait, sautait et faisait mine d'entraver Stormy à son tour, l'esquivant intentionnellement de quelques centimètres.

Jour après jour, observant les deux amis, je me suis mis à réfléchir sur ma propre vie. En dépit du fait qu'ils étaient différents, le lien qu'ils avaient établi rendait leur différence sans importance. Même si leurs jeux étaient rudes, ils ne se blessaient jamais l'un l'autre. Je me suis posé la question : *Est-il possible pour moi d'être moi-même et cependant, de ne pas faire fuir les autres ? Ou de ne pas les blesser ?* Je savais que j'avais la réponse sous les yeux, mais je ne voyais pas comment l'appliquer à ma propre vie.

Il s'est passé plus de deux ans. Un jour, j'étais assise sous un arbre et je regardais Stormy et Peaches en train de jouer. Malgré que Peaches était presque adulte, à cent soixante-dix kilos, elle se comportait toujours comme un lionceau joueur. Tout à coup, je l'ai vue s'arrêter et demeurer parfaitement immobile. Elle ne bougeait pas et n'émettait aucun son. Je me suis dressée, ne voulant rien manquer de la scène qui se déroulait devant moi. La lionne n'agissait pas de manière habituelle. J'ai remarqué que ses pattes s'agrippaient fermement à la pelouse, comme si elle se connectait avec le sol afin de sentir l'énergie de la terre monter en elle. L'expérience qu'elle vivait était presque palpable et d'une puissance telle que je la ressentais dans mon propre corps.

J'ai eu l'impression qu'à ce moment, Peaches prenait conscience de qui elle était : une lionne africaine. Immédiatement, son attitude a changé complètement ; elle a revêtu un caractère de majesté. D'un air souverain, elle s'est tournée vers moi, la tête haute et m'a regardée droit dans les yeux. Elle semblait me dire : *Moi aussi, je te vois, je te vois telle que tu es.*

J'ai senti alors un éclair me traverser le corps et j'ai perçu qu'un changement se faisait à l'intérieur de moi. *Le moment était venu.* J'étais prête finalement à m'ouvrir à la vie et à oser être l'enfant innocente qui dit toujours la vérité et qui était devenue une femme. Je me suis souvenue de celle que j'avais été un jour : une enfant qui ne doutait jamais de ce qu'elle voyait et sentait, et qui prenait la vérité comme elle était. J'étais maintenant prête à vivre ainsi. Peaches m'avait entraînée avec elle dans sa transformation. Comme elle, je me suis rendu compte que je pouvais, tout à la fois, demeurer qui j'étais et être adulte.

À partir de ce jour, j'ai perdu la peur qui avait toujours dominé ma vie et j'ai cessé de m'isoler. Au cours des semaines et des mois qui ont suivi, je suis devenue agente en immobiliers, je suis allée danser et je me suis mise à parler aux gens, sans me laisser déstabiliser par leurs réactions. Cette nouvelle attitude d'acceptation envers moi-même m'a permis d'accepter les autres, et de faire preuve d'une compréhension et d'une compassion plus grandes encore pour ce qu'ils vivaient, sans avoir besoin de les confronter ou de leur passer des remarques. Peu de temps après, j'ai noué une relation avec quelqu'un et je me suis mariée.

Plus de vingt ans se sont maintenant écoulés depuis que Peaches et moi avons partagé ce moment de révélation. Aujourd'hui, je vis chaque jour comme il me convient. J'ai une bonne intuition et je ne me suis jamais sentie aussi libre. Je sais que je ne peux plus me cacher ce que je suis.

La vie que je mène actuellement ne me permet pas d'avoir un compagnon animal ; néanmoins, partout où je vais, quand je rencontre un animal, je fais toujours l'expérience de la communication et de la communion qui m'ont permis de garder le cœur vivant pendant de si nombreuses années, et du lien qui m'a permis finalement de connaître l'amour et de m'accepter telle que j'étais.

« Aujourd'hui, je vis chaque jour comme il me convient. Je sais que je ne peux plus me cacher ce que je suis. »

— Wanda Roth

16- La responsabilité

Récemment, avant de partir pour Toronto, j'ai appelé la AT&T pour vérifier si mon contrat de téléphone cellulaire incluait les appels effectués à partir du Canada. Après être passée par la succession habituelle et interminable de chiffres sur lesquels il faut appuyer, j'ai finalement obtenu une personne à l'autre bout de la ligne et je suis restée interloquée par ce qu'elle a dit. Après m'avoir remerciée de ma patience (qu'est-ce qu'elle en sait ?), elle a dit : « Je m'appelle Angie. Votre problème est important pour moi et je prends la responsabilité de le régler dès aujourd'hui. »

D'habitude, les gens qui utilisent plus de trois mots pour répondre au téléphone me font une impression désagréable. Mais elle avait dit *responsabilité* ? Je ne me rappelais pas la dernière fois que j'avais entendu quelqu'un dire qu'il souhaitait prendre la responsabilité de quelque chose qu'il *devait* faire. J'ai trouvé cela rafraîchissant et je lui en ai parlé une fois que l'affaire pour laquelle j'appelais a été réglée. J'ai appris qu'il s'agissait d'une politique mise en place par le directeur local du centre des appels de Bothell, à Washington. La réaction des clients est si favorable, a ajouté Angie. Selon elle, il ne serait pas étonnant que la pratique s'étende à toute l'entreprise, à l'échelle nationale.

Ce bref échange avec Angie a été pour moi remarquable, car, aujourd'hui, dans notre société, le besoin de blâmer les autres et d'éviter de prendre toute responsabilité est très répandu. Dans le monde des affaires, cette attitude est source d'ennui, de perte de temps et est parfois carrément inquiétante. Par exemple, si nous appelons au téléphone dans une grande entreprise pour discuter d'un problème ou pour demander un changement de services, il est probable qu'il nous faudra écouter une succession de menus interminables, — lesquels parfois ne comportent pas l'option dont nous avons besoin — et qu'il soit impossible de parler à quelqu'un ; à moins que notre appel ne soit transféré d'un poste à l'autre, et que, poussés à bout, nous raccrochions sans avoir réglé quoi que ce soit.

Dans d'autres domaines de la vie, nous pointons du doigt les gens qui ont du pouvoir, souhaitant les rendre responsables de nos malheurs et de nos problèmes, personnels et collectifs. Nous nous détournons de nos responsabilités en nous en déchargeant sur les autres ou en dénonçant leurs défauts. Nous sommes jaloux de ceux qui ont plus que nous, même dans les cas où il est évident qu'ils ont travaillé pour obtenir ce qu'ils ont. Souvent, nous nous opposons à l'autre, ne voulant pas reconnaître la possibilité que ce qu'il ou elle pense pourrait être juste et — vrai — pour lui ou elle, même si ce n'est pas le cas pour nous.

Bill Clinton a donné une conférence au salon du livre de l'Amérique lorsque son volume, *My life*, a été sur le point de sortir en librairie. Ce qui m'a le plus impressionnée est la suggestion qu'il a faite sur la manière de réagir dans des situations avec lesquelles nous sommes en désaccord. Au lieu de blâmer et d'attaquer l'autre, vous dites simplement : « Je crois que vous avez tort et voici pourquoi. » Il a donné des exemples de cette attitude pendant sa conférence (faisant référence à des personnes en particulier ou au gouvernement), s'exprimant toujours sur un ton égal et d'une manière empreinte de délicatesse et d'intelligence. Il m'a fait voir le lien qui existe entre responsabilité et autorité : quand nous sommes responsables de nos pensées, de nos croyances et de nos idéaux, nous assumons un pouvoir qui serait absent autrement.

Alexis Quinlan, l'auteure de l'histoire qui suit, est un parfait exemple de quelqu'un qui blâmait les autres et les rendait responsables de son malheur. Elle souhaitait être écrivaine, mais n'était pas prête à mettre le temps qu'il fallait pour apprendre à écrire correctement. Elle attribuait la responsabilité de ses maux à quelqu'un d'autre et elle s'attendait à ce que la « réparation » vienne aussi des autres. Son histoire est le compte rendu humoristique et touchant de l'existence qui était la sienne sous l'emprise de cette attitude, et nous montre comment sa vie a changé à partir du moment où elle s'est mise à être responsable d'elle-même.

L'histoire de Alexis Quinlan
La lune en capricorne

En 1986, trois ans après avoir obtenu un diplôme d'une des grandes universités du Nord-Est des États-Unis, je n'ai rien fait de mieux que d'occuper quelques emplois à temps partiel et de partager un appartement avec quelqu'un dans l'East Village à Manhattan. Je souhaitais un emploi à temps plein, mais j'avais été remerciée après un essai de deux mois dans une société de relations publiques et congédiée d'un poste en publicité pour cause d'insubordination : laquelle attitude je me refusais à reconnaître. J'ai eu divers autres petits boulots avant d'accepter un emploi en commercialisation pour lequel je me sentais surqualifiée — je ne voyais pas le rapport avec l'accusation d'insubordination — et que j'ai quitté rapidement lorsqu'on m'a offert un emploi plus prestigieux dans un magazine d'art. En fait, l'emploi lui-même n'était pas prestigieux — je faisais de la vente — et je me suis trouvée encore déçue quand, le lendemain de mon arrivée, le propriétaire a décidé de réduire les coûts et de changer mon poste pour un poste à temps partiel. Je suis restée, mais j'ai occupé un autre emploi à temps partiel chez un marchand de vin en ville. Je me prenais pour une oenophile à l'époque, quoique je n'aie rarement payé plus de cinq dollars pour une bouteille de rouge. De mon point de vue, j'étais dans le commerce du vin et dans l'entreprise artistique.

Comme un tel résumé le laisse supposer, j'avais aussi d'autres problèmes ; des dilemmes que j'affrontais et qui n'avaient pas de lien avec le travail. D'abord, je ne m'entendais pas bien avec mon petit ami avec qui je vivais par intermittence depuis le collège et je ne pouvais pas supporter ma mère (ce qui, en général, donne une indication de la tranquillité d'esprit d'une femme). De plus, je ne pouvais maîtriser mon humeur (demandez seulement au petit ami), cesser de trop manger ou cesser de boire, ou même me regarder dans la glace le matin.

Puis, il y avait la question de l'attitude que j'avais. (À propos, pourquoi le monde était-il mené par des fous ?) Plutôt que de dire que j'étais ravie de travailler au magazine, je critiquais tout le monde, de la réceptionniste au rédacteur en chef. Ils manquaient de goût, étaient bruyants (ou trop silencieux), avaient un accent terrible, s'habillaient mal. Comme il n'est pas amusant de garder autant de venin pour soi-même, j'ai eu la chance de trouver un allié dans la misanthropie. Par dépit uniquement, Anthony volait du papier hygiénique de la réserve, et il était terriblement séduisant. Que m'importait si tout le monde disait qu'il était homosexuel ? Il me plaisait. C'était une sorte de vedette au bureau : il avait commencé comme préposé au courrier et maintenant il rédigeait des éditoriaux. Néanmoins, Anthony disait des méchancetés sur tous et tout, et ses propos blessants s'étendaient du type de la UPS à la décoration du bureau. Ce trait à lui seul aurait permis à une fille plus futée de se rendre compte des préférences sexuelles du bonhomme.

De plus, Anthony était le seul homme qui se permettait de me taquiner. J'arrivais souvent au travail — pour autant que le fait de regarder fixement une liste de numéros de téléphone que je n'osais composer puisse vraiment s'appeler travail — vêtue du tee-shirt dans lequel j'avais dormi et d'une jupe noire en tricot, laquelle, selon moi, devait bien m'aller, car je la portais tout le temps. Quand Anthony m'apercevait, il me lançait : « Choisis tes vêtements en fonction de l'emploi que tu souhaites ! » Nous nous sommes mutuellement aidés à surmonter de nombreux après-midi pleins d'ennui en nous moquant de ceux, qui, en fait, constituaient une belle équipe de brillants new-yorkais.

Il y avait une personne que nous méprisions plus que les autres : c'était Gina, la femme du rédacteur en chef. Elle ne travaillait pas pour le magazine, mais partageait notre espace. Anthony l'avait surnommée le parasite. Toutefois, ce n'était pas cela qui nous faisait réagir. C'était son rire. Ou les rires dont elle se prenait : les longs rires qui venaient du ventre, les petits gloussements ou les violents débordements. Tout ce qui lui arrivait lui procurait une joie immense. Ses hurlements de plaisir déferlaient dans tout le loft. Comme son bureau était directement derrière mon cubicule, aucun gloussement ou gros éclat de rire ne m'échappait.

Faisant une pose à mon bureau pour fumer une cigarette, Anthony lançait sur un ton faussement désespéré : « Personne ne peut-il donc arrêter cette hyène ? »

J'ajoutais sur un ton persiflant : « C'est un vrai asile de fous. »

Elle ne s'arrêtait pas. Pourquoi l'aurait-elle fait ? Cette femme était la femme de l'homme le plus puissant de la boîte et pouvait faire ce qui lui plaisait. Et si cela lui plaisait de rire. Au moment où je suis arrivée, elle avait deux magnifiques enfants. Elle en a eu deux autres à l'époque de mon passage au magazine. De plus, elle était écrivaine. En fait, son travail était si prolifique qu'elle ne riait peut-être pas autant que je crois m'en rappeler. Pendant les trois années au cours desquelles j'ai été employée par le magazine, elle a publié deux volumes, dont un charmant livre pour enfants, et elle a commencé à écrire la biographie d'une religieuse. Gina s'était convertie au catholicisme, et était quelque peu torturée par son passé de catholique non-pratiquante et d'athée convaincue. À l'occasion, quand Anthony et moi, nous nous rejoignons pour nous plaindre d'un éclat d'hilarité particulièrement long, il m'arrivait de soulever la question. Comment était-il possible que cette femme qui avait fréquenté le collège puisse croire de telles inepties ? N'avait-elle jamais entendu parler de Darwin ? Pour Anthony, cela ne valait pas la peine d'en parler. « C'est le cadet de ses soucis », disait-il.

Enfin, bref, le rire était son principal crime. Presque à chaque jour, Anthony faisait une pause à mon cubicule, et tout en brassant l'édulcorant dans son café, marmonnait qu'il n'y avait que des cervelles d'oiseaux pour être constamment d'humeur si joyeuse. Je hochais la tête tristement à la pensée du fardeau que cela devait être. Et mon bureau était si près. Une folle ! Il m'assurait de sa compassion et retournait à sa place, laissant la fumée de sa cigarette flotter derrière lui.

Qu'en était-il de mon travail ? L'attitude que j'avais se reflétait sur mes ventes. Je ne croyais pas à la publicité, je ne connaissais rien à l'art et j'avais horreur de demander aux gens d'acheter quelque chose. De temps à autre, on me donnait un projet spécial à réaliser et je faisais un joli coup, puis je retournais à mon inertie habituelle. Un jour, j'ai entendu le rédacteur en chef reprocher à la directrice des ventes de ne pas me donner suffisamment de motivation. J'en ai été désolée pour elle, car ce n'était pas sa faute. J'étais un mystère pour moi-même, comment de simples directeurs pouvaient-ils régler mon problème ?

Plutôt que de travailler, j'observais Gina. Intérieurement, je ne croyais pas que Gina soit condamnable, comme Anthony et moi le disions. Je savais ce que j'entendais : Gina était heureuse.

Je savais pourquoi cela me dérangeait : je ne l'étais pas. De plus, elle n'était pas une cervelle d'oiseau, mais une écrivaine.

Ce que je souhaitais, c'était d'écrire. C'était tout ce que je souhaitais. Cependant, je ne pouvais le faire. J'avais un tas de raisons. D'abord, je n'avais rien d'un génie. De plus, j'étais paresseuse et j'avais écrit bien peu, mis à part la pile de cahiers spiralés cachés sous mon lit. Bien que j'aie passé l'âge de l'adolescence, je remplissais mon pauvre journal intime de douzaines, que dis-je, de centaines de mauvais poèmes qui portaient sur le désespoir (quoi d'autre ?). Je trouvais si difficile d'écrire, je pense que je préférais en avoir déjà terminé plutôt que de m'asseoir et de faire le travail. Néanmoins, mon principal empêchement à l'écriture était plus mystérieux, presque magique, et même maintenant j'ai du mal à l'expliquer. C'était comme si je n'avais pas la permission d'écrire qu'un « véritable » écrivain possède. Je ne pouvais même pas dire qui ou quoi m'accorderait cette permission. Même si je me proclamais athée, j'étais persuadée que l'on m'avait jeté un sort et que je ne pourrais jamais obtenir ce que je souhaitais dans la vie.

À bien y penser, j'étais encore plus malheureuse que je ne le croyais.

Un jour, quelque chose s'est produit. C'était un autre de ces après-midi new-yorkais au bureau ; on entendait le bourdonnement des PC encombrants et des lumières fluorescentes ; la puanteur des photocopieurs emplissait l'air et les téléphones retentissaient dans un fond sonore de bavardages sans conséquence. On a appelé un nom de l'entrée. Gina a éclaté en un gros rire qui s'est terminé en gloussements. J'avais attendu ce moment, quoique inconsciemment. Je me suis levée et je me suis dirigée vers son bureau. Elle venait de raccrocher le téléphone — je l'ai su à cause du calme qui régnait — et se frottait les mains. Elle s'apprêtait à se tourner vers sa Selectric quand elle m'a aperçue hésiter sur le pas de la porte. Elle s'est arrêtée.

Gina était une beauté naturelle ; elle avait de jolis traits féminins, des cheveux noirs brillants et un sourire magnifique. Pour tout maquillage, elle portait du brillant à lèvres. Je crois qu'elle devait bien avoir dans les trente-cinq ans, soit dix ans de plus que moi. Je savais que sa mère et ses grands-parents japonais avaient été dans des camps d'internement de la Deuxième Guerre mondiale. Néanmoins, mis à part les cheveux, elle n'avait rien de bien asiatique. Un peu éblouie, et certainement très étonnée de me retrouver là, je suis parvenue à grincer un bonjour.

Amicale comme toujours, elle m'a retourné la salutation. Et moi, toujours en grinçant, j'ai demandé : « Comment ça va ? »

« Bien », a-t-elle répondu d'un ton enthousiaste. Elle a ajouté autre chose dont je ne me souviens pas, probablement à propos de son travail. Elle en parlait toujours ouvertement et s'étendait volontiers sur la manière dont elle progressait dans son livre. Je me rappelle quand, enceinte de neuf mois, elle travaillait le livre sur la religieuse et plaisantait en disant qu'elle écrivait poussée par le désir sexuel. Il me semblait alors qu'elle n'avait pas de secret. Je pense maintenant qu'elle n'avait aucune honte.

Puis, j'ai donné la raison de ma présence, quoique je ne la sache trop moi-même : « C'est super, lui ai-je dit, de te voir écrire toute la journée et faire des choses qui t'intéressent vraiment. »

Je ne savais pas à quoi je m'attendais. Je m'imaginais peut-être qu'elle me dirait de m'asseoir et me murmurerait à l'oreille la manière d'obtenir la permission que je souhaitais. Peut-être m'enseignerait-elle à écrire un livre ? Ai-je pensé qu'elle se lierait d'amitié avec moi et me ferait partager son rire ? Ou bien qu'elle me trouverait un mari et un éditeur et un bureau et un monde pour me réconforter et me bercer ?

« Bien », a-t-elle dit, en faisant une pause et en m'adressant un sourire plein de gentillesse qui semblait dire qu'elle savait ce que je souhaitais et qu'elle pouvait m'aider. Je ne savais même pas que j'étais venue pour demander de l'aide, mais à ce moment, je l'ai su et j'ai cru qu'elle me dirait la vérité. À l'extérieur, le train-train habituel continuait. Son mari hurlait au téléphone, la directrice des ventes convoquait à son bureau le meilleur représentant, l'éditeur de la photographie se plaignait au chef de bureau. Le bouton du téléphone de Gina s'alluma. Mon regard a pointé dans cette direction, puis est revenu vers elle. Elle a secoué la tête légèrement comme pour signifier que ma question était importante et qu'elle allait y accorder toute son attention. « Bien, a-t-elle poursuivi, Dieu m'a donné quelques talents et je suis heureuse de pouvoir les utiliser. »

Mon Dieu ! Je n'en revenais pas. Après tout, peut-être était-elle dingue ? *Je suis heureuse de pouvoir les utiliser* ! Qu'est-ce que cela signifiait ? Ça y est, je le savais : elle ne voulait pas m'aider du tout. Elle avait souhaité me blesser. J'étais en colère ; je me sentais mal à l'aise ; j'éprouvais du ressentiment. Bref, j'étais moi-même. Je me demande comment je suis sortie du bureau.

La vie a continué, mais je n'étais pas satisfaite. J'avais grand besoin de changement. Je le souhaitais tant que je me prenais à marmonner : « changement, changement, changement, changement, changement. » Je suis allée consulter des thérapeutes qui m'ont fait reporter le blâme sur la mort hâtive de mon père et la dépression dans laquelle ma mère avait plongé suite à cet événement. Mais cela n'a pas fonctionné. Je suis ensuite allée voir des médiums, des acupuncteurs et des astrologues afin de conjurer le mauvais sort qui m'avait été jeté. J'ai même étudié l'astrologie. Toutefois, je n'ai pas cherché à m'aider par l'écriture, et je ne sais pourquoi, j'ai été incapable de changer. Pendant ce temps, des changements se produisaient autour de moi, certains me concernant. Le petit ami du collège est parti vivre dans un autre coin du pays, et il m'est apparu que je l'aimais, que je m'étais mal (très mal) conduite envers lui et il était parti pour de bon. La boutique de vin où je travaillais a fermé ses portes. Anthony a quitté le magazine pour être danseur à temps plein. (C'est à partir de là que j'ai compris qu'il était homosexuel.)

C'est peut-être une bonne chose que je n'aie pas changé ou encore que je n'aie pas compris les changements qui se produisaient autour de moi. Le fait de rester au même endroit pendant si longtemps m'a permis d'écrire autre chose que de mauvais poèmes. D'abord des petits morceaux. Des poèmes moins tristes. Des essais sur la vie dans East Village. Des histoires remplies de mots sophistiqués et de sentimentalité bon marché que j'ai envoyées droit au magazine *The New Yorker*, lequel les a promptement refusées. Finalement, je me suis inscrite dans un atelier d'écriture ; je passais les soirées du lundi à observer et à écouter les autres écrivains et à lire mes histoires. Il en a fallu du temps avant que j'entende autre chose que des commentaires cruels de la part de mes collègues, mais, ce qui est étonnant, j'ai persisté. J'ai courageusement envoyé quelques-uns de mes écrits à des magazines féminins. Ils ont été refusés. Cependant, une jeune rédactrice, Lisa, a appelé, elle a dit qu'elle souhaitait me connaître davantage et qu'elle resterait en contact avec moi.

Le jour de mon vingt-sixième anniversaire, j'ai quitté le magazine pour devenir une écrivaine. Je cumulais un tas de boulots à la pige, j'ai même écrit deux textes pour Lisa. Puis, à vingt-neuf ans, j'ai finalement admis que j'avais besoin d'aide. Je me suis inscrite à une école de diplômés, à Houston, et j'ai quitté New York.

Enfin, je savais où j'allais. Toutefois, mon existence demeurait difficile et j'imaginais encore que l'on m'avait jeté un sort. Par-dessus tout, compte tenu des espoirs suscités en moi par mon précédent passage dans une université prestigieuse du Nord-Est, j'étais amèrement désappointée. Un jour, me rendant à un atelier sur le roman, je suis tombée sur une pile de livres que le département d'anglais donnait. Je feuilletais un roman de Edna O'Brien lorsque mon regard a été attiré par un succès de librairie, soit un livre de spiritualité pratique. J'ai ricané intérieurement — après tout, j'étudiais la littérature anglaise —, mais je m'en suis néanmoins emparée pour faire une plaisanterie. J'ai raconté à mes camarades que si nous souhaitions vendre nos œuvres, nous devrions écrire des livres qui donnent des trucs pour comprendre la parole de Dieu. Je les ai fait rire et j'ai rangé le livre. Le soir, je l'ai lancé sur ma table de chevet et il est sorti de ma mémoire.

Six mois plus tard, au milieu d'une nuit d'insomnie, j'ai repris le livre en question. C'était bien le genre de bêtises Nouvel âge auxquelles je m'attendais. Cela parlait d'amour. L'amour était plus fort que la volonté. L'amour était rédempteur. L'amour d'une puissance supérieure était le plus rédempteur de tous. Exactement ce à quoi je m'attendais, mais différent.

J'ai terminé le livre cette nuit-là. Puis, je l'ai relu et relu.

Je me suis convertie, mais cette conversion n'avait rien de parfait. Je n'en ai parlé à personne. J'avais perdu un peu de mon arrogance, mais je ne voulais pas que les gens sachent qu'en désespoir de cause, je m'étais tournée vers Dieu. Néanmoins, le matin du dimanche de Pâques, je me suis levée tôt et d'une manière tout à fait imprévue, j'ai pris la voiture pour me rendre à l'une des églises dont il était fait mention dans le livre, une église unie chrétienne. L'officiant a dit que nous n'étions pas sur la terre pour souffrir, mais pour avoir une vie pleine et heureuse. Cela m'a paru presque obscène, mais m'a plu.

Je suis retournée pour voir de quoi avait l'air la soirée « Retrouver votre pouvoir » du mercredi organisée à l'église. L'objectif de la rencontre était de nous donner des moyens d'élargir et d'enrichir notre vie. La soirée commençait par une conférence — en partie sermon, en partie discours d'encouragement — qui expliquait comment utiliser le pouvoir de l'esprit par la prière. Quand l'officiant a eu terminé, des membres de l'assemblée ont levé la main pour raconter ce qui s'était passé dans leur vie durant la semaine. Nouvel emploi, nouvel amour, bicyclette retrouvée, couple réconcilié. Beaucoup de rires, d'applaudissements et de sourires. D'autres paroles d'encouragement. Ensuite, les participants ont formé des groupes de cinq ou six personnes pour parler de leurs problèmes et de leurs objectifs et se promettre de prier les uns pour les autres pendant les six prochaines semaines. On se rencontrerait le mercredi pour faire état des résultats.

Seulement, il y avait un hic. Je ne pouvais faire part de mes problèmes aux autres : la relation amoureuse de plus en plus malsaine que j'entretenais, l'alcool, la drogue, la haine de moi-même. Mais les espoirs que j'avais ? Je ne souhaitais pas faire connaître à six personnes ce à quoi j'aspirais secrètement. J'étais à l'école de diplômés pour apprendre à écrire, néanmoins je ne me sentais pas en droit de désirer cela. Je ne me sentais pas adéquate.

Après une longue hésitation, j'ai révélé à un de ces groupes de personnes mon rêve de devenir écrivaine. En fait, à l'époque je désirais être payée pour les histoires que j'écrivais. Les autres participants n'ont rien pensé de ce souhait ; ils l'ont simplement pris en note dans leur carnet et se sont assurés que je prenais aussi en note les leurs afin de pouvoir prier pour eux. Je l'ai fait. J'ai prié avec eux au cours de la rencontre de groupe et j'ai prié pour eux toute la semaine. Je suis retournée à la rencontre du mercredi suivant, bien qu'aucun changement ne se soit produit cette première semaine, parce que je voulais savoir ce qui s'était passé pour eux. Deux personnes de mon groupe de prière avaient expérimenté de petits changements, ce qui était encourageant. Nous avons échangé nos objectifs — le mien n'avait pas changé —, nous avons prié, et nous nous sommes quittés sur la promesse de prier les uns pour les autres encore une autre semaine.

Quelques jours plus tard, j'étais à la maison, absorbée dans l'écriture d'une nouvelle, lorsque le téléphone a sonné. Je n'ai pas eu le temps de dire allô que j'ai entendu une voix qui disait : « Térésa ! Térésa ! Il me faut ce texte ! »

Alors quoi ? On aurait dit la voix de la rédactrice en chef du magazine féminin qui avait déjà publié mes textes. « Lisa ? »

« J'en avais besoin hier, Térésa. »

J'ai fini par lui dire qui j'étais et par lui demander ce qui se passait.

« Alexis ? » Elle a fait une pause et a ajouté : « Je pensais que j'appelais le service de copies. »

« Tu croyais composer un numéro de quatre chiffres, mais tu composais un numéro de dix chiffres, le mien. »

Nous avons ri et elle m'a expliqué qu'elle était en train de publier une de mes histoires qui, finalement, avait du succès, et que mon numéro de téléphone apparaissait sur le texte. « Voilà sans doute pourquoi je t'ai appelée », a-t-elle conclu, quoiqu'elle ne semblait pas tout à fait convaincue.

Nous avons bavardé brièvement, nous enquérant de nos amours respectives et parlant de mon article. C'était le récit d'une fille de East Village qui courait les fêtes dans les années quatre-vingt. Je n'avais pas été ce genre de fille, mais je connaissais les ficelles. (En d'autres mots, c'était une œuvre de fiction.) Je me suis informée du dernier article que j'avais commencé pour elle et pour lequel elle m'avait donné carte blanche. Après en avoir écrit la moitié, je le lui avais envoyé pour obtenir son approbation. Comme elle n'avait pas rappelé, j'ai cru qu'elle ne l'avait pas aimé et j'ai laissé tomber.

« Ah ! Oui ! a-t-elle rétorqué, pourquoi ne me l'as-tu donc jamais envoyé ? »

Vous devinez la suite. Je lui ai fait parvenir par télécopie l'article à moitié rédigé et Lisa a insisté pour que je le termine. Elle a adoré l'article, et sa patronne aussi. J'ai raconté cela aux membres de mon groupe, qui se sont réjouis, mais qui n'ont pas été surpris outre mesure : ils fréquentaient les soirées « Retrouver votre pouvoir » du mercredi depuis plus long-temps que moi. Pour couronner le tout, Lisa m'a dit que j'étais leur nouvelle écrivaine fétiche et m'a demandé ce que le magazine pouvait faire pour moi. Hein !

J'avais en fait une idée. Je terminais l'école de diplômés dans quelques mois et j'avais besoin d'un revenu régulier pour assurer mon existence d'écrivaine. Il me fallait une rubrique dans le magazine. Il y avait peu d'options, car la rubrique courrier du cœur était sous la responsabilité d'une employée de longue date, de même que les rubriques consacrées aux livres et aux films. Il était hors de question que je m'occupe de la rubrique financière. Néanmoins, une possibilité demeurait. À une certaine époque, j'avais étudié l'astrologie. J'ai donc demandé la rubrique astrologique.

C'est ainsi que sous le pseudonyme de Allegra Quince, j'ai rédigé cette rubrique pendant trois ans. J'ai ensuite travaillé pour la rédactrice en chef pendant un autre trois ans. Cela m'a momentanément déstabilisée de ne pouvoir trouver un bon éditeur new-yorkais pour mes histoires, mais j'aimais l'astrologie. Je crois encore que cela présente un intérêt certain. Mon histoire, par exemple, est une bonne illustration de l'influence de la lune en capricorne : c'est le parcours d'une fille ambitieuse qui cherche les difficultés. Je suis partie vivre à L.A., où je faisais les horoscopes chaque mois (j'aimais la géométrie) et je tentais d'aider les lecteurs à prendre conscience de leur propre pouvoir. À dire vrai, mes rubriques étaient remplies des connaissances que j'avais apprises à l'église de Houston. Je me suis mise à écrire pour d'autres magazines et j'ai ensuite obtenu un poste d'enseignante dans un collège renommé de la région. J'avais étudié l'enseignement à l'école des diplômés et j'adorais cela. Au fil des ans, mon sentiment de paix intérieure et de gratitude a grandi. De plus, quoique je n'aurais jamais imaginé cela possible, mes prières et les prières des cinq bonnes âmes de mon groupe à Houston continuent d'être exaucées.

Je continue d'écrire à la pige et d'enseigner. Récemment, j'ai commencé à publier de la poésie : mon premier amour pour lequel — bien entendu — je ne me suis jamais sentie assez digne. Je me suis mise à aimer ma mère peu de temps avant sa mort, et j'ai même appris à *aimer vraiment* les hommes que j'aimais. À quarante-deux ans, je me suis fiancée et je vais me marier. Quoique, souvent, je craigne que ce mariage ne se produise pas, j'essaie d'être heureuse pour aujourd'hui. Quelques fois, j'assiste à la messe dans une église catholique. J'entends des cantiques remplis de louanges et d'amour et je suis certaine que cela n'existait pas quand j'étais jeune.

Dans ma nouvelle existence presque toujours remplie de gratitude et de paix, il m'arrive souvent de penser à Gina. Gina, celle à qui le bon Dieu a donné quelques talents. Gina, celle qui apprécie ce qu'elle possède et qui compose avec ce qui se présente. Ses paroles m'avaient grandement insultée, son bonheur m'avait jetée dans la confusion. Cependant, aujourd'hui, j'éprouve de la gratitude, car je comprends le sens des mots qu'elle m'a dits. Parce que, finalement, à moi aussi, Dieu a donné quelques talents — quoi que cela puisse signifier, et où qu'Elle soit — et je suis heureuse de pouvoir les utiliser.

« Au fil des ans, mon sentiment de paix intérieure et de gratitude a grandi. Finalement, à moi aussi, Dieu a donné quelques talents et je suis heureuse de pouvoir les utiliser. »
— Alexis Quinlan

17- L'expression de soi

Mon regretté père disait souvent que j'avais commencé ma carrière de conférencière professionnelle à sept ans environ. Je réunissais tous les enfants du voisinage, je les faisais asseoir en rang dans notre allée et je leur faisais des discours !

Plus tard, en huitième année, j'ai entendu dire que le club 4-H local, qui organisait chaque année des concours de dressage d'animaux et de couture, tenait aussi par la même occasion une compétition d'art oratoire. Il s'agissait de préparer un discours de quatre minutes sur le serment 4-H. Je me suis dit : *que c'est agréable* ! *que c'est facile* ! Je me suis donc jointe aux concurrents et j'ai gagné le concours la première fois que j'ai participé. L'année suivante, j'ai remporté le concours d'état du premier coup. Il semblait que c'était aussi naturel pour moi de parler en public que de respirer.

J'ai le regret de dire que je ne m'apercevais pas à l'époque que j'étais en train de vivre une passion. Comme l'écrit Deva Premal, l'auteure de l'histoire suivante, à propos de la prise de conscience de nos talents : « … en général, c'est quelque chose qui saute aux yeux ; c'est pourquoi nous ne le voyons pas ! » Premal fait également remarquer que la société nous apprend à apprécier seulement les choses pour lesquelles il faut faire des efforts et travailler dur ; c'est pourquoi il est facile d'ignorer la valeur des choses qui sont naturelles pour nous. Cela est si facile, en fait, que la plupart des gens n'ont pas intégré les passions de leur enfance à leur réalité d'adulte.

Pour ma part, bien que je me sois spécialisée en journalisme et que j'ai pris l'art de parler et la télévision comme matières secondaires au collège, je me suis détournée de ma route assez rapidement. J'ai été si loin avant de reconnaître mon talent naturel que j'ai passé dix ans à travailler dans le domaine de la comptabilité. Oui, bien sûr, il y avait des aspects de ce travail que j'aimais : l'entretien d'un système comptable demande de faire preuve de responsabilité, d'ordre et de mesure ; toutes ces qualités me plaisaient. Cependant, un jour, je me suis réveillée et me suis dit : *Qu'est-ce que je fais là ?* Je n'avais pas de plaisir.

Je me suis mise à penser aux choses que j'aimais faire quand j'étais enfant. Je me suis souvenue des concours. Je me suis rappelé que, pendant mes quatre années de lycée, j'étais la seule élève qui choisissait l'art de parler en public comme cours facultatif chaque semestre. Petit à petit, je suis revenue au monde de la communication et j'ai finalement mis sur pied ma propre entreprise de conférences. Depuis, je donne des conférences et cela fait mon bonheur.

Cependant, je suis privilégiée. Aux États-Unis, quatre-vingts pour cent des gens font un travail qu'ils n'aiment pas. Si c'est votre cas, vous passez probablement le tiers de votre existence à faire quelque chose qui ne vous procure ni joie ni satisfaction. Trop de gens ne semblent pas se rendre compte que nous naissons tous avec une nature unique, qui nous porte à nous exprimer d'une façon particulière. Tous, nous avons une contribution à apporter à ce monde que personne d'autre ne peut fournir à notre place. Comme Vicky Edmonds le mentionne précédemment dans ce livre : notre « présence seule est un cadeau qui attend d'être déballé ».

Vraiment, la présence de Deva Premal est un cadeau ! J'adore emplir ma maison et ma voiture de la musique exquise de Premal et de son partenaire Miten. Entendre ces deux-là en concert, comme j'ai pu le faire à New York et à San Francisco, est une expérience de tranquillité absolue procurée par le son.

Voici l'histoire qui raconte comment Premal a découvert sa propre « voix ». Ce récit illustre bien ce que la danseuse et chorégraphe Martha Graham a si magnifiquement exprimé : « Il y a une vitalité, une force de vie et une énergie qui se traduisent à travers vous ; comme, de tout temps, votre être est unique, cette expression est aussi unique. »

L'histoire de Deva Premal
J'ai trouvé ma voix

J'ai grandi avec la musique. Ma mère enseignait la viole de gambe et le piano, et notre maison en Allemagne résonnait souvent des sons que les jeunes élèves s'efforçaient de produire du mieux qu'ils pouvaient. Ma mère aimait bien la musique classique. Grâce à elle, j'ai appris le violon et le piano classiques, néanmoins cela ne m'a jamais réellement satisfaite. Je me sentais un peu raide et gauche quand je jouais de ces instruments, et l'obligation de lire la partition me donnait la sensation de marcher avec des béquilles.

Dans la famille, mon père était libre d'esprit et l'est encore. C'est un artiste de profession et durant ses moments de loisir, il s'adonne à la batterie avec passion. Il fabrique même ses propres tambours. De plus, il poursuit un cheminement spirituel qu'il a commencé jeune. Il étudie le yoga, fait la lecture de textes sacrés et de livres et médite tous les matins entre trois heures et cinq heures. Il a appris le sanskrit par lui-même et aimait me chanter des mantras quand j'étais enfant. Les mantras sont des vers contenant des sons, qui ont des effets profonds sur la conscience. Mon père croyait qu'ils permettent d'ouvrir le cœur et d'accéder à une grande conscience.

Le mantra qu'il préférait était le Gayatri ; il me le chantait quand j'étais encore dans le ventre de ma mère et me l'a appris quand j'étais toute petite. C'est le mantra le plus vieux et le plus puissant de tous, il purifie la personne qui le chante et les personnes qui écoutent. Le sens en est le suivant : « Que tous les êtres sur la terre atteignent l'éveil ! » Cependant, comme c'est le cas pour tous les mantras, le sens des mots est moins important que l'effet de leurs vibrations sur les centres d'énergie du corps. Chaque soir, nous chantions le Gayatri et d'autres mantras, ainsi que des vers tirés du livre des textes sacrés de l'Inde, *Le Bhagavad Gita*. Bien que j'aimais chanter ces vers, je ne voyais pas comment cela se rapportait à moi.

En y pensant bien, mon enfance offrait des occasions peu banales, mais tout ce que je souhaitais à l'époque, c'était d'être « normale ». Mes parents étaient beaucoup plus âgés que ceux de mes amis ; quand je suis venue au monde, ma mère avait trente-huit ans et mon père en avait quarante-neuf. Nous étions végétariens, nous n'avions pas la télévision, et pour nous asseoir, au lieu de fauteuils confortables, nous avions des chaises de méditation en bois que mon père avait fabriquées. Elles étaient très belles, néanmoins tout ce que je souhaitais était d'amener des amis dans une maison où il y aurait eu des fauteuils en cuir, une télévision et des parents qui auraient été comme tout le monde.

En fait, je ne sentais pas appartenir à l'un ou l'autre des deux mondes — celui de mes parents ou le monde prétendu normal — et je ne savais pas vraiment ce que j'avais à offrir. Ma mère avait des talents et des habiletés, et mon père avait les siens. Cependant, même si ma mère me disait que j'avais du talent et une bonne oreille, la pratique quotidienne était pour moi une corvée ; cela m'apportait peu de joie. J'aimais la musique, mais je ne comptais pas en faire toute ma vie. Il me fallait seulement avoir confiance qu'un jour je trouverais ma vocation.

C'est alors que tout a changé. Ma mère et moi avons rencontré un maître spirituel que nous avons aimé et à la fin du lycée, mes parents m'ont permis de partir vivre en Inde dans la communauté qu'il avait fondée. Dès mon arrivée, peut-être pour la première fois de ma vie, je me suis sentie chez moi dans le monde. Mon existence était encore peu ordinaire, cependant cette fois, c'était moi qui l'avais choisie. Rapidement, j'ai découvert que la participation à la musique sacrée, laquelle était l'élément central des rencontres qui avaient lieu le soir à notre communauté, était pour moi une bénédiction. J'aimais particulièrement chanter les cantiques qui embellissaient nos méditations. Le simple fait de chanter en groupe sur un mode méditatif me remplissait de joie.

J'ai fini par me lier d'une amitié très spéciale avec un Anglais qui se nommait Miten, il faisait partie du groupe de musiciens qui accompagnaient nos chants du soir. Immédiatement, nos cœurs se sont rejoints, malgré le fait que j'aie vingt ans et qu'il en ait quarante-deux. Je voulais chanter avec son groupe, mais quand j'ai demandé à Miten d'écouter ma voix, il a dit qu'elle n'avait pas le style approprié, qu'elle était trop classique. J'étais déçue, néanmoins, comme je n'avais pas l'ambition d'être chanteuse, cela ne m'a pas causé de problème. J'ai simplement continué à chanter avec le grand groupe en me fondant de plus en plus avec la musique.

Quelques mois ont passé, et un jour, Miten m'a réentendue chanter. Cette fois, il a approuvé en souriant. À partir de là, il m'a permis de faire partie du groupe des méditations ; je chantais des harmonies avec lui et je jouais du clavier.

J'avais de l'oreille et une bonne éducation en théorie de la musique ; ce qui m'a bien servie. J'ai découvert que je pouvais chanter des harmonies naturellement, j'inventais mes propres accords, me surprenant moi-même ainsi que mon mentor. Miten m'a appris à improviser. Cela m'a libérée et m'a permis de vivre simplement le moment, sans penser à ce qui viendrait ensuite. Pour la première fois de ma vie, je n'avais pas besoin de lire une partition ni d'obéir à des règles classiques strictes. Je pouvais faire preuve d'autant d'audace que je le souhaitais.

Je savourais la liberté que j'avais de m'exprimer et je me réjouissais de pouvoir laisser vagabonder ma voix.

Lors des méditations du soir, nous ne donnions pas de spectacles, mais nous accompagnions les chants. Il y avait deux mille personnes dans la salle tous les soirs, et nous nous tournions tous dans la même direction. Les musiciens étaient à l'arrière. Je pouvais faire des erreurs sans me sentir mal à l'aise. C'était parfait. Il me fallait avoir le courage de me tromper si je voulais trouver ma voix. Celle-ci changeait sans que cela soit le résultat d'une pratique ou d'un entraînement technique ; le changement se faisait de l'intérieur. Quand mon cœur ou ma conscience s'ouvrait à quelque chose de nouveau, un changement se produisait dans ma voix.

Pendant quelques années, j'ai été l'élève de Miten. Nous avons commencé à voyager en Europe, à donner des concerts et à offrir des ateliers sur la voix. Pour ouvrir la voix, nous utilisions la musique sacrée des différentes cultures. Je jouais toujours un rôle de soutien auprès de Miten, l'accompagnant de ma voix et du clavier et codirigeant les ateliers. J'étais trop timide pour chanter seule. Malgré les encouragements que me prodiguait Miten, quand j'essayais, ma voix était chancelante et mal assurée. Néanmoins, au fond de mon cœur, j'espérais qu'un jour je contribuerais d'une manière égalitaire à notre partenariat musical.

Au fil des ans, je me suis mise à penser que cela n'arriverait jamais. Puis, un jour, en Angleterre, j'ai entendu une femme chanter la chanson préférée de mon enfance, le mantra Gayatri. À l'adolescence, je m'étais éloignée de la récitation des mantras. Quand j'ai entendu la mélodie simple et obsédante, des larmes me sont montées aux yeux. Me souvenant des mots et de la mélodie, je me suis mis à chanter à voix basse avec la femme. À partir de ce moment, j'ai commencé à chanter ce mantra dans nos concerts, ma voix tenant le rôle dominant. Aussitôt, j'ai eu l'impression d'être arrivée à bon port. Je ne sentais plus ni timidité ni conscience de moi-même, et ma voix sonnait tout à fait juste.

Enfin, j'avais trouvé mon chant ! J'avais trouvé quelque chose qui semblait « mien ». Nous avons continué à mettre le mantra Gayatri au programme de nos concerts, et soir après soir, j'ai observé les gens être touchés par ce mantra. Je me suis mise à chercher d'autres mantras, et un par un, ils sont revenus dans ma vie. Les gens savaient que j'aimais les mantras, c'est pourquoi ils venaient vers moi et me disaient : « Hé ! J'ai un mantra pour toi ! » et ils se mettaient à le chanter. Au début, je ne chantais que les airs traditionnels, mais après quelque temps, Miten et quelques autres musiciens du groupe ont commencé à créer leur propre mélodie, et je me suis rendu compte qu'elles avaient le même pouvoir que les mélodies traditionnelles. C'est ainsi que nous avons créé une nouvelle musique, à la fois traditionnelle et contemporaine.

Maintenant que ma voix jouait le rôle dominant dans le groupe, Miten a suggéré que j'enregistre un CD. Lui et moi étions des amis et des partenaires de vie depuis déjà de nombreuses années. Notre but était de créer un album pour les gens qui assistaient à nos ateliers. Nous sommes revenus en Allemagne, et tout s'est arrangé comme par magie. Nous avons procédé à l'enregistrement dans l'appartement de ma mère : celui-là même où j'étais née et où, autrefois, pendant des années, on avait chanté pour moi le mantra Gayatri. Sur le CD, que nous avons appelé *The Essence*, j'ai chanté tous mes mantras préférés.

Le CD a été accueilli avec un enthousiasme qui dépassait nos rêves les plus fous. Bientôt, les commandes ont afflué et il nous fallait continuellement refaire nos stocks ! En Europe et en Amérique, mon disque a pris la tête du palmarès New Age, et en Allemagne, il est toujours parmi les dix meilleurs vendeurs après cinq ans. Plus tard, nous avons enregistré d'autres CD : ils ont été accueillis avec amour et appréciation et ont été de grands succès de vente partout au monde.

Miten et moi adorons donner des concerts et faire connaître les mantras. Nous chantons tous les deux, et Miten joue de la guitare. Nos concerts sont comme une méditation. Nous encourageons les gens à chanter avec nous et à aller profondément en eux. La nature des mantras est de nous conduire au silence, c'est pourquoi nous demandons aux gens de ne pas applaudir après les chants. Des centaines de personnes sont assises dans un silence tel qu'on entendrait voler une mouche. Plus profond est le silence, plus grande est l'appréciation. Les gens retournent chez eux ressourcés. Quand vous faites silence, la musique demeure en vous et vous l'amenez avec vous.

Il m'arrive quelquefois, au milieu du profond bonheur que je ressens à chanter, d'entendre une petite voix me dire : « Si tu fais cela si facilement, c'est que cela doit être sans valeur. » Je sais que c'est l'ego, toujours prompt à affirmer qu'il n'y a que les tâches difficiles qui en valent la peine, qui parle. Il est toujours prêt à me susurrer à l'oreille : « Cela n'est rien. Tout le monde peut le faire. » Je ris quand je me rends compte que, encore maintenant, après tous les témoignages d'amour que j'ai reçus de tant de personnes, mon ego essaie encore de déprécier mon talent. J'apprends à garder le sourire devant ce petit monstre et je continue à chanter.

J'éprouve une profonde gratitude à la pensée que dans ma vie, la spiritualité, la créativité, le travail et l'amour se ramènent à une même chose. Cela arrive quand vous trouvez votre chanson : le cadeau unique que vous apportez à l'univers. Cela se réduit à faire ce qui vous vient naturellement, aussi naturellement que respirer, sans obligation ni rationalisation. Les animaux et les végétaux nous en donnent l'exemple d'une manière grandiose. Chacun semble parfaitement satisfait du talent qu'il a reçu. Je n'ai jamais vu un oiseau s'efforçant d'être plus beau qu'il ne l'est ni essayer d'émettre un chant plus recherché que celui dont le ciel l'a pourvu.

En tant qu'êtres humains habités d'une âme, nous devons avoir le courage de trouver le chant qui nous est propre, et la confiance nécessaire pour le reconnaître et lui rendre hommage. Pour ma part, ma vie a pris son envol quand j'ai trouvé le mien.

« Je n'ai jamais vu un oiseau s'efforçant d'être plus beau qu'il ne l'est ni essayer d'émettre un chant plus recherché que celui dont le ciel l'a pourvu. »

— Deval Premal

18- L'humilité

Le grand magicien Doug Henning a déjà habité dans ma rue. En fait, j'étais là lors de son mariage avec une femme splendide qui s'appelait Debbie. Ce fut un événement magique et magnifique où se mêlaient la beauté, l'amour et les tourterelles blanches que le magicien, s'amusant à tisser ensemble le merveilleux et le sacré, faisait surgir des plis de la longue robe de mariée de Debbie.

Doug semblait toujours prêt à s'émerveiller, et il adorait provoquer l'émerveillement chez les autres grâce à sa magie. Cependant, il avait presque oublié pourquoi il était devenu magicien jusqu'au jour où une rencontre étonnante le lui a rappelé. Lors d'une tournée qu'il effectuait, on lui a demandé de donner un spectacle devant un groupe d'Inuits. Dans une entrevue rapportée dans la revue MAGIC, *The Magazine for Magicians*, il a raconté ce qui s'est produit :

Nous étions à l'entrée d'une petite ville dans une région sauvage, située à six cents kilomètres du Pôle Nord ; il faisait 50 sous zéro. Je donnais mon spectacle dans un petit édifice, et les Inuits sont venus y assister. Ils s'étaient assis sur le sol dans leurs parkas, et je leur ai fait des numéros qui, selon moi, étaient très bons. Ils sont restés assis là, sans sourire, sans dire un mot et, à la fin, personne n'a applaudi. Néanmoins, leur attention était complètement concentrée sur moi, comme si j'étais une sorte de phénomène. Un seul d'entre eux parlait anglais. Je lui ai demandé : « Avez-vous aimé le spectacle ? »

« Oui, nous aimer spectacle », a-t-il répondu.

J'ai ensuite demandé : « Est-ce que tout le monde aime la magie ? »

Il a rétorqué : « Magie ? »

Je lui ai alors expliqué que j'essayais de divertir les gens.

Il a ajouté : « Divertir les gens, c'est bien. Mais pourquoi faire de la magie ? Le monde entier est magique. » Nous nous sommes assis sur le sol et il a poursuivi : « La neige qui tombe, c'est de la magie ; tous les petits cristaux sont complètement différents les uns des autres, c'est de la magie. »

J'ai répliqué : « Mais je fais apparaître un lapin et des colombes, que pensez-vous de cela ? »

« Pourquoi faire cela, a-t-il continué, c'est de la magie quand, chaque printemps, le morse apparaît ; on ne sait d'où il vient. C'est de la magie. »

Maintenant, je comprenais et j'essayais de lui expliquer ce qu'était la magie. J'ai pensé à mon Zombie, qui, selon moi, est ce que je fais de mieux. Je lui ai dit : « J'ai fait flotter cette magnifique balle d'argent dans l'air ; c'est de la magie. »

« Oui, mais il y a une boule de feu flottant dans le ciel tous les jours qui nous apporte de la chaleur et de la lumière ; cela est de la magie. »

Les Inuits se sont mis alors à discuter entre eux. L'homme est revenu vers moi, arborant un large sourire et m'a déclaré : « Nous comprenons maintenant ce que vous faites. Comme les gens de votre peuple ont oublié la magie, vous en faites pour leur rappeler qu'elle existe. Bravo ! »

Je me suis mis à pleurer. J'ai répondu : « Merci de m'avoir appris des choses sur la magie que j'ignorais. »

C'était la première fois que je prenais conscience de ce qu'était l'émerveillement. C'est la chose la plus mémorable qui ne me soit jamais arrivée. Jamais, je ne l'oublierai.

S'il vous arrivait de voir Doug en spectacle, vous constateriez le respect dont il fait preuve devant le miracle de la vie. Doug a donné un spectacle, intitulé *The Magic Show*, qui, après avoir tenu l'affiche pendant quatre ans sur Broadway, s'est transformé en une émission de télévision à grand déploiement, intitulée *The World of Magic*, qui a été diffusée chaque année et que des millions de téléspectateurs ont eu l'occasion d'apprécier. Néanmoins, son expérience avec les Inuits l'a rendu humble et a changé son existence pour le reste de ses jours. Dans son cas, l'humilité a été le résultat d'une simple conversation avec quelqu'un dont la perception de la vie était différente de la sienne et aussi plus profonde.

Cependant, trop souvent, dans notre culture, nous apprenons l'humilité par les échecs ou les évènements tragiques. Des personnes deviennent humbles à la suite de la menace d'une maladie fatale, d'un événement funeste, de la ruine, ou la perte de quelque chose qu'elles s'attendaient d'obtenir. Dans notre société, l'humilité n'est pas une vertu souhaitée ni cultivée, car elle est perçue comme de la faiblesse. Si nous faisons preuve d'humilité, nous disons-nous, où trouverons-nous le pouvoir d'être gagnant et de réussir dans la vie ?

Cependant, l'humilité vraie n'est pas de la faiblesse ; c'est simplement reconnaître que nous sommes un élément d'un grand ensemble. L'humilité est souvent accompagnée par de la gratitude et le sentiment que la réussite, quelle qu'elle soit, est une grâce de Dieu plutôt que le résultat d'actions que nous avons posées. C'est le sentiment d'être emporté dans le fleuve de la vie.

Les gens qui connaissent Eileen Danneman, l'auteure de l'histoire qui suit, pourraient trouver amusant de voir son nom associé à l'humilité. Eileen est une militante engagée aux plans social ou politique qui se bat avec ténacité pour les causes qui lui tiennent à cœur. Néanmoins, l'impuissance qu'elle a expérimentée, un jour, sur le flanc d'une montagne dans le midi de la France, l'a fait tomber à genoux, au propre et au figuré. Des circonstances difficiles et les révélations qu'elle a reçues au moment d'y faire face l'ont rendue humble ; un sentiment de gratitude envers la vie l'habite à tout jamais.

L'histoire de Eileen Danneman
La quête

Le brillant hélicoptère rouge et l'homme en habit jaune qui y était suspendu descendaient dans la vallée et me faisaient penser à ces jouets Lego vivement colorés avec lesquels s'amusaient mes enfants lorsqu'ils étaient petits. Toutefois, ce n'était pas un jeu ; on venait me tirer d'une petite grotte se trouvant sur le flanc de granit glissant d'une montagne dans le midi de la France dans laquelle je m'étais réfugiée.

On m'avait proposé de me joindre à un groupe qui voyageait dans le midi de la France. Le circuit comportait une excursion surprise dont le but était de suivre le sentier du Saint Graal. Selon la légende, le Saint Graal est la coupe dans laquelle le Christ a bu lors de la dernière cène et dont Joseph d'Arimatie se serait servi pour recueillir le précieux sang lors de la crucifixion. L'histoire raconte qu'après la crucifixion, un groupe de disciples de Jésus, forcés par les dirigeants de quitter Israël, seraient venus en France emportant avec eux la fameuse coupe, jugeant qu'elle serait en sécurité avec eux. Un millier d'années plus tard, de nombreux chevaliers de l'Europe médiévale, dont les chevaliers de la table ronde du roi Arthur, ont fait de la recherche de cette coupe une quête sacrée.

Les érudits débattent de la question de savoir s'il s'agit là d'une légende ou de la pure vérité. Néanmoins, il existe des documents d'époque qui attestent du chemin parcouru par le groupe de disciples qui ont apporté le Graal en Europe, et j'étais heureuse de pouvoir marcher sur ces traces anciennes. J'associais la quête des chevaliers du moyen-âge à la recherche d'un contact profond avec la divinité. Depuis de nombreuses années, je poursuivais ma propre recherche de Dieu. Ce voyage me semblait une occasion de progresser dans ce sens. J'espérais entrevoir une nouvelle perspective de la question, et même — pourquoi pas ? — une révélation.

Lors de précédents voyages, nous avions été en Israël et en Turquie. Maintenant, nous étions dans le midi de la France en train de suivre la route que Marie-Madeleine et son entourage avaient prise après leur arrivée dans la région sur un petit radeau. J'arrivais de New York et j'avais peu dormi lorsque nous avons entrepris l'ascension de la montagne Sainte-Beaumes, où, disait-on, Marie-Madeleine et son frère Lazare, sa sœur Marthe et leur servante Sara avaient vécu pendant de nombreuses années.

N'emportant qu'un bâton et une bouteille d'eau, je me suis rapidement éloignée du groupe qui faisait l'ascension de la montagne. J'étais poussée vers le côté est de la montagne, me disant que Marie-Madeleine y était certainement venue observer le lever du soleil.

Je grimpais et les virages étaient nombreux. Chaque fois, j'atteignais ce qui semblait une voie sans issue. Cependant, je me sentais toujours poussée à aller au-delà, une fois encore, seulement une fois pour voir ce qu'il y avait de l'autre côté. Il n'y avait aucune affiche interdisant l'ascension dans ce sentier, et la difficulté de la randonnée n'excédait pas mes capacités, aussi le fait de trop m'éloigner des autres ne m'inquiétait pas. Tard dans l'après-midi, j'ai finalement atteint un sommet qui était surmonté d'un tas de pierres et d'un simple crucifix en bois. De nombreux voyageurs s'étaient rendus jusque-là, cependant on pouvait voir que c'était des gens qui avaient mis du cœur dans cette randonnée, car la marque était faite à la main et ne comportait rien d'officiel.

J'étais émue par cette démonstration de foi et j'ai pris quelques moments pour apprécier la profonde tranquillité de l'endroit. Puis, un petit vent s'est levé et mon attention a passé du sublime au terre-à-terre. Je me suis rendu compte que le jour tombait rapidement et qu'il me fallait rentrer en hâte à l'hôtel où j'avais rendez-vous avec les autres. J'ai pris le chemin du retour, mais bientôt, j'ai pris conscience qu'il n'y avait plus de repères sur le sentier, ou du moins des repères qui avaient un sens pour moi. Il y avait seulement des sentiers de chèvres qui menaient en bas de la montagne. Je m'y suis engagée. Toutefois, après un moment, j'ai pris conscience avec une anxiété croissante qu'il était possible que les chemins de chèvres ne mènent pas à l'hôtel.

J'essayais de trouver une meilleure route, mais le terrain avait changé : il devenait de plus en plus difficile. Je me suis finalement arrêtée. Je regardais au bas de l'immense montagne de granit, puis au loin, à gauche et à droite. Aussi loin que se portait mon regard, le paysage ressemblait à du verre pur que ne troublaient ni les habituelles aspérités du sol ni les affleurements. Beaucoup plus bas, j'ai cru apercevoir la large piste que nous avions prise au départ. Désireuse de rejoindre le groupe à temps, je me suis dit que la plus courte distance entre deux points était la ligne droite.

Je me suis donc mis à descendre de la seule façon qui m'apparaissait possible : verticalement, en suivant la trace d'une chute asséchée. L'inclinaison de la longue pente de cette montagne de granit était d'environ quatre-vingts pour cent. Je glissais vers le bas en contournant d'immenses rochers et en m'accrochant aux quelques rares arbres qui poussaient entre les pierres. J'étais de plus en plus consciente de la gravité de la situation.

Je suis finalement arrivée à ce que je croyais être la large piste pour me rendre compte que ce n'était rien du tout. Accrochée à mon dernier arbre, voilà où j'en étais. Me penchant un peu de côté, j'ai remarqué que j'étais suspendue au-dessus d'une petite proéminence qui émergeait de la face plate de la montagne. J'étais arrivée à la fin de mon parcours, mais il n'y avait pas de terre en vue. Je ne sais comment, j'avais eu l'illusion qu'un sentier existait là où il n'y avait rien que de l'air. Je me suis dit en moi-même : *Eileen, ma chérie, cette fois tu es cuite.*

Je me suis retournée face à la montagne. J'étais à moitié debout, à moitié couchée, le front appuyé contre la montagne, l'étreignant comme une poupée qui aurait été pourvue de ventouses aux genoux et aux mains. Je ressemblais à ces choses que l'on colle sur la porte du réfrigérateur. En regardant vers le haut, j'ai pensé que je ne pourrais refaire à l'inverse le chemin par lequel j'étais venue, les racines des végétaux ne pourraient supporter mon poids. De plus, les rochers ne seraient d'aucune utilité non plus, car ils n'avaient pas de saillies auxquelles j'aurais pu prendre appui pour me tirer vers le haut. À ma gauche et à ma droite, il n'y avait rien d'autre que du granit gris qui ressemblait à du verre pur. Horrifiée, je regardais, plusieurs centaines de mètres plus bas, la forêt d'où je venais. Il n'était pas question de plaisanter. J'avais un sérieux problème.

J'ai aperçu un petit rebord triangulaire d'un demi-mètre environ qui saillait sur le mur de granit près de mon pied gauche. J'y ai posé mon pied, j'ai sauté dessus, et je m'y suis assise pendant environ dix secondes. Le rebord était si étroit et l'altitude si impressionnante que je suis devenue immédiatement tout étourdie. Je me suis relevée promptement et je me suis remise face à la montagne, l'enserrant à nouveau de mes bras.

Je me considère une personne qui aime l'aventure. Depuis des années, je milite à l'échelle internationale pour des causes qui me tiennent à cœur, je sais faire preuve de stratégie dans des situations délicates. Cela est habituel pour moi. Cependant, cette fois, il était impossible que je me sorte de ce mauvais pas sans aide. Impossible. J'ai fermé les yeux et humblement, j'ai demandé à Dieu de me guider et de me protéger.

Je me suis mise à regarder autour de moi à la recherche de quelque chose qui pourrait me sauver la vie. À ma droite, j'ai remarqué qu'il y avait une petite cavité dans le flanc de la montagne. Un petit chêne en émergeait. En me penchant suffisamment, j'ai pu attraper l'arbre et me propulser dans la grotte minuscule. Sans trop d'effort, je me suis roulée en boule et je suis parvenue à m'ajuster à cet espace réduit.

Je suis restée là, lovée dans cette petite cavité sur le flanc de la montagne de Marie-Madeleine. Les heures s'écoulaient et j'ai envisagé la possibilité de mourir. Ce n'était peut-être pas un si mauvais endroit pour mourir après tout. *Mieux que de mourir chez Bloomingdale's*, ai-je songé.

Puis, j'ai pensé que les membres du groupe avaient sans doute remarqué mon absence et demandé que l'on parte à ma recherche. Et c'est ce qui était arrivé. Au loin, j'entendais le tourbillonnement des pales d'un hélicoptère. Me penchant vers l'extérieur, j'ai vu l'appareil émerger à l'horizon. Il s'est approché. Dans une tentative désespérée pour attirer son attention, j'ai agité ma veste Ann Taylor blanche. Cela n'a rien donné. Vue de l'hélicoptère, je n'étais pas plus grosse qu'une mouche sur le mur. Je me suis effondrée quand j'ai constaté que mon sauveteur aux lames d'acier disparaissait en battant l'air dans le soleil couchant.

Bientôt le ciel s'est assombri. Je me suis préparée pour la nuit, essayant de trouver une façon confortable de me couler dans le roc. J'étais épuisée, mais j'hésitais à me laisser aller au sommeil, de peur de dégringoler. Toute la nuit, je me suis efforcée de ne pas perdre espoir et j'ai combattu pour rester éveillée. Seule, dans la montagne de Marie-Madeleine, j'avais tout mon temps pour réfléchir au sens de la vie. Des mots que Jésus avait prononcés un jour emplissaient mes pensées : « Et je vous enverrai un consolateur ». Je songeais aux personnes qui meurent du cancer et à toutes celles dont Mère Térésa s'est occupée. Tous, nous subissons des épreuves, mais le réconfort existe. Voilà la clé. Que j'étais reconnaissante de sentir que des anges étaient près de moi et m'apportaient du réconfort durant l'épreuve. Enfin, les lueurs de l'aube sont apparues, et j'ai vu le soleil se lever, le même que Marie-Madeleine avait vu se lever il y a deux mille ans.

Plusieurs heures plus tard, j'ai entendu des voix très loin, plus bas que l'endroit où j'étais. Le soulagement que j'ai ressenti était indescriptible. Je voyais des petits hommes et des petites voitures ratissant la forêt. J'ai pensé que la police française avait cessé les recherches au sommet de la montagne et qu'ils en exploraient maintenant la base, pensant sans doute que j'avais pu dégringoler. J'ai enlevé en me tortillant ma salopette lavande et je l'ai accrochée à un bâton que j'ai trouvé dans la grotte. Quand je me suis retournée vers le ciel bleu et pur pour agiter mon drapeau, l'étonnement m'a coupé le souffle.

Au-dessus de moi flottait un nuage dont la forme rappelait sans s'y tromper, celle d'un élégant chevalier, la main gauche levée vers le haut et la main droite pointée vers le bas. Et ce n'est pas tout. Au-dessus de la main levée, il y avait un autre nuage dont la forme rappelait cette fois celle d'un immense gobelet, une coupe de vin, qui ressemblait beaucoup à la représentation du Saint Graal de notre guide.

Pendant un instant, j'ai été saisie sous le choc, ébahie et incrédule devant ce que je voyais. Je me suis ramenée en sursautant à ce qui m'occupait. Je me suis mise à agiter mon drapeau lavande et à lancer des cris en direction des hommes plus bas. Ils ne m'ont pas vue au début, mais les claquements de ma salopette ont fini par attirer leur attention. Ils ont agité les bras et m'ont fait signe qu'ils envoyaient un hélicoptère.

Soulagée, je me suis laissée retomber dans la grotte et j'ai concentré mon regard sur les nuages aux formes étonnantes qui, maintenant, se dissipaient en buée. Envahie par un profond sentiment d'humilité, j'ai savouré ce moment de grâce. J'avais compris le message.

Le gobelet était de la même taille que le chevalier. En fait, il était de la taille d'un être humain. Voilà qu'ici sur cette montagne désolée, m'était confirmé par les nuages le fait que *le*

Saint Graal est le corps humain ; que celui-ci est un temple par lequel et à travers lequel nous faisons l'expérience de Dieu. Le corps est le vase qui contient l'amour de Dieu… plutôt non, qui est l'amour de Dieu. La quête dans laquelle nous sommes tous engagés n'est pas de trouver quelque chose d'extérieur à nous-mêmes, mais de nous trouver nous-mêmes. De faire l'expérience que ce vase délicat, le corps humain, est le réceptacle de Dieu. J'ai senti cette profonde vérité dans chaque cellule de mon corps, et j'ai su que désormais, je comprenais le sens de toute vie.

Peu de temps après, le bruit familier de l'hélicoptère s'est fait entendre. Volant un peu haut, le pilote ne m'a pas vue tout de suite. Puis, il m'a aperçue et s'est dirigé directement vers moi. L'hélicoptère était d'un rouge brillant et avait l'air flambant neuf. À l'intérieur, je voyais un homme qui portait un habit jaune vif et un casque appareillé. C'était une vision magnifique. Bientôt, l'homme en habit jaune fut suspendu à un câble et dirigé vers moi.

Le tourbillonnement des pales de l'hélicoptère créait un tel déplacement d'air que je fus presque balayée de la face de la montagne. Après avoir survécu par mes propres moyens pendant tout ce temps, voilà qui aurait mis fin d'une manière ironique à l'aventure, ai-je pensé. L'homme en jaune est finalement arrivé à moi et m'a saisi le bras. Il a sauté sur le rebord et, me regardant intensément dans les yeux, m'a enroulé le câble autour de la taille et a fait un geste vers l'hélicoptère pour qu'on me hisse. Pendant que je me balançais dans l'air, il est resté derrière sur le rebord.

Je fus ramenée en sécurité vers le bas dans un groupe d'environ trente policiers français qui m'apparaissaient tous plus beaux les uns que les autres. Je les remerciais à profusion de m'avoir sauvé la vie. J'étais pleine de gratitude et de soulagement d'avoir de nouveau les pieds sur la terre ferme. J'étais saine et sauve. Je me suis dégourdi les jambes et j'ai étiré les bras, j'ai regardé mes membres avec amour. J'avais un nouveau respect pour ce corps qui était le mien. N'est-il pas le réceptacle de l'amour de Dieu ? Je le chéris et je poursuis ce qui est le but de ma vie : le remplir à ras bord.

« La quête dans laquelle nous sommes tous engagés n'est pas de trouver quelque chose d'extérieur à nous-mêmes, mais de nous trouver nous-mêmes. »

— Eileen Danneman

19- La grâce

La grâce est une expérience mystérieuse et inattendue de compréhension, d'acceptation, d'abandon, de reconnaissance ou de solution. C'est un cadeau d'une valeur inestimable. Quand j'ai quitté l'Afrique occidentale pour voyager un an autour du monde, j'ai eu l'occasion de connaître des centaines de personnes, d'endroits et d'animaux qui m'ont laissé un souvenir inoubliable. Toutefois, deux évènements se rappellent à moi comme des moments de grâce parfaite. Ces deux évènements se rapportent au domaine de la nature.

J'étais au Népal et je me préparais à faire de la randonnée dans l'Himalaya. J'avais en main le permis de randonnée que le gouvernement émet et que tous les touristes qui souhaitent se promener dans les montagnes himalayennes doivent posséder. Le jour avant mon départ, ma chambre à Katmandou fut ébranlée par un tremblement de terre : une petite secousse qui dura à peine quelques secondes. À cette époque, j'étais téméraire. Néanmoins, j'ai eu l'intuition que partir seule dans l'Himalaya n'était pas une bonne idée. Je n'avais pas de partenaire de voyage à ce moment-là et je devrais faire l'excursion avec des gens qui ne parlaient pas anglais. De plus, j'avais entendu des anecdotes inquiétantes à propos de la nourriture. L'hépatite était une maladie fréquente chez les voyageurs. Et il n'y avait pas d'hôtels où je me rendais.

J'ai donc plutôt décidé de prendre l'autocar pour me rendre dans la magnifique vallée de Pokara, qui était seulement à quelques heures de voyage de Katmandou. Le ciel était nuageux et, avant d'arriver à la vallée, on n'y voyait pas grand-chose. Néanmoins, le jour suivant mon arrivée, le ciel s'est éclairci. J'ai loué une petite barque au camp où je logeais et j'ai ramé jusqu'au milieu de lac Pokara. Je me suis ensuite couchée sur le dos, le regard levé vers la magnifique chaîne de montagnes Annapurna, avant-poste de l'Himalaya. Je suis demeurée là toute la journée à admirer la lumière qui changeait sur la face des montagnes à mesure que le soleil se déplaçait dans le ciel.

Durant le trajet de retour à Katmandou, coincée sur la banquette arrière d'un taxi entre deux Népalais, j'ai senti soudain les poils de mon cou se dresser et des frissons me parcourir l'épine dorsale. Quelque chose m'a fait me retourner et j'ai pu contempler le mont Everest pour la première fois. Pendant un instant, mon esprit s'est arrêté, et je me suis mise à pleurer. Le fait de contempler la beauté et la majesté du plus haut sommet du monde me faisait vivre l'expérience de la divinité et touchait en moi quelque chose que je ne connaissais pas.

La seconde expérience s'est produite peu de temps après. J'ai quitté Katmandou dans un autocar en direction de l'Inde. Après avoir voyagé de nombreux mois dans d'autres pays, je revenais finalement en Inde, où j'avais d'abord mis le pied en arrivant d'Afrique. Je me dirigeais vers Bénarès ou Varanesi, la ville sainte de l'Inde. C'était la première fois que j'allais voir le Gange et j'avais hâte.

Le trajet en autocar a duré toute la journée et une partie de la nuit. Nous sommes arrivés à Bénarès bien avant l'aube. Dans le noir, je me suis rendue au fleuve en demandant mon chemin aux gens, déjà debout, que je rencontrais dans les rues. J'ai trouvé un *ghat*, c'est-à-dire une série de marches descendant vers le fleuve. J'avais l'intuition que j'étais près de celui-ci. J'ai déposé mes sacs sur les marches et je me suis assise pour attendre le lever du soleil.

J'entendais le bruit du fleuve léchant les marches. L'aube approchait et j'entendais aussi des bruits d'eau que l'on verse ; finalement, j'ai aperçu un homme, debout dans l'eau, vêtu d'un *dhoti*, qui procédait à sa prière du matin et à ses ablutions. Vers cinq heures, les premiers rayons du jour ont dévoilé le Gange devant mes yeux. Je me suis mise à observer la lumière onduler à la surface des eaux or et noir, l'esprit et le corps dans un état de profonde tranquillité. Je me sentais en paix comme jamais auparavant. Je vivais un de ces moments où la grâce se manifeste et où l'expérience du sacré nous est révélée.

Une autre magnifique image de la grâce m'a été donnée par la musicienne, auteure et conseillère Susan Sussman. Selon elle, la grâce touche l'essentiel de la nature de Dieu. Quand elle songe à la grâce, m'a-t-elle dit, l'image qui lui vient à l'esprit est celle qui nous est familière en automne, soit de la feuille qui tombe et flotte doucement dans l'air. Voilà un moment de grâce, une danse qui va naturellement vers sa conclusion. Elle définit la grâce comme un processus unificateur qui nous permet de comprendre quelque chose d'incompréhensible ou de résoudre un problème qui nous fait souffrir, et de connaître une paix qui constitue non seulement un apaisement, mais correspond aussi à un état intérieur de confort.

Même le sens courant du mot évoque un élément de divinité. Le danseur ou l'athlète gracieux font preuve d'une compétence, d'une finesse qui suscite l'émerveillement et le respect et qui ne peut s'expliquer par le seul talent. Nous avons l'intuition que la personne est habitée par une présence divine. La même chose se passe quand nous admirons un chef-d'œuvre ou que nous entendons la musique d'un compositeur comme Beethoven. Il est certain, pensons-nous, que ces artistes sont inspirés par la grâce divine.

Toutefois, la grâce peut prendre de nombreuses formes. La capacité de comprendre le sens d'un événement tragique constitue une certaine manifestation de la grâce. Le fait de pouvoir aimer, particulièrement sans conditions, relève de la grâce. Et tout ce qui nous permet, dans une certaine mesure, d'atteindre la paix est une forme de grâce. Nous ne pouvons l'exiger ni la demander. Et il faut être vigilant pour remarquer sa présence quand elle est là.

Selon moi, la grâce est toujours là ; il s'agit simplement d'être attentif.

L'histoire de Nancy Bellmer nous donne l'exemple de quelqu'un qui a remarqué la présence de la grâce dans sa vie et elle nous montre aussi comment accueillir la grâce et comment l'utiliser pleinement.

Cela me rappelle la scène de la production *Our Town* de Thornton Wilder, dans laquelle, après sa mort, le personnage d'Emily, jetant un regard sur sa vie, dit : « Oh, terre, tu es trop merveilleuse pour qu'on se rende compte. » Elle se retourne ensuite et demande au régisseur : « Existe-t-il un être humain qui se rende compte de ce qu'est la vie pendant qu'il est en train de la vivre ? À chaque minute ? » Le régisseur répond : « Non », mais après un moment de réflexion, ajoute : « Les saints et les poètes, si, peut-être un peu. »

Selon moi, Nancy Bellmer et son mari Rick sont des saints.

L'histoire de Nancy Bellmer
Un bain de lumière

Nous l'avons presque perdu avant qu'il naisse. En 1982, je suis enceinte de sept mois de mon fils Braden, lorsqu'on m'emmène à l'hôpital de Reno, au Nevada. Nous apprenons, mon mari et moi, que je perds du liquide amniotique et que le bébé pèse tout juste un kilo.

Selon les médecins, il me faut porter Braden aussi longtemps que possible, et si je me rends à trente-sept semaines — soit trois semaines avant que la grossesse n'arrive à terme — je pourrai donner naissance à notre fils dans notre salle d'accouchement de Lake Tahoe, et non à l'hôpital de Reno. Cependant, la probabilité que le bébé naisse d'ici une ou deux semaines est si forte qu'ils nous recommandent de demeurer à Reno ; ce que nous faisons pendant deux semaines environ.

Pendant ces deux semaines, je me concentre très fort sur l'idée de garder mon bébé. Rick et moi pratiquons la méditation depuis plusieurs années, mais c'est la première fois que je me concentre consciemment pour atteindre un résultat particulier. Et nous réussissons ; au moins jusqu'à minuit le jour précédent la date établie par la règle des trois semaines fixée par mon médecin.

Heureusement, nous sommes assez près du terme, et après une courte période de travail de quatre heures à l'hôpital de notre région, mon fils naît. Il pèse deux kilos : il est tout petit ! Néanmoins, les médecins lui donnent la meilleure note. Il est plein de vitalité, et ses poumons sont, très certainement, en bon état. À nos yeux, il est parfait sur toute la ligne. Plus tard le même jour, nous rentrons à la maison, sentant que nous avons été grandement bénis du ciel et chérissant chaque moment de ce jour, nous nous rendons compte que tout s'est déroulé magnifiquement.

Braden grandit et, souvent, les gens disent qu'il est différent. Nos amis le décrivent comme un être bienheureux, et quelqu'un me dit même, un jour, qu'il a l'air de « marcher sur des nuages ». Quand il a un an et demi, nous partons vivre dans une petite communauté du Midwest. Il commence à fréquenter un centre de jour quelques heures par semaine et il adore cela, même à un si jeune âge. La joie constante qui l'habite et son contentement avec le monde ont un effet sur tous ceux qui le rencontrent, et même sur Rick et moi. Nous formons une famille exceptionnellement unie et aimante.

En juin 1984, Braden a un peu plus de deux ans. Ce mois-là, une amie proche de Tahoe vient nous visiter. Elle emmène son fils qui est né chez nous à Lake Tahoe. Il est d'un an plus âgé que Braden, et les deux garçons adorent jouer ensemble. Je travaille tout le temps ; j'ai ma propre affaire, une industrie artisanale. Je confectionne des aliments que je distribue dans la région. J'aime cela parce que c'est quelque chose que je peux faire chez moi.

Une nuit, pendant le séjour de notre amie, Braden fait un mauvais rêve et se met à pleurer. Je vais près de lui pour le rassurer et lui donner un massage. Il a eu un rhume et il tousse encore. « Owie, Owie, mal à la tête », répète-t-il sans relâche à travers ses pleurs, tentant de me raconter son cauchemar.

Le matin suivant, Rick mentionne qu'il a fait un rêve. Dans ce rêve, il conduit une Mercedes blanche et heurte à mort un jeune adolescent. Il aperçoit ensuite le jumeau du garçon sur le bord de la route, personnage qu'il interprète comme l'incarnation de l'âme du jeune garçon. Rick trouve ce rêve bizarre et se demande à haute voix pourquoi il a rêvé une telle chose.

Nous nous préparons ensuite pour le travail. Rick s'assoit dans l'énorme camion de livraison qu'il utilise pour le travail, et qui est stationné dans l'allée, pour consulter quelques paperasses pendant que le moteur tourne. De mon côté, je démarre la journée dans la cuisine pendant que mon amie, debout dans l'embrasure de la porte, me parle, tout en surveillant les garçons qui s'amusent à l'extérieur avec de gros tricycles en plastique. Une fois prêt à partir, Rick jette un regard autour de lui et remarque que les garçons mangent du melon sous la véranda. Il retourne à sa paperasse, la met de côté, puis, après avoir regardé dans les deux rétroviseurs, se met à reculer.

Tous les parents savent comment les enfants bougent rapidement. En un éclair irrécupérable, Braden remonte sur son tricycle, longe en pédalant le côté du camion et se trouve derrière celui-ci lorsque Rick recule dans l'allée.

J'accours auprès de Braden lorsque je l'entends crier. Son âme reste juste assez longtemps pour que j'arrive près de lui et que je lui prenne la main pendant que la vie le quitte.

À ce moment, j'expérimente une tranquillité profonde et je sens mon identité se dilater d'une manière importante. Je suis remplie d'une immense lumière qui vient d'en haut et qui m'enveloppe ; en dedans comme au dehors, je suis complètement baignée de lumière. Celle-ci ne couvre pas que moi, mais enveloppe aussi toute la situation. J'ai toujours cru en Dieu, mais quand j'expérimente cette lumière qui pénètre tout, je sais que le désir que j'ai depuis longtemps d'un contact direct avec Dieu est comblé, bien que le moment soit inattendu. La lumière est si envahissante, si immense, qu'elle éclipse le choc et le sentiment de perte qui sont aussi présents. Je me sens soutenue et protégée, l'importance et la nature de la lumière ne me permettent pas de sentir autre chose qu'elle. Il y a de la douleur, mais ce n'est qu'une petite partie de mon expérience. La lumière me permet aussi de faire preuve d'une totale acceptation et d'un total abandon ainsi que de compassion pour Rick, dont la souffrance est indescriptible.

Quand Rick se rend compte de ce qui s'est produit, il se précipite dans la maison en pleurant et en criant. Il en ressort quelques minutes plus tard et ensemble nous tenons maintenant notre petit garçon. Pendant toute l'heure qui suit, au milieu du choc physique et émotionnel et de l'arrivée des services de secours, je reste complètement enveloppée de lumière.

Après qu'on a emporté le corps de Braden, Rick et moi nous rendons dans la chambre de celui-ci pour méditer. Tous les deux, nous nous rendons compte par la suite que nous avons fait l'expérience de l'esprit de Braden comme une lueur rose et que nous avons entendu les mots : « Je vais bien ; je suis libre » être prononcés. Cela nous réconforte grandement.

Pendant cette méditation, nous nous souvenons aussi des deux rêves. Nous avons le fort sentiment qu'une prophétie s'est accomplie et que la situation dépasse notre pouvoir et notre compréhension.

Ce soir-là, quand nos voisins dans leur grande bonté nous apportent de quoi dîner, je fais l'expérience pour la première fois d'un énorme contraste entre ce qui se passe en moi et les détails prosaïques de la vie courante. Physiquement, je me sens vidée par la perte, néanmoins je suis incapable de manger. Je pense : *Si je mange cette chose-là, cela comblera mon vide et mon sentiment de perte.* Au même moment, je me sens pleine d'entrain, bienheureuse, légère : c'est l'expérience spirituelle la plus puissante que je n'ai jamais eue.

Pendant les semaines qui suivent, malgré une profonde tristesse, je me sens enrichie, ouverte et pleine d'amour. Par moments, il me semble même devoir limiter mon bonheur tellement il est incongru avec la peine et les larmes des autres. Lorsque des amis viennent nous visiter, c'est moi qui les réconforte. Ils arrivent chez nous peu sûrs d'eux-mêmes, ne sachant que dire devant une telle perte, avec des larmes dans les yeux, et ils s'en retournent transformés, car quelque chose dans notre attitude intérieure ouverte semble les avoir touchés. Les gens nous font remarquer que le sentiment d'élévation qu'ils ressentent leur permet d'acquérir une nouvelle perspective sur la mort et sur les évènements tragiques.

Je me pose certainement des questions, et surtout cette question très humaine : *Pourquoi ?* À certains moments, je me sens autant confuse que triste. Néanmoins, je n'éprouve jamais de colère, ni contre Rick ni contre Dieu, Celui grâce auquel je vis cet état d'immense et incroyable bénédiction.

Pendant les six semaines qui suivent, tour à tour, à ce qu'il semble, Rick et moi expérimentons la présence de Braden d'une manière claire et puissante. Un jour, c'est un enfant angélique. À un autre moment, nous le voyons grandir et se transformer en un jeune adulte princier. Dans la dernière image que nous avons, il apparaît clairement comme une vieille âme, portant une grande barbe et revêtu d'une robe de cérémonie ; il flotte dans l'air suivi d'un groupe d'êtres célestes. C'est la dernière « visite » qu'il nous fait. Le message de toutes ces apparitions est clair : Braden est — et sera toujours — avec nous.

Il est certain qu'à l'arrêt des visites de Braden, nous nous mettons à sentir la perte. Nous nous apercevons que nous aimons être des parents et souhaitons ardemment avoir un autre enfant, non pas pour remplacer Braden, mais pour avoir la possibilité d'être à nouveau des parents. Plus tard, nous nous rendons compte, après le cap des six semaines, quand les visites de Braden cessent, qu'il est heureux que je devienne enceinte de notre deuxième fils Shane. De toute évidence, il nous faut penser à autre chose.

La perspective de la naissance d'un autre enfant rend notre perte plus facile à accepter. Les grossesses et les accouchements deviennent aussi plus faciles. Lorsque je porte Shane, ma grossesse se déroule très bien ; l'accouchement dure deux heures. Plus tard, je donne naissance à un troisième enfant, Saralyn ; celle-ci fera son entrée dans ce monde en quarante-cinq minutes !

Quand je repense à ce qui nous est arrivé en ce mois de juin 1984, je vois aujourd'hui beaucoup de choses qui n'étaient pas claires à l'époque. Plus important encore, je sens que la grâce dont j'ai bénéficié lors de la mort de Braden est un cadeau qui, souvent, est donné, mais que l'on ne perçoit pas toujours. La perte de Braden nous a permis de voir ce que l'on peut appeler un « plan d'ensemble ». À la surface des choses, il y a l'événement tragique de la mort de notre enfant ; néanmoins, cela n'est pas tout. Il y a aussi la lumière, la grâce de Dieu, qui recouvre toute la situation.

Je prends conscience que, dans une situation, il y a toujours plus que ce qui paraît. Depuis ce mois de juin, je conserve le souvenir de l'expérience que j'ai vécue. Il devient plus facile d'accepter tous les évènements quotidiens quand nous savons que tout ce qui arrive procède d'un but qui nous dépasse et appartient à un contexte plus large. Dorénavant, je sais que la grâce est toujours à notre portée, malgré les malheurs, les combats et les tensions : c'est une simple question de choix. Quand on pense à l'existence d'un plan d'ensemble, il est plus facile de choisir.

Un autre des choix importants que j'ai fait concerne mon mari. Les gens se demandent souvent comment Rick et moi avons pu traverser tout cela et rester ensemble. Je comprends clairement ce qui nous est arrivé, quand, un jour, pour la première fois depuis la mort de Braden, je converse avec un de nos bons amis. Il veut une réponse aux questions qui m'ont été posées tant de fois : *Comment as-tu pu pardonner à Rick ? Comment a-t-il pu se pardonner à lui-même ?*

Devant la compassion de cet ami à mon égard, je me rends compte que la compassion que j'éprouve pour Rick m'empêche de le blâmer. Comme la lumière a atténué le sentiment de perte, tout ressentiment que je pourrais avoir semble anodin à côté de la compassion que j'éprouve. Je choisis de suivre la route de la compassion. Dès le départ, je sais qu'il est inutile d'éprouver de la colère ou de blâmer quelqu'un ; Rick et moi avons vécu cet événement ensemble et nous avons besoin l'un de l'autre pour survivre. Il n'a jamais été question de divorcer.

Cette année, dix-neuf ans après la mort de Braden, Rick et moi allons célébrer notre vingt-cinquième anniversaire de mariage. Il y a quelque deux ans, j'ai assisté à la remise de diplôme des étudiants de la classe dans laquelle aurait été Braden. Je voulais voir jusqu'où ces jeunes étaient allés. C'était très touchant : je me sentais l'une des mères. J'ai pleuré, non pas à cause de la tristesse que me causait l'absence de Braden, mais parce que de tels moments sont toujours poignants et aussi en pensant qu'il y a très longtemps, Braden avait déjà célébré une remise de diplôme toute spéciale avec nous.

Selon moi, il est évident que l'expérience humaine comporte deux faces. D'abord, il y a le côté humain : la partie de nous qui compose avec les problèmes que nous rencontrons au cours de notre vie et qui se rétablit de ses blessures. Ensuite, il y a le côté divin. Quand nous sommes pleinement conscients de l'existence de la divinité en nous, l'impact en est si important que la grâce dissout toutes les difficultés que nous rencontrons. Il ne s'agit pas d'éviter les problèmes de la vie ; c'est simplement une question de priorité. Cette sagesse que j'ai acquise me vient de l'immense lumière qui est demeurée en moi. Je crois qu'il s'agit du plus grand cadeau que m'a fait Braden.

« Quand nous sommes pleinement conscients de l'existence de la divinité en nous, l'impact en est si important que la grâce dissout toutes les difficultés que nous rencontrons. »

— Nancy Bellmer

20- La compassion

J'ai eu la grande joie de rencontrer mère Térésa en Inde lorsque je voyageais à travers le monde au début des années soixante-dix. J'habitais la maison d'une famille chrétienne à Bangalore, et mon hôtesse m'a un jour proposé de l'accompagner à l'église qu'elle fréquentait pour rencontrer sœur Térésa, comme on l'appelait à l'époque. Déjà connue mondialement, sœur Térésa venait pour visiter les enfants de l'orphelinat rattaché à l'église et pour parler aux femmes.

J'ai suivi sœur Térésa de près dans sa tournée de l'orphelinat, l'observant toucher les enfants, les amener près d'elle, les caresser et leur parler avec beaucoup d'amour. J'essayais de suivre son exemple, mais je remarquais que cela ne me venait pas facilement. Quand elle a eu terminé, elle a prononcé un discours devant le groupe, puis elle s'est placée dans l'embrasure de la porte pour saluer chaque personne.

Tout à coup, elle a pris mes mains dans les siennes et m'a regardé dans les yeux. Je n'ai aucun souvenir de ce qu'elle m'a dit. Tout ce dont je me souviens est d'avoir été emportée par un sentiment de compassion et d'avoir reconnu que j'étais en présence de quelqu'un de grand. À ce moment, j'ai souhaité ardemment devenir un vivant exemple de compassion et de bonté.

Selon l'actrice Jennifer Moyer, la compassion n'est pas quelque chose que l'on fait. C'est un sentiment qui naît quand on se rend compte que « le fleuve de la vie qui coule en soi est le même que celui qui coule à travers tous et à travers toutes les choses qui existent. » D'un autre côté, le Dalaï-Lama recommande de *pratiquer la compassion*. « Si vous souhaitez que les autres soient heureux, pratiquez la compassion. Si vous souhaitez être heureux, pratiquez la compassion », suggère-t-il.

Pour moi, avoir de la compassion signifie être pleinement conscient de la souffrance d'un autre sans s'identifier outre mesure avec cette souffrance ni se laisser envahir par elle. Je ne sais s'il existe des séminaires qui enseignent comment pratiquer la compassion. Pour ma part, j'essaie de mettre de la compassion dans chacun de mes actes et dans tous les contacts que j'ai avec les autres, qu'ils soient personnels ou professionnels. Parfois, mes efforts sont fructueux, parfois non. Cependant, même si ma personnalité oublie momentanément d'être compatissante, mon âme n'oublie pas. Et quand je fais l'expérience de la compassion, ce sentiment pénètre profondément mon psychisme et mon âme. Je deviens de plus en plus compatissante.

Souvent, mère Térésa rappelle aux gens qu'il n'est pas nécessaire de faire de grandes choses, mais de faire des petites choses avec amour. Tout en demeurant engagée à l'authenticité spirituelle dans sa vie personnelle, Lynne Twist effectue un travail, à l'échelle mondiale, pour que soient reconnus les droits de la personne. Dans l'histoire qui suit, elle nous montre comment de petites choses peuvent apporter de grands résultats. Militante et rassembleuse de fonds, son travail s'appuie sur les principes de suffisance et de réciprocité. Elle essaie également de mettre ces principes à l'œuvre dans sa propre vie.

La réciprocité, dit-elle, est comme l'air que nous respirons. Nous n'en prenons pas plus que nécessaire, et expirons exactement la quantité qui doit être expulsée. Le processus est efficace, précis et porteur de vie. « Reconnaître, soulever et mettre en lumière la beauté des relations et des interactions de notre vie qui sont empreintes de réciprocité permet de découvrir les vastes réservoirs de richesses que nous tenions pour acquises. La réciprocité génère de la joie et nourrit l'âme : je suis là pour toi et tu es là pour moi. » Il est certain que Lynne n'aurait jamais imaginé la manière extraordinaire dont cette vérité allait être mise à l'épreuve, comme elle nous le raconte dans l'histoire qui suit.

L'histoire commence juste après le retour d'Afrique de Lynne. Là-bas, Lynne travaillait pour le Hunger Project, un organisme international qu'elle a contribué à fonder et dont l'objectif est de combattre la faim dans le monde. Au bureau de l'organisme à New York, elle assiste à une rencontre portant sur les réalisations accomplies dans la région d'Afrique occidentale où elle oeuvrait. Ressentant une profonde affinité avec l'Afrique, et plus spécialement avec les femmes qu'elle a côtoyées, elle se sent fière, électrisée et comblée par la réussite à laquelle elles sont parvenues ensemble.

Elle se rend ensuite sur l'avenue Park pour assister à une rencontre d'une autre fondation dont elle fait aussi partie en tant qu'administratrice. La rencontre porte sur les résultats du travail de l'organisme effectué au Moyen-Orient, qu'elle qualifie de spectaculaires et très touchants. Elle quitte l'assemblée en se sentant privilégiée et légère comme une plume. C'est à ce moment que commence l'histoire qu'elle nous raconte dans les pages qui suivent.

Je pense que mère Térésa aurait eu de quoi être fière.

L'histoire de Lynne Twist
Le chauffeur de taxi new-yorkais

C'était une de ces soirées d'été très chaudes à New York. Je revenais d'une réunion où nous avions célébré des résultats d'un travail humanitaire dans lequel j'ai été impliquée en Afrique. Je me sentais pleine d'inspiration et de contentement à l'idée que j'avais réussi à changer des choses. Il était environ vingt et une heures trente lorsque j'ai hélé un taxi, lequel s'est arrêté près du trottoir dans un grincement.

Aussitôt assise dans la voiture, je me suis rendu compte que le chauffeur était un jeune Africain-Américain en colère, qui débordait de rage et de haine. Il n'a pas eu besoin de parler : je l'ai senti. Il conduisait comme s'il souhaitait tuer quelqu'un. Il klaxonnait tout ce qui bougeait. De l'avenue Park jusqu'à Broadway, il coupait le chemin aux gens, il coinçait son taxi dans des endroits trop petits et il était à la fois grossier et imprudent. J'étais figée sur la banquette arrière ; j'avais l'impression d'être sous l'emprise d'un monstre en furie.

Tout à coup, un chauffeur de taxi indien, un Sikh portant le turban, nous a coupé la route. Mon chauffeur a plongé dans une rage profonde, horrible et terrifiante. Il criait des jurons à l'autre qui tentait de s'éclipser aussi vite qu'il pouvait. Cependant, lorsque nous sommes arrivés au feu rouge, le chauffeur indien était près de nous. Mon chauffeur qui était dans une colère monstrueuse a ouvert la porte de son taxi, il s'est rendu au taxi de l'Indien et s'est mis à donner des coups sur le capot de la voiture en criant : « Vous, les chauffeurs indiens, vous les Pakistanais, bande de racistes ! » Puis, il s'est retourné vers la fenêtre ouverte, a sorti un couteau et a tenté de tuer le chauffeur indien. Ce dernier a esquivé le couteau, le feu est passé au vert et il est reparti.

Mon chauffeur est alors revenu au taxi. J'étais demeurée assise sur la banquette arrière, incapable de bouger. Il avait toujours le couteau à la main. Mon cœur battait fort. Je transpirais abondamment, le sang se précipitait dans mes veines. Je me demandais : *dois-je appeler la police ? Dois-je sortir de ce taxi ? Qu'est-ce que je fais ?* Des milliers de pensées me traversaient l'esprit ; cependant, celle qui s'imposait était la suivante : *au Bangladesh ou en Afrique, je parviens à amener des gens à trouver en eux le pouvoir de retourner une situation en leur faveur, mais pourrais-je atteindre cet homme ?*

J'ai décidé de demeurer dans le taxi. De toute façon, il était impossible d'en sortir, car il repartait abruptement, chaque fois que le feu passait au vert, à une vitesse approchant celle de la lumière. Il n'avait pas cessé de vociférer, je lui ai dit : « Pourquoi n'arrêtez-vous pas la voiture pour prendre le temps de vous calmer un peu, et j'en profiterai pour descendre. » Toujours enragé, il s'est retourné vers moi et s'est mis à crier : « Toi, ma sale blanche, chienne, toi, tu n'es qu'une riche blanche, tu sais rien de mes problèmes. Bande de... » Toute son attention portée sur moi, il conduisait en ne regardant pas où il allait. Il n'arrêtait pas ; j'étais paralysée par la peur.

Puis soudain, j'ai cessé de l'écouter avec ma tête, et j'ai trouvé dans mon cœur un endroit plein de compassion. Quelque part à l'intersection de la 42e rue et de Broadway, j'ai fait le voyage entre la tête et le cœur. J'entendais bien la rage dans la voix de l'homme et sa colère, mais j'entendais aussi la peur et la douleur. Quand nous sommes arrivés à destination, à Greenwich Village où j'habitais, il s'est retourné et il a crié le montant que je lui devais pour la course.

J'ignore actuellement si cela peut être scientifiquement démontré, mais il semble que si le cœur vous guide, vous devenez courageux. Pour ma part, je crois que la peur est alors absente, parce que l'amour est dénué de peur. J'ai souvent entendu ma mère dire que si vous écoutez votre cœur, peu importe la situation, vous maîtriserez celle-ci avec compassion et sagesse.

Je lui ai dit : « Vous savez quoi ? Je n'ai plus de rendez-vous à cette heure : j'ai terminé ma journée. Aimeriez-vous que nous parlions ? »

Il m'a regardé comme si j'étais complètement folle. Il s'est arrêté de crier. Il m'a fixé pendant un moment et puis, lentement, s'est mis à parler. Il m'a raconté l'histoire tragique et brutale de sa vie. Il a parlé de sa mère, qui se droguait au crack, et de son père, qui l'avait battu et lui avait donné des coups au ventre lorsqu'il avait trois ans. Il a toujours des problèmes de dos depuis ce temps. Il a parlé des horreurs qui frappent le quartier où il habite.

Tout à coup, je me suis rendu compte que je ne pouvais plus me sentir séparée de cet homme. J'ai pensé : *lui et moi sommes pareils. Son monde est le monde dans lequel je vis, moi aussi.*

Je suis passée de la banquette arrière à la banquette avant, et j'ai pris la main de l'homme dans la mienne. Le couteau était directement sous nos deux mains. C'était un couteau à cran d'arrêt : il était resté ouvert. L'homme s'est alors mis à pleurer. Il versait des larmes sur les malheurs de sa vie, et sur les taxis pakistanais, et sur les taxis indiens : il a injurié chacun des groupes à fond. Cependant, cette fois, il était en communication avec moi, et ne criait pas contre personne.

Quand il a eu terminé son histoire, il sanglotait. J'ai pris son autre main et je l'ai regardé. Je lui ai dit que mon nom était Lynne et il m'a dit que le sien était Robert. J'ai dit merci ; il a dit merci. J'ai payé ma course et je suis sortie du taxi.

Encore une fois, à ce moment, je me suis rendu compte que la condition humaine est la même pour tous. Même chez cet homme en colère, j'ai vu le désir d'aimer et d'être aimé habiter le cœur de la personne qu'il était. L'expérience que j'ai vécue avec lui m'a montré comment une personne peut être écrasée et poussée vers la rage. Je l'ai senti avec le cœur.

Je ne sais si cet épisode a changé quelque chose dans la vie de cet homme. J'ignore s'il a assassiné la personne qu'il a fait monter dans son taxi après moi. Néanmoins, j'ai conservé mon intégrité. J'ai suivi mes principes et je n'étais pas au Bangladesh ou en Afrique noire. J'ai agi selon mes principes ici à New York, où normalement ma réaction aurait été de quitter le taxi aussi rapidement que possible et de déposer une plainte. J'ignore ce qui s'est emparé de moi. Néanmoins, j'ai apporté à cet homme de l'amour, de la compassion et un peu de moi-même.

Je sens que cet homme fait partie de ma vie pour toujours. Depuis ce jour, j'ai de l'amour pour lui ; et je crois que cela change quelque chose. Je ne peux le démontrer, et je n'ai aucune preuve. Je ne le reverrai probablement jamais. Néanmoins, j'en suis persuadée, car comme je me suis juré de consacrer ma vie à changer les choses, par chacune de mes actions je peux changer quelque chose et créer un monde plus aimant et plus compatissant.

Gandhi a dit : « L'amour pur d'une personne peut invalider la haine de millions d'autres. » Je pense que cela est vrai. Quand on donne à sa vie un but — qui a de la puissance, de la grandeur et de la sainteté — , on trouve toujours le chemin qui mène au cœur et aux instants de vérité.

« La condition humaine est la même pour tous. Le désir d'aimer et d'être aimé est au cœur de la personne que vous êtes. »

— Lynne Twist

21- La réceptivité

Vu de l'extérieur, on pourrait penser que Catherine Oxenberg possède tout ce qu'une femme peut désirer. Que pourrait-elle souhaiter de plus ? Avoir des ancêtres royaux ? Catherine est une descendante directe de la Grande Catherine de Russie d'après qui on l'a prénommée. Sa mère est Son Altesse Royale la princesse Elizabeth de Yougoslavie, son grand-père était le roi régent de Yougoslavie et sa grand-mère était Son Altesse Royale la princesse Olga de Yougoslavie. En fait, elle a des liens — liens de sang ou de parenté par alliance — avec toutes les familles royales européennes, dont l'Espagne, l'Angleterre et l'Italie.

Qu'en est-il des gens prestigieux parmi ses amis ? À treize ans, elle faisait des mots croisés avec Richard Burton ; à dix-sept ans, elle jouait à des jeux vidéo avec le prince Albert de Monaco et avec son cousin le prince Charles. Elle a participé à des fêtes sur le bateau de Mick Jagger, elle a été demandée en mariage par le prince Andrew et elle a côtoyé de nombreuses personnalités de Hollywood.

Posséder la jeunesse et la beauté ? Quand elle s'est présentée au magazine *Vogue* pour être engagée comme modèle, le rédacteur en chef, Polly Mellon, s'est écrié : « Quel visage ! », et lui a immédiatement proposé de faire une séquence de dix pages de photographies pour la revue. L'intelligence ? Elle a obtenu un diplôme de Saint-Paul, l'un des lycées les plus prestigieux d'Amérique, et elle a été acceptée à Harvard. Néanmoins, elle a choisi de faire une carrière de modèle et d'actrice.

Mener une brillante carrière d'actrice ? Aussitôt qu'elle a eu commencé des cours de théâtre, elle a été choisie pour jouer le rôle de la princesse Diana dans la production télévisée *A Royal Romance* (et plus tard, dans la production *Charles et Diana : A Palace Divided*). Peu de temps après, elle a décroché le rôle d'Amanda, un des personnages principaux de *Dynasty*. Ce téléroman à grand succès qui passait en soirée était l'émission de télévision la plus populaire au monde dans les années quatre-vingt ; elle attirait chaque semaine cent millions de téléspectateurs partout à travers la planète.

Finalement, elle possède aussi d'autres choses qui lui procurent beaucoup de bonheur : l'estime de soi, la capacité de pardonner, la gratitude, un mari qu'elle aime et trois magnifiques enfants. Cependant, cette existence de conte de fées a déjà eu un côté très sombre. À une certaine époque, malgré tout ce qu'elle possédait, Catherine n'a pas été épargnée de la souffrance et de la haine d'elle-même. En dépit des talents dont elle profitait, elle s'est sentie vide. Elle ne voyait pas la beauté en elle et tout ce qu'elle ressentait pour son corps était de la honte et de la haine. Au milieu de la vingtaine, elle a sombré dans la dépression chronique et dans un désespoir accablant. C'est ici que commence l'histoire que Catherine nous raconte dans les pages suivantes. Ce récit illustre l'un des principes féminins les plus beaux : la réceptivité.

J'ai écouté, stupéfaite, Catherine me raconter son histoire la première fois. Étant donné qu'un rêve était au centre de celle-ci, je l'aurais écartée assez rapidement s'il s'était agi du récit de quelqu'un d'autre. On a écrit de nombreux volumes sur les rêves : leur signification, leur interprétation, l'utilisation que l'on peut en faire pour se comprendre soi-même et sa vie. Pour ma part, je n'ai jamais eu beaucoup de succès avec les rêves, sans parler que d'habitude je n'arrive pas à m'en souvenir assez longtemps pour les prendre en note. J'ai tendance à les considérer comme insignifiants.

Toutefois, comme c'était Catherine qui parlait, j'ai écouté attentivement. Son témoignage a confirmé quelque chose que je pensais depuis longtemps : les messages empruntent parfois des voies peu habituelles, et le soutien est partout : il n'y a qu'à être réceptif.

L'écoute, thème du chapitre consacré à l'ouverture, est un élément de la réceptivité. L'histoire de Catherine me plaît particulièrement parce qu'elle illustre la capacité d'être à l'écoute. On ne sait jamais de qui ou de quoi peuvent venir les conseils dont nous avons besoin, ni comment notre guide peut se manifester. Pour ce qui est de Catherine, la réceptivité dont elle a fait preuve a profondément changé sa vie d'une manière favorable.

Incidemment, depuis que j'ai été « réceptive » au récit de Catherine, je me suis mise à faire des rêves dans lesquels j'ai trouvé du sens, de la consolation et de l'inspiration. Ma capacité d'écoute s'est améliorée ; ce qui a pour résultat d'accroître et d'enrichir ma connaissance de moi-même et du monde.

L'histoire de Catherine Oxenberg
Le couronnement de la princesse

Au milieu de la vingtaine, j'ai sombré complètement dans la dépression et j'ai eu désespérément besoin d'aide. J'ai entrepris une psychothérapie et j'ai commencé à révéler des parties de ma vie dont je n'avais jamais parlé. À mesure que j'apprenais à me connaître, j'explorais avec sérieux les nombreuses avenues pouvant mener à la guérison. J'étais disposée à essayer tout ce qui semblait faire du bien aux gens. J'ai assisté à des réunions de rétablissement fondé sur les douze étapes des Alcooliques anonymes pour les mangeurs compulsifs, les codépendants et les enfants adultes d'alcooliques. J'ai fait du yoga quotidiennement et j'ai appris des techniques de méditation, dont la méditation transcendantale. J'ai même fait des parcours de cordes — à trois reprises —, la première fois j'étais seule et il faisait tempête.

Grâce à ces efforts, j'ai pu mettre au jour plusieurs situations de mon enfance qui me posaient problème et que j'avais réprimées. Je me suis rendu compte que j'avais nié les sentiments que j'ai éprouvés, à cinq ans, lors du divorce de mes parents. Grâce à une technique fondée sur la respiration profonde, j'ai pu revivre et expulser de mon inconscient le souvenir des sévices sexuels dont j'ai été victime lorsque j'étais enfant. Je me suis rappelé très nettement qu'une personne de la famille (qui n'était ni l'un ni l'autre de mes parents) a eu des comportements sexuels abusifs à mon égard lorsque j'étais bébé. Cette découverte m'a anéantie. Cependant, à un niveau plus profond, cela m'a aussi procuré du soulagement.

C'était peut-être ce qui expliquait le problème de désordre alimentaire, la boulimie, dont je souffrais et qui me poussait, depuis que j'avais eu ma première relation sexuelle à dix-huit ans, à manger avec excès pour ensuite me faire vomir. J'ai pu identifier ces régurgitations d'aliments comme une forme de passage à l'acte relié aux sévices que j'ai subis. C'était un moyen d'expulser le « poison » de mon organisme.

J'ai eu de longues périodes de célibat ; il semble que j'étais incapable de composer avec les émotions qu'entraîne une relation avec quelqu'un. Je pense maintenant que j'avais emmagasiné des souvenirs dans mon corps, particulièrement dans les régions touchées par les sévices que j'avais subis, et que toute relation sexuelle menaçait de réveiller ces souvenirs endormis. Néanmoins, je suis devenue enceinte, et, sans souhaiter aucunement me marier, j'ai donné naissance, mère célibataire, à une magnifique petite fille.

Quand ma petite fille a eu neuf mois, l'âge que j'avais lorsque j'ai été molestée la première fois, j'ai commencé à me souvenir de plus en plus clairement des sévices dont j'ai été victime. Quand elle a eu un an, j'en suis arrivée au point où je ne pouvais plus manger. Je savais que j'allais mourir si je n'obtenais pas de secours.

Je suis entrée dans une clinique de réhabilitation pour six semaines. Cela m'a donné l'occasion de me retrouver seule et de trouver la force de poursuivre mon difficile voyage intérieur. Par la suite, j'ai continué à participer à de nombreuses séances d'un processus appelé « recomposition de l'âme » et j'ai beaucoup travaillé sur mon « enfant intérieur » utilisant une technique appelée « autoparentage ». Néanmoins, malgré des périodes d'abstinence, la boulimie revenait chaque fois que j'entreprenais une relation avec quelqu'un.

J'étais loin de soupçonner que la mort de ma grand-mère chérie serait un tournant pour moi. C'était en octobre 1997. J'étais incapable d'assister à ses funérailles, et je me sentais triste et loin de ma famille. Néanmoins, je souhaitais trouver un moyen d'entrer en contact avec ma grand-mère. J'avais été élevée dans la foi chrétienne, cependant ma spiritualité était devenue très éclectique. Je ne connaissais aucun rituel chrétien auquel j'aurais pu procéder seule, c'est pourquoi j'ai choisi de procéder à une cérémonie tirée du volume de E.J. Gold, *Le livre des morts américain*, lequel est une version américaine et une adaptation du *Livre des morts tibétain*. J'ai mis une photographie de ma grand-mère sur une petite table avec un bol de riz et un peu d'eau bénite. J'ai allumé une chandelle, j'ai lu quelques passages du livre et j'ai prié de tout mon cœur pour que son âme soit guidée vers la lumière.

Cette nuit-là, j'ai fait un rêve profondément prophétique. C'était ce que j'appelle un rêve divin, un rêve dans lequel vous êtes totalement lucide et guidé par une très grande intelligence ; dans un tel rêve, vous êtes littéralement aveuglé de lumière. Je savais que j'étais en train de rêver et néanmoins, des connaissances très importantes m'étaient transmises.

Dans ce rêve, j'étais dans un endroit que, pour une raison ou une autre, je savais être Jérusalem, malgré que je n'y sois jamais allée. Je me tenais dans un jardin en compagnie de deux êtres merveilleux que j'ai reconnus comme Marie et Joseph, les parents de Jésus. Joseph m'a parlé de ma vie et ses mots sonnaient juste. J'avais l'impression qu'il me faisait un portrait de ma vie et de certains motifs qui la caractérisent. Il m'a dit ensuite que les difficultés de ma vie étaient terminées, et que bientôt je connaîtrais un ancrage serein.

La partie de moi qui observait le rêve a dit : « Prends note de cela. » Le terme « ancrage serein » ne m'était pas familier, mais je savais qu'il était important. C'était certainement quelque chose qui m'avait manqué jusqu'à maintenant dans ma vie.

Sur une route pavée de galets, j'ai ensuite été guidée en un endroit situé au-delà d'un vieux cimetière. Tout à coup, j'ai compris que j'étais en présence de l'Esprit Saint. Je suis tombée à genoux, et j'ai vu devant moi une colonne de lumière blanche comme du cristal qui était aussi de l'eau. La colonne s'est déplacée vers moi, et j'ai incliné la tête. J'ai été baignée de lumière liquide. Je sentais que j'étais lavée par la lumière. J'ai ouvert la bouche, et des larmes en ont coulé. Il me semblait que je sortais du traumatisme qu'avaient laissé les sévices de mon enfance, et que la noirceur que j'avais essayé d'expulser de mon organisme pendant des années s'en allait.

J'ai senti qu'un courant électrique parcourait mon épine dorsale ; comme si, grâce à ce pilier de lumière, mon système nerveux se régénérait. J'ai demandé à l'Esprit Saint pourquoi j'avais constamment des rechutes de boulimie, et pourquoi j'avais autant de mal à m'en sortir. On m'a répondu qu'il en était ainsi pour que les gens puissent voir la transformation. Je n'ai pas vraiment compris ce que cela signifiait. On m'a aussi dit que le plus important pour moi était de me souvenir de prier, et cela je l'ai profondément compris.

Je me suis alors réveillée. La chambre était remplie de lumière. Je me souvenais de chaque partie du rêve : le jardin à Jérusalem, l' «ancrage serein », le pilier de lumière et d'eau. J'ai repensé à la prière que j'avais faite pour ma grand-mère et je me suis rendu compte, avec une immense gratitude, que j'étais celle qui avait été guidée vers la lumière. J'ai prié pour que cela lui soit arrivé à elle aussi.

Au cours des trois semaines suivantes, il s'est produit un grand changement dans ma vie. Après avoir lu le livre de Napoleon Hill, *Pensez et devenez riches*, j'ai eu l'idée de mettre sur papier une affirmation concernant quelque chose que je voulais voir se manifester dans ma vie et je la lisais à voix haute deux fois par jour, le matin et le soir. Je souhaitais qu'un changement se produise à un niveau physique, je faisais donc intervenir mon corps en même temps. Pour montrer à l'univers le sérieux de mes intentions, je me tenais debout dans une pose assurée et je lisais mes affirmations d'une voix convaincue et engagée. Je savais qu'il fallait trois semaines pour rompre une vieille habitude et mettre en place un changement durable ; j'ai donc commencé cet exercice sans tarder, et je l'ai pratiqué tous les jours scrupuleusement. Cela s'ajoutait à la méditation, au yoga, à la prière ainsi qu'à tout ce que j'accomplissais. Néanmoins, c'était différent de ces pratiques, car j'avais en tête l'idée que cela me donnait un « ancrage ». L'expression que j'avais entendue dans le rêve me revenait souvent à l'esprit. J'avais l'impression que j'étais en train de créer un nouveau motif de comportement dans ma vie.

Un soir, exactement vingt et un jours après le début de cette pratique, j'étais dans la baignoire et soudain, le pilier de lumière et d'eau de mon rêve est apparu au-dessus de moi. Je me suis mise à pleurer. C'était exactement la même chose que j'avais expérimentée dans mon rêve ; cependant, à ce moment, j'ai pris conscience que cette colonne de lumière n'était autre chose que mon être, mon soi supérieur. De nouveau, j'ai reçu le baptême guérisseur de l'eau et de la lumière. En m'unissant à mon soi supérieur, j'ai éprouvé un profond sentiment d'amour pour moi-même. J'ai pleuré et j'ai pleuré de soulagement et de joie. J'ai compris que, pour la plupart d'entre nous, la souffrance est liée au sentiment de séparation d'avec notre être véritable, et j'ai senti que j'avais fini de souffrir.

Il y a seulement ces mots pour décrire réellement ce que j'ai ressenti après ce second baptême : « ancrage serein ». J'ai senti le bienfait merveilleux, stable et indéfectible que procurent la rencontre avec son être véritable et l'union avec soi.

Depuis ce jour, je n'ai plus jamais vomi, pas même une fois. Le poids m'avait été enlevé.

Le jour suivant, ce que j'ai appelé mon baptême dans la baignoire, on m'a offert de passer une audition pour une publicité pour les voitures Lexus. Dans cette publicité, je devais jouer le rôle de Héra, la femme de Zeus, le dieu qui domine tous les dieux dans la mythologie grecque. Et j'ai obtenu le rôle ! J'ai bien ri. J'ai compris que Dieu, par ce malicieux clin d'œil — je jouais sa femme dans un message publicitaire ! —, me confirmait que j'avais entrevu la divinité présente dans mon âme.

De plus, exactement un an après mon rêve, j'ai rencontré mon mari. Tous les deux, nous jouions dans le même film. L'équipe s'est rendue à Jérusalem pour tourner, et, à ma grande surprise, un jour, nous avons tourné devant un vieux cimetière, identique à celui que j'avais aperçu dans mon rêve !

Réflexion faite, je crois que le tournant de ma bataille pour guérir et m'aimer moi-même a été mon désir de prier, non pas pour moi-même, mais pour ma grand-mère. Cette prière altruiste m'a ouvert le cœur et a créé un espace pour que mon âme puisse entrer. Dieu m'a accordé sa grâce comme Il l'accorde toujours à ceux qui prient. Aujourd'hui, je suis très reconnaissante d'être continuellement en état de grâce. Ainsi, je peux profiter de toutes les autres choses que je possède. Ce conte de fées a une fin heureuse qui appartient à la réalité. En fait, c'est un éternel recommencement.

« *Cette prière altruiste m'a ouvert le cœur et a créé un espace pour que mon âme puisse entrer.* »

— Catherine Oxenberg

22- Le pardon

Un jour, un grand titre de la page couverture de Reader's Digest attire mon attention : « Le pouvoir du pardon ». L'article présente les dernières recherches sur la question et démontre que pardonner à ceux qui nous ont blessés procure de grands bénéfices. Selon l'article, le pardon est devenu « un nouveau moyen, très populaire, de composer avec la colère, de réduire les tensions, et le plus important de tout, d'améliorer la santé ».

Je suis déjà consciente de l'existence de l'éventail croissant de volumes, traitant de la question, parmi lesquels je peux choisir si jamais j'ai besoin d'aide pour pardonner. Plusieurs d'entre eux contiennent des histoires de nature à nous inspirer, comme l'histoire extraordinaire de Nelson Mandela. Celui-ci, après avoir été emprisonné pendant vingt-sept ans pour ses croyances politiques, est devenu président de l'Afrique du Sud et a invité les gardiens de la prison le jour de son investiture !

Un très grand nombre d'autres personnes ayant subi de graves préjudices déclarent n'avoir pu trouver la paix de l'esprit avant d'avoir pardonné. De plus, l'auteure Catherine Ponder suggère que le pardon peut constituer une technique pour devenir riche. En somme, le pardon apporte des bénéfices d'une telle envergure que, tous, nous souhaitons le mettre en pratique chaque jour !

C'est pourquoi quand je commence à travailler sur ce chapitre, je décide de faire un essai. Je me demande donc s'il y a quelqu'un à qui je devrais pardonner. Immédiatement, me viennent en mémoire les noms de deux personnes au profit desquelles j'ai, un jour, investi une importante somme d'argent. Elles ne m'ont pas remboursée, comme convenu, et j'éprouve du ressentiment. Cependant, lorsque je pense mettre fin au ressentiment et à la colère que j'éprouve contre ces personnes, je me rends compte, surprise et un peu embarrassée, que je ne suis pas certaine de souhaiter leur pardonner ! Pour moi, c'est une question de justice : ces personnes méritent-elles mon pardon ? J'observe mon ego se livrer combat contre lui-même.

Néanmoins, je sais bien au fond que le fait de pardonner à quelqu'un ne signifie pas que nous approuvons ce que la personne a fait ou que nous acceptons de nous laisser traiter d'une manière injuste. Cela signifie que nous cessons de nous prendre pour une victime, de blâmer les autres et de les tenir responsables de notre vie. En blâmant le couple qui m'a fait perdre de l'argent, j'esquive mes responsabilités. J'ai aussi mes torts dans cette affaire, car j'ai investi de l'argent en sachant que les personnes n'offraient pas de garanties. Je leur ai donné mon argent, et maintenant je leur donne le pouvoir de me rendre malheureuse !

Je me rends compte que c'est à moi que je dois pardonner : d'abord pour la grosse erreur que j'ai faite, ensuite pour avoir essayé de jeter le blâme sur quelqu'un d'autre alors que c'est moi qui ai pris le risque. Je détourne mon attention de ces personnes et je me regarde moi-même et je me dis, comme Catherine Ponder le suggère : « Je te pardonne », même si, au début, je ne le pense pas vraiment. Avec le temps, je me sens en paix malgré ce qui s'est passé et je suis bien décidée à ne plus refaire d'erreurs de ce genre. De plus, je suis convaincue que moins je fais de ressentiment à cause de ces personnes, plus grande est la possibilité de libérer l'énergie qui entoure toute la situation et plus grande même est la possibilité pour moi d'être remboursée.

Les mots « par don » suggèrent un abandon au courant de la vie, un lâcher prise devant les évènements. Le bien-être de notre âme dépend de cette capacité à céder, à faire preuve de flexibilité et à se laisser porter. Dans ma propre vie, je remarque que si je refuse de lâcher prise et de pardonner, je garde mes positions rigides et j'entretiens en moi la colère et la souffrance plutôt que la paix intérieure.

Quand nous nous sentons démunis, le pardon est parfois la seule issue. Et il peut arriver que nous ayons à l'accorder encore et encore, à des niveaux de plus en plus profonds.

Néanmoins, cela en vaut la peine. Des études ont démontré que le pardon réduit les douleurs chroniques au dos, diminue les tensions de cinquante pour cent, augmente l'énergie et améliore l'humeur, le sommeil et la vitalité en général.

Toutefois, ce qui est peut-être le plus extraordinaire, ce sont les manifestations divines qui se produisent parfois à la suite d'un pardon. Un remarquable exemple de ce genre nous est donné par l'histoire de l'écrivaine et évangéliste chrétienne Corrie ten Boom. Corrie, son père et sa sœur ont été emprisonnés dans des camps de concentration nazis, durant la Deuxième Guerre mondiale, pour avoir hébergé des Juifs chez eux en Hollande. Le père et la sœur de Corrie périssent dans les camps, mais celle-ci survit. Elle raconte son histoire dans un livre intitulé *La cachette* et elle passe les dernières années de sa vie à voyager à travers le monde et à donner des conférences sur sa vie et sur sa foi.

Un jour, Corrie rencontre face-à-face l'un des plus cruels gardiens allemands qu'elle a eu à affronter dans les camps. Régulièrement, cet homme les humiliait, elle et sa sœur, et tentait de les avilir. Souvent, il leur lançait des quolibets lorsqu'elles se faisaient épouiller. Maintenant, cet homme est devant elle, la main tendue, et lui demande de lui pardonner.

Elle écrit : « Je suis là devant lui le cœur froid ; néanmoins, je sais que la volonté peut fonctionner indépendamment de la température du cœur. Je prie silencieusement : « Jésus, aidez-moi ! » Mécaniquement, comme un automate, je mets la main dans cette main tendue vers moi et une chose incroyable se produit. Un courant part de mon épaule, parcourt mon bras et se jette dans nos mains serrées. Un chaleureux sentiment de réconciliation se répand dans tout mon être et des larmes me montent aux yeux. « Je vous pardonne », ai-je crié de tout mon cœur. Pendant un long moment, ancien gardien, ancienne prisonnière, nous nous serrons la main. Je n'ai jamais senti l'amour de Dieu aussi intensément qu'en ce moment-là. »

Pour Susan Brandis Stavin, l'auteure de l'histoire suivante, le pardon est quelque chose de plus que le soulagement de symptômes physiques. Comme c'est le cas pour toutes les histoires qui traitent de pardon, son histoire illustre une vérité énoncée fort probablement par Corrie ten Boom : « Pardonner consiste à accorder la liberté à un prisonnier, lequel n'est nul autre que soi-même. »

L'histoire de Susan Brandis Slavin
Une douce revanche

Je plaisante souvent en disant que la seule chose à laquelle ma famille aspirait c'était la dysfonction. Faisant partie du monde du spectacle, j'ai appris à ne pas trop me préoccuper de mon passé, car il semble qu'il y a eu des obstacles sur ma route à chaque tournant. Mais, grâce au ciel, je viens au monde avec l'idée que tout est possible. Cela me permet de surmonter l'extrême pauvreté dans laquelle je vis mon enfance et l'instabilité d'une famille qui doit composer avec la maladie mentale.

Mes parents sont de bonnes personnes qui essaient de vaincre leurs déficiences sans pouvoir y arriver cependant, les problèmes de ma sœur cadette sont graves. Dolly est une petite fille adorable, mais hyperactive. En grandissant, son état se détériore progressivement et elle finit par souffrir de schizophrénie paranoïde. Elle est sujette à de violentes crises ; je suis devenue son ennemie, car elle est obsédée par notre mère. Si jamais j'essaie de me trouver dans la même pièce que notre mère, Dolly se met à crier et à nous menacer. Maman ne pouvait jamais passer du temps seule à seule avec moi, car la crainte des accès de Dolly est toujours présente. Dolly me harcèle constamment en disant que je devrais quitter la maison.

Ayant à composer avec leurs propres problèmes émotionnels, mes parents cèdent aux moindres caprices, ordres et exigences de Dolly. Mon père est affligé d'un désordre du système nerveux qui le fait trembler tout le temps, comme s'il souffrait du syndrome post-traumatique et qu'il était constamment sur le qui-vive. Ma mère, une écrivaine de chanson a fait des débuts prometteurs, enfant ; cependant, sa mère ne lui a pas donné la permission d'exploiter son talent. Elle passe son temps soit à faire des reproches à mon père soit à se réfugier dans son monde imaginaire. Aucun de mes deux parents ne joue son rôle, et nous vivons dans un climat incessant de cris hystériques.

J'ai treize ans lorsque la famille part vivre à Los Angeles, où mon père pense trouver un bon travail. Je suis excitée, car j'ai toujours souhaité devenir actrice. Cependant, dès notre arrivée, Dolly insiste pour retourner à Chicago avec maman ; et elle obtient ce qu'elle souhaite. Nous n'avons presque pas d'argent ; de plus, on nous chasse d'un appartement après l'autre, car Dolly est dominatrice, bruyante et violente. Mes parents ont peur d'elle. Ils s'arrangent donc pour réunir l'argent des billets de train pour que Maman et Dolly puissent rentrer à Chicago.

Je demeure seule avec mon père qui est mentalement instable. J'entame mes années d'adolescence loin de maman : malgré les efforts de ma sœur pour détruire la relation que j'ai avec elle, ma mère constitue la seule parcelle de sécurité de mon univers.

Néanmoins, cette année-là, mon rêve de toujours commence à prendre forme. À Los Angeles, même dans les lycées, on trouve d'excellents départements de théâtre. Je me jette donc dans les cours de théâtre de l'école que je fréquente et ces cours deviennent essentiels pour moi. Je fais preuve d'un talent évident, et la première année, un directeur de distribution bien connu de Hollywood me remarque et m'offre le rôle de Anne dans une production locale du *Journal de Anne Frank*. À la fin du lycée, je fais déjà partie du monde du spectacle en tant qu'actrice professionnelle.

Deux ans plus tard, ma mère et ma sœur reviennent de Chicago et j'espère bien avoir un peu d'attention de ma mère grâce à mon début de carrière. Malheureusement, la plupart du temps, elle est si distraite et à bout de nerfs qu'elle ne semble pas se rendre compte de mon existence. Je me sens seule et j'ai le cœur brisé. Le seul exutoire de toutes ces émotions est mon métier d'actrice.

Pour mon âge, cela fait de moi une actrice qui a de la profondeur, et on le remarque. En douzième année déjà, les rôles que j'ai interprétés m'ont valu de nombreux trophées. Ils sont précieux pour moi, car si je me vois avec le regard de ma famille, je pense n'avoir aucune valeur. Mais, j'ai obtenu ces trophées ! Cela me donne l'espoir que je pourrais bien valoir quelque chose.

Un jour, je rentre à la maison après l'école et j'ai l'impression en franchissant la porte qu'il y a quelque chose qui ne va pas. Ma mère et ma sœur évitent mon regard. D'un coup d'oeil, je fais le tour de la pièce faiblement éclairée ; comme d'habitude, les stores sont baissés. Je lance un regard en direction du téléviseur et je me rends compte soudain que mes trophées ne sont plus là. Quelques morceaux de métal recourbé sont disséminés sur le sol, cependant il n'y a plus de trophées ! J'ai du mal à respirer. Les pensées se bousculent dans ma tête. Où sont mes trophées ? Qu'est-ce que ma sœur leur a fait ? Et pourquoi ma mère ne l'a-t-elle pas empêchée ? Tout à coup, mes nerfs craquent. Je tombe par terre en poussant des cris sauvages et je reste là à sangloter.

J'ignore combien de temps cela a duré. Je pleure toutes les larmes de mon corps. Puis, je regarde Dolly qui se tient silencieuse à côté de ma mère. Elle me regarde avec un vague sourire, et je me rends compte qu'elle a gagné la partie. Dorénavant, je ne me battrai plus contre elle pour avoir un peu d'attention de maman. J'abandonne la partie. C'est terminé. *Elle est à toi !*, me suis-je crié intérieurement. *De toute façon, qui est-ce qui se préoccupe de vous ?*

Je me relève et, pour la première fois de ma jeune existence, je sens le pouvoir de la rage froide. Je vais leur fermer mon cœur et je vais réussir ma carrière. Un jour, elles me le paieront. Je vais faire ma marque dans le monde, je vais devenir célèbre ; et je ne leur parlerai plus jamais. Elles vont regretter de ne pas s'être rendu compte de la personne que je suis.

Quelques mois plus tard, je termine le lycée et je pars immédiatement vivre à New York. J'ai des craintes et je suis fragile, néanmoins, la rage et le désir de prendre ma revanche m'animent. Je travaille avec ferveur pour me construire une nouvelle vie et je m'efforce de ne jamais penser à ma famille. Ne pouvant assurer mes arrières par un soutien parental, je trouve en moi des ressources dont je ne pensais pas disposer. J'explore mes capacités et j'en viens à croire fermement que j'ai du talent. Cela m'est confirmé, encore et encore, pendant que je consolide ma carrière prometteuse d'actrice. Plus je me donne de la valeur et plus je donne de la valeur à mon talent, plus j'investis d'effort dans mon art et mieux je me sens par rapport à moi-même et par rapport à mon travail. L'estime que j'ai de moi-même et ma réussite professionnelle grandissent main dans la main.

Je me fais de nombreux amis, pour la plupart des artistes comme moi, et je leur fais part de mes idées concernant les liens étroits qui existent entre le sentiment de sa valeur personnelle et la réussite. Avec le temps, ils finissent par me demander de les aider à passer leurs auditions, et bientôt mon école de théâtre de Carnegie Hall voit le jour. Sans m'en rendre compte, en essayant de faire mon chemin dans le domaine du spectacle, j'ai mis au point une technique originale !

À l'époque où j'ai étudié le théâtre à New York en compagnie de ceux qui étaient, à l'époque, des légendes vivantes, on m'a appris qu'un acteur doit s'immerger entièrement dans le personnage qu'il incarne. C'était, et c'est encore, la démarche traditionnelle du jeu de théâtre. Néanmoins, j'ai découvert que l'inverse est aussi vrai. Plus le sentiment que j'ai de mon être est intense, et plus je suis en contact avec le centre de moi-même, plus j'ai la capacité d'inviter le personnage que j'incarne au cœur de mon être, et plus l'interprétation devient authentique et entière. La passion que j'ai pour mon art me permet d'aider les autres à s'engager dans leur métier et à créer un art, solide comme le roc, et grâce auquel ils pourront construire un pont inébranlable et invisible les reliant aux personnages qu'ils interprètent.

J'enseigne aussi aux gens comment commercialiser leurs talents dans l'industrie du spectacle. J'écris également des pièces de théâtre, je dirige et je produis des spectacles. L'école que j'ai fondée devient une vibrante communauté artistique.

Ma vie continue d'évoluer et de se développer, néanmoins, quelque part dans ma tête — bien que je ne veux pas y penser et que je prétends ne pas m'en soucier — le sort de ma sœur m'interroge. Elle vit toujours avec ma mère et, après s'être comportée d'une manière erratique pendant de nombreuses années, elle est maintenant tombée dans une totale apathie. Au cours des douze dernières années, elle n'a pas quitté son lit si ce n'est pour se rendre aux toilettes une fois par jour. Ma mère lui passe tous ses caprices et lui apporte sur un plateau, jour et nuit, les mauvaises nourritures dont elle s'alimente. Pendant toutes ces années, Dolly n'a pas vu la couleur du ciel et elle n'a parlé à quiconque. Je suis incapable d'imaginer ce qui lui arrivera à la mort de ma mère, et secrètement je m'en inquiète.

Sentant que cette éventualité n'est peut-être pas si éloignée, ma mère et ma sœur se retrouvent dans un établissement subventionné. Les directeurs sont des gens cruels qui disent constamment à ma sœur qu'ils la mettront à la porte après la mort de ma mère. Avec le temps, la situation devient intolérable, autant pour elles que pour la direction, et elles sont sur le point d'être expulsées de leur chambre minuscule faute de payer le loyer. Avec toutes ces tensions, la santé de ma mère chancelle. Quand on l'emmène en ambulance à l'hôpital, Dolly se sauve dans la rue, seule dans le monde pour la première fois. Je communique avec ma mère à l'hôpital et j'essaie, à partir de New York, de trouver Dolly, mais sans succès. Je n'ai aucune idée de l'endroit elle peut être et j'ignore si elle est en sécurité. Elle a disparu.

Puis, un jour, la sonnerie du téléphone retentit et, à ma grande surprise, c'est Dolly. Ironiquement, elle vient à moi pour trouver du réconfort : moi, la personne dont elle a voulu se débarrasser, il y a longtemps ! Elle me raconte son histoire, laquelle est à déchirer le cœur. L'idée de la mort de maman la terrifie, et elle est maintenant sans abri, sans identité et sans possibilité de se faire entendre auprès de quiconque comme une personne crédible. Sa vulnérabilité me fait de la peine, et, au même moment, je crains de devoir assumer la responsabilité de prendre soin d'elle pour le reste de ses jours. Cependant, je ne me laisse pas aller à penser davantage à cela.

Quand Dolly rappelle quelques jours plus tard pour m'annoncer la mort de maman, je prends rapidement la décision viscérale de retourner à L.A. pour enterrer maman et pour aider Dolly. Les gens de mon entourage souhaitent me protéger et tentent de remettre en cause ma décision. Néanmoins, je me laisse guider par mon cœur et par mon intuition profonde.

L'intensité du sentiment de perte que j'éprouve à la mort de ma mère m'étonne : je croyais avoir fait mon deuil d'elle, il y a longtemps. J'organise les funérailles à partir de New York et puis, rassemblant mon courage, je prends l'avion pour L.A. Dolly n'est pas assez forte pour assister à la cérémonie, je ne la verrai qu'après. En quittant le cimetière, je suis émotionnellement épuisée ; néanmoins, je m'efforce de me concentrer sur la rencontre avec Dolly qui s'en vient. Entre-temps, elle s'est arrangée pour s'installer dans une chambre de motel : cependant, ce n'est que pour quelques jours, car bientôt ses maigres ressources seront à sec. Je sais qu'il me faut faire très vite. J'ai, au préalable, exploré pour elle toutes les possibilités de logement et j'arrive avec un plan déjà prêt.

Je suis nerveuse en arrivant au motel. Lorsque Dolly m'ouvre la porte, j'ai un choc en la voyant. Après toutes ces années de mauvaise alimentation, elle est maintenant obèse et n'a plus de dents. Il y a une éternité que je ne l'ai vue. Néanmoins, je suis touchée par la courageuse dignité dont elle fait preuve en m'invitant à entrer et à m'asseoir. À ma grande surprise, j'aperçois une Bible ouverte sur le pied du lit. J'ignorais qu'elle avait ce côté spirituel, mais j'apprendrai plus tard qu'elle a prié à genoux afin d'avoir le courage de surmonter cet épisode de noir désespoir. Toutefois, elle n'est pas très à l'aise de parler avec moi, la conversation n'est pas facile. J'essaie de la faire parler et de la réconforter. Assez rapidement, néanmoins, j'aborde la question de la tâche qui nous attend.

Je souhaite que Dolly m'accompagne pour visiter des maisons de logement. Toutefois, cela est impossible, car elle se sent trop terrifiée pour quitter sa chambre. Elle ne semble pas comprendre l'urgence de la situation, et malgré la douleur qu'elle éprouve, elle est aussi entêtée qu'avant. Je pars donc sans elle et je passe toute la journée à visiter tous les appartements libres qui pourraient convenir. Le soir, quand je lui en fais la description, elle les rejette tous, pour une raison ou une autre. Le même scénario se répète pendant cinq jours, et le dernier soir, je commence à être désespérée.

Il est presque minuit. J'ai visité des logements jusque tard dans la soirée et je suis trop préoccupée pour pouvoir dormir. Tout à coup, je me rappelle une maison d'hébergement que j'ai trouvée au cours de mes recherches, mais je l'avais oubliée. Il est trop tard pour appeler, je demande à Dolly de m'accompagner pour la voir le lendemain. Comme d'habitude, elle refuse ; je m'y rends donc seule.

J'arrive devant l'immeuble très tôt le matin ; le soleil est flamboyant. J'entre dans l'édifice et je parle au gardien de nuit. C'est un homme très bon qui m'apprend, chose inhabituelle, qu'une chambre est libre en ce moment. J'ai un frisson en entendant cela.

Le matin suivant, je traîne littéralement ma sœur jusque-là pour voir la chambre. Le directeur nous accueille gentiment dans un bureau impeccable et il nous conduit ensuite à la chambre. C'est parfait. La chambre a sa propre entrée et ressemble à un minuscule bungalow d'une pièce. Non seulement c'est propre, mais encore c'est charmant. Le soleil entrant par trois fenêtres, lesquelles sont encadrées de fins rideaux de dentelle, fait briller les murs fraîchement peints. Je sais que Dolly aura les moyens de payer le loyer avec son allocation d'invalidité et l'argent que je lui ferai parvenir chaque mois. Elle s'assoit sur le lit, elle regarde autour d'elle, et je sens bien que la chambre lui plaît. Avant de nous laisser, le directeur ajoute : « ... et votre salle de bain est dans le couloir en bas. Vous la partagerez avec la gentille dame qui habite en face. »

Dolly secoue alors la tête et elle marmonne : « Non ! » Elle refuse de partager la salle de bain avec quelqu'un. Point à la ligne. Je reste figée sur place. Elle continue simplement de secouer la tête. Ma gorge se serre de voir la dernière possibilité qui lui reste s'envoler. Totalement démunie, je la regarde droit dans les yeux et je lui dis : « Dolly, je pars pour New York ce soir et tu vas te retrouver toute seule. »

Tout à coup, des images de ma sœur vivant dans d'inquiétants foyers d'accueil pour personnes sans abri, ou errant par les rues, me traversent l'esprit. Je suis prise d'un accès de larmes inattendu et insurmontable. « Ma pire crainte a toujours été de ne pas savoir ce qui t'arriverait après la mort de maman ! » En sanglotant, j'ajoute : « Tout ce que je souhaite est que tu sois en sécurité et que tu ailles bien. » Je glisse sur le sol à côté d'elle et, toujours en pleurant, j'incline la tête contre ses jambes. Je ne peux cesser de pleurer.

Finalement, je retire mes mains de mon visage et je relève la tête. Dolly me regarde d'une manière comme jamais auparavant. Elle semble perplexe et continue de me fixer. Difficilement, elle parvient à articuler : « J'ai du … mal… à accepter… que tu te soucies de moi… autant que cela. » Elle continue de me regarder. Ensuite, avec une tendresse que je ne lui connaissais pas, elle me tapote gentiment le bras. Elle prend une grande respiration et elle s'installe contre l'oreiller sur le lit. Quoique je ne l'ai pas entendue murmurer le mot « oui », je sais qu'elle va rester.

Nous reparlons au directeur, et je me rue ensuite, tirant péniblement Dolly à ma suite, au K-Mart le plus près. En deux heures, j'achète tout ce dont elle peut avoir besoin. Déployant une activité fébrile, dans un tourbillon de paquets, nous revenons à sa chambre. Je m'emploie à décorer sa chambre et à organiser sa nouvelle existence. Je m'efforce pour que tout soit le plus charmant possible. Je termine en posant une rose rouge et une photographie de moi sur la table de chevet, afin qu'elle se sente moins seule.

Elle semble stupéfaite et, lentement, elle dit : « J'apprécie… la touche personnelle… que tu mets… à toutes les choses. » Toutes les deux, ne sachant que dire, nous rassemblons nos forces pour la suite. Je la serre dans mes bras, elle me serre dans ses bras, à son tour. Nous n'arrivons plus à nous séparer.

Trois années ont passé et Dolly a maintenant sa vie. Il lui arrive encore d'être terrifiée, d'avoir des crises d'anxiété et de phobie à propos de tout, cependant moins qu'auparavant. Il lui arrive parfois de m'appeler vingt-cinq fois au téléphone et de raccrocher avant que je réponde. Toutefois, lorsqu'elle est prête à me parler, nous avons de magnifiques conversations.

« Susan, m'a-t-elle dit, récemment, lors d'une de nos habituelles conversations téléphoniques, la sécurité est mon premier souci. » Malgré tout, en tenant compte des limites qui sont les siennes, elle fait des progrès. Tous les jours, elle se rend dans l'entrée de son immeuble et « observe » ses voisins. Elle fait de longues promenades dans la ville et elle a découvert une véritable source de ravissement : les boutiques à un dollar ! Pour ma part, je suis très contente qu'elle puisse sortir et qu'elle ait un foyer sécuritaire.

J'ai pleuré deux fois aux pieds de ma sœur. La première fois, c'était pour moi. Mais, la seconde fois, c'était pour elle. Quelque chose a grandi en moi à mon insu : c'est l'amour. Et cet amour est accompagné d'un sentiment de libération que je n'aurais jamais cru possible.

Je l'ai eu ma revanche après tout ! Je ne m'attendais jamais à ce qu'elle soit aussi douce.

« Quelque chose a grandi en moi à mon insu : c'est l'amour. Et cet amour est accompagné d'un sentiment de libération que je n'aurais jamais cru possible. »
— Susan Brandis Slavin

23- L'attention

J e suis en train de traverser l'une des périodes les plus
difficiles de ma vie. L'homme que je pensais épouser — mon
âme sœur — vient de mettre un terme à notre relation. De plus,
pour aggraver la situation, je travaille pour lui ! Comme il n'y
a qu'une grande fenêtre qui sépare son bureau de nous, je ne
peux manquer de m'apercevoir, par l'expression de son visage
et les attitudes qu'il prend, quand il est au téléphone avec une
autre femme.

Je suis anéantie. À certains moments, j'ai du mal à respirer
tellement le cœur me fait mal. Afin de ne plus avoir la
souffrance de le voir tous les jours, je le supplie de me
permettre d'emporter mon ordinateur du bureau à la maison.
Il accepte, et ce changement de lieu m'aide beaucoup.

Néanmoins, ce qui m'aide le plus est le conseil que me
rappelle ma chère amie Marci. D'abord, pour survivre à cette
épreuve, le plus important est d'aller au lit tous les soirs avant
vingt-deux heures. Des études que j'ai faites dans le domaine
de la santé, je retiens que chaque heure de sommeil prise avant
minuit compte pour deux heures de sommeil prises après cette
heure. Je sais aussi que le repos est le meilleur moyen de
composer avec les tensions. Quiconque s'est déjà levé le matin
sans avoir suffisamment dormi sait combien la fatigue rend la

journée difficile. Quand il nous faut affronter les défis qui se présentent dans un état de lassitude, nous pouvons en arriver à nous sentir désespérés.

En deuxième lieu, il faut me concentrer sur les choses pour lesquelles je devais éprouver de la gratitude. Chaque soir, avant de m'endormir, je fais une liste d'au moins cinq bonnes choses qui me sont arrivées durant la journée. Le principe est simple : quand nous nous concentrons sur la noirceur, nous nous enfonçons de plus en plus dans la noirceur. Quand nous nous concentrons sur la lumière — et sur toutes les bonnes choses de notre vie —, nous attirons à nous de plus en plus de lumière.

Voilà une vérité puissante : *Tout ce à quoi nous portons attention devient de plus en plus important dans notre vie.* Il n'y a rien d'étonnant au fait que si nous nous concentrons sur le côté négatif des choses, nous ne voyons que cela. Combien de fois, si une amie vous demande *comment ça va ?* en dépit des dix choses merveilleuses qui vous sont arrivées ce jour-là, vous mettez-vous immédiatement à lui parler de la seule chose qui n'a pas bien marché ? Comme le disait si bien, l'un de mes conseillers préférés en croissance personnelle, Rob Robb : « Plus vous donnez de l'importance à une chose, plus cette chose devient solide et tangible. Lorsque vous pensez qu'une chose n'a pas d'importance, celle-ci disparaît. »

Voilà ce qui est arrivé à Ellen Greene dans l'histoire suivante. Professeure de lettres classiques, Ellen lit le grec ancien. Son histoire d'amour avec la Grèce est de longue date ; c'est pourquoi le combat qu'elle nous raconte dans la première partie de son histoire a de quoi surprendre. Cependant, heureusement, l'un de ses poètes grecs chéris est venu à sa rencontre ! Grâce à lui, elle a pu effectuer un changement de perspective et rediriger son attention de manière à percevoir différemment les circonstances d'une situation et à transformer les aspects misérables d'une réalité en motifs de gloire.

Le résultat donne une histoire qui se lit comme de la littérature.

Le poème japonais suivant est l'un de mes favoris : « Ma grange a été rasée par le feu, je peux maintenant apercevoir la lune. » Quelle liberté ! L'histoire d'Ellen est pour moi une source d'inspiration qui pointe cette direction. Elle m'incite à me demander : *Y a-t-il quelque chose qui me fait souffrir en ce moment ? Et si oui, existe-t-il une autre manière de regarder ma situation, un autre contexte qui pourrait contenir celle-ci et selon lequel je serais libérée de la souffrance ?*

L'habilité à rediriger notre attention et à voir le contexte plus large qui existe au-delà de nos petites inquiétudes est un outil puissant — et certainement une grande bénédiction — grâce auquel nous nous créons une vie heureuse et productive.

À propos, j'ai fini par épouser mon patron.

L'histoire de Ellen Greene
Mon odyssée

Je suis assise à la gare d'autobus de Nafplion et je souhaite n'avoir jamais fait ce voyage en Grèce. Pendant trois jours, j'ai erré dans les rues tortueuses de la ville absorbant les édifices vénitiens, l'animation des marchés et le quai pittoresque, où se mélangent curieusement les touristes étrangers et les pêcheurs de l'endroit qui démêlent leurs filets enchevêtrés. Je viens de divorcer et je suis très fière d'avoir eu l'audace, pour la première fois de ma vie, de partir seule en voyage à l'extérieur des États-Unis. Je pensais qu'un voyage en Grèce de cinq semaines serait idéal pour moi. En fait, je pensais que cela serait l'antidote parfait pour remédier au sentiment d'isolement que je ressentais.

Après coup, il m'apparaît tout à fait insensé de penser qu'un voyage dans un pays que je n'avais jamais vu — seulement imaginé —, aurait pu m'apporter quelque réconfort.

Pendant des années, j'ai étudié les textes anciens de littérature grecs, d'abord comme étudiante préparant la licence, ensuite comme étudiante de troisième cycle, à Berkeley. Les images que me suggéraient les ruines des temples grecs, les sons et les odeurs que j'associais aux paysages évoqués par la poésie de Sappho éveillaient en moi un puissant appel. J'imaginais que ces lieux m'offriraient le paradis de sécurité que je cherchais.

Cependant, mon séjour à Nafplion ne se déroule pas comme je l'escomptais. Depuis mon arrivée dans la ville portuaire animée, je ne vois que des couples marchant main dans la main ou bras dessus, bras dessous. Je crois qu'ils sont tous heureux. Assise sur la place, je me sens très loin d'eux. J'écris dans mon journal, essayant d'avoir l'air d'une écrivaine, peut-être, et bien sûr, de paraître totalement immunisée contre des émotions ordinaires comme la solitude ou la peur de la solitude.

Maintenant, j'attends l'autocar qui me ramènera à Athènes d'où je dois prendre un bateau pour me rendre à l'île de Paros. Je suis tout à fait vaincue. En dépit du fait que je perçois la beauté de cet endroit, il semble que j'y sois insensible. Loin de me faire sentir mieux, le fait d'être ici me fait sentir plus mal. Je ne vois qu'un cortège de couples heureux défilant devant moi. Le soleil qui brille sur les eaux jaillissant de la fontaine en face de moi n'arrange rien à l'affaire ; ce n'est que lumière, bruit et couleur. Tout ce que je veux, c'est partir d'ici.

Désespérée, je sors de mon sac un exemplaire des poèmes de C.P. Cavafy. À l'époque, j'avais toujours avec moi plusieurs volumes de poésie, et ce poète grec moderne est l'un de mes préférés. Je tombe par hasard sur un poème appelé *Ithaque*. Il fait intervenir le long voyage de retour d'Ulysse des champs de bataille de Troie pour montrer que la vie peut être un voyage rempli d'aventures, pourvu que nous ayons l'ouverture nécessaire. À cette lecture, quelque chose bouge en moi :

Ithaque

Quand tu pars pour faire le voyage vers Ithaque,
tu dois prier que le voyage soit long,
plein d'aventures, plein de connaissances.
Les Lestrygons et les Cyclopes,
La fureur de Poséidon, ne les redoute pas.
Tu ne les trouveras pas sur ton trajet,
Si ta pensée demeure sereine, si seuls de purs
Émois effleurent ton âme et ton corps.
Les Lestrygons et les Cyclopes,
La violence de Poséidon, tu ne les rencontreras pas,
À moins de les receler en toi-même
Ou à moins que ton âme ne les dresse devant toi.

Tu dois prier que le chemin soit long,
Que les matinées soient nombreuses
Où tu entreras dans un port que tes yeux ignoraient ;
Arrête-toi aux comptoirs phéniciens,
Acquiers-y de belles marchandises,
Nacres, coraux, ambres et ébènes,
Et toutes sortes de voluptueux parfums,
Autant de voluptueux parfums que tu le peux ;
Visite de nombreuses villes égyptiennes,
Pour t'instruire et apprendre de ceux qui savent.

Garde dans ton cœur toujours l'idée d'Ithaque.
Tu dois arriver, c'est ton destin,
Mais ne force pas la traversée.
Il est préférable qu'elle dure moult années,
Que tu sois vieux quand tu mouilleras dans l'île,
Riche de tout ce que t'auras gagné en cheminant,
Sans attendre qu'Ithaque te donne plus de richesses.

Ithaque t'a donné le beau voyage.
Sans elle, tu ne serais pas parti.
Elle n'a rien de plus à te donner.

Et si tu la trouves pauvre, ce n'est pas qu'Ithaque t'a trompé
Sage et riche de tant d'acquis,
Tu auras compris le sens de ces « Ithaque ».

Je suis stupéfaite. Ce poème évoque avec une grande immédiateté l'euphorie du voyage d'Ulysse plein de découvertes. Je prends conscience avec une certitude viscérale que ce poème parle de mon propre voyage, de mon aventure. M'émerveiller avec joie devant la multitude des expériences de la vie comme des « ports que les yeux voient pour la première fois » : voilà ce qui me manque. Plutôt que de laisser l'angoisse me fermer au monde qui m'entoure, je devrais m'ouvrir à l'idée que l'existence est une occasion de vivre de nouvelles expériences, de devenir « riche de tout ce que tu auras gagné en cheminant ». Je referme le livre avec l'impression que désormais je peux aller de l'avant, seule, et accueillir tout ce qui se présentera.

À partir de là, la vie devient magique. Me sentant dans la peau d'un ancien Grec, je monte à bord du bateau et je fais la traversée vers l'île de Paros en deuxième classe, sur le pont. Cette nuit-là, je ne dors pas, impressionnée par la conjonction des étoiles, l'air marin et l'assortiment étrange de gens qui essaient de dormir malgré l'éclat des brillantes lumières. J'entends des passagers à côté de moi dire que Paros est l'île du marbre blanc et des bateaux de pêche vivement colorés. Le matin suivant, lorsque nous approchons de l'île, je me sens excitée à la vue de ce paysage de légende. Dans la ville portuaire de Parikia, je demande le chemin pour me rendre au village de pêche le plus reculé de l'île. Après plusieurs heures de voyage sur une route cahoteuse, ponctué de la musique grecque s'échappant du magnétophone du conducteur, nous arrivons à Aliki. Je constate immédiatement qu'il n'y a qu'un seul hôtel dans le village et que celui-ci est complet. Je demeure imperturbable et réussis à convaincre le directeur de l'hôtel de me laisser dormir dans une minuscule chambre sans fenêtre sur le toit. Je suis très heureuse de ma nouvelle chambre. Je m'y sens très à l'aise, et j'ai le toit tout à moi. De là, j'aperçois les bateaux qui se balancent dans l'eau et les enfants qui jouent au Frisbee sur la plage plus bas. Au loin, je repère l'affiche étincelante d'une discothèque appelée « Romantika ».

Pendant une semaine, j'arpente les rues poussiéreuses d'Aliki, je m'essaie à la nage dans les eaux claires comme du cristal, et je discute avec des Grecs en buvant l'épais café grec ou de l'Ouzo. Mes années d'apprentissage du grec moderne portent fruit. Il n'y a pas d'Américains ici et seulement quelques touristes étrangers. J'apprends très vite qu'Aliki attire surtout des Athéniens qui souhaitent passer les vacances du mois d'août dans un endroit tranquille en compagnie de leur famille. Chaque après-midi, après avoir passé des heures à converser, à nager ou à me promener le long du port, je reviens sur mon toit, une tasse de café grec sirupeux à la main. Je m'assois et un vent se lève ; il fait claquer les serviettes et les draps étendus sur la corde, et arrache même les fleurs de leur tige. Il souffle sans relâche. Je suis satisfaite et heureuse d'être sur son passage. Le soleil luit dans le ciel et se déploie au-dessus de la mer. La lumière est palpable, pénétrante, et je m'abandonne en elle comme un lézard sur une plaque de granit. Tout est offert et brillant : mes cheveux flottant vers l'arrière, mes boucles d'oreille dorées miroitant autour de ma tête, le rouge et le bleu des bateaux au loin, et le ciel sans nuage. Je me sens pleine de la beauté et de la richesse du monde.

Presque chaque soir, je danse tout mon soûl au « Romantika ». Si je trouve un partenaire, tant mieux, sinon je danse seule. Le temps s'écoule sur moi selon les rythmes réguliers de la vie quotidienne. Au coucher du soleil, les pêcheurs rentrent au port. Dans les cafés, on appelle les hommes pour le dîner. Les veuves, dans leurs vêtements chargés de deuil, rentrent dans leur bungalow blanc et poussiéreux. Je retourne dans ma chambre minuscule pour écouter le bruit du vent et le tintement des verres d'ouzo dans le bar en bas. Je sens que je fais partie de tout cela, que je suis reliée à ce réseau compliqué de vie.

Après avoir passé une semaine à Paros, je vogue vers la Crète, en quête d'une nouvelle aventure. J'arrive à Héraklion, la capitale de la Crète, à l'aube. Le jour suivant, je me rends à Cnossos pour admirer les temples et les palais, vestiges de la plus ancienne civilisation occidentale connue.

Les ruines reconstituées de l'un des palais de Cnossos me révèlent des secrets anciens. Je ne m'attendais pas à ces rouges brillants, à ces bleus et à ces dorés qui composent les peintures qui recouvrent les murs, non plus que je ne pensais voir sur les murs ces visages qui me regardent fixement. À un moment, je suis dans la chambre de la reine devant ce qui reste d'une baignoire : de tout temps, la baignoire a fait partie de l'intimité des femmes. Me viennent à l'esprit des images de ces gens occupés à vivre leur vie. Je marche à travers des rangs et des rangs de tessons de poterie, des morceaux de vie, de vins répandus et d'huile d'olive, de somptueux banquets et de pénibles efforts pour moudre la farine. Çà et là gisent des colonnes brisées et des fragments de pierre, encore bruissant de vie. Je me sens reliée à ces gens et à ces parcelles de leur vie.

Je sors parmi les oliviers, et j'entends, venu d'on ne sait où, le cri strident des cigales. Je sais que je suis chez moi. Dans le lointain, j'aperçois les eaux de la Méditerranée ancienne étincelant dans le soleil de fin d'après-midi. Cela me réconforte de constater que la Méditerranée rouge sang d'Homère est encore là. Et moi aussi, je suis là, totalement présente et en mesure de recevoir les nombreux cadeaux que m'offre mon « beau voyage ».

« Plutôt que de laisser l'angoisse me fermer au monde qui m'entoure, je devrais m'ouvrir à l'idée que l'existence est une occasion de vivre de nouvelles expériences. »

— Ellen Greene

24- Prendre soin de soi

Il est naturel pour les femmes de prendre soin des autres. En fait, nous sommes passées maîtres dans cette activité. Nous nous occupons de nos partenaires, de nos enfants, de nos amis, de nos employés, de nos collègues, de nos clients, de nos animaux domestiques et nombre d'entre nous sommes maintenant confrontées à la nécessité de prendre soin de parents âgés. Il n'y a donc rien d'étonnant que l'une des plus grandes questions qui concernent les femmes aujourd'hui soit celle de l'équilibre.

Toutefois, il est surprenant de constater que, dans notre culture, les femmes ont tellement appris à faire passer les besoins des autres avant les leurs, qu'elles n'ont aucune idée comment prendre soin d'elles-mêmes. En fait, on nous enseigne qu'il est égoïste de penser à soi !

L'aspect du conditionnement social qui encourage la femme à faire de son partenaire le centre de sa vie a des effets dévastateurs sur la santé et le bien-être de celle-ci. Ne vous méprenez pas : j'adore mon mari ! Le fait qu'une femme est au service des autres, soit au service de son mari ou de ses enfants, ne me cause pas de problèmes. Le service aux autres est la forme d'action la plus élevée qu'un être humain peut accomplir dans sa vie. Cependant, cela ne doit pas se faire au détriment de ses propres besoins et de ses buts. Comme le disait le docteur Joyce Brothers : « Le meilleur conseil que je peux donner à une femme quand vient le temps de jongler avec mariage et carrière est de penser à elle en premier. Cela est égoïste, direz-vous ? Aucunement. De quelle vie s'agit-il après tout ? »

Selon Joan Borysenko, auteure du livre *A Woman's Journey to God*, ce qui est le plus difficile pour les femmes, dans le monde très occupé dans lequel nous vivons, est qu'elles inscrivent leurs besoins en dernier sur la liste des choses à faire. « Pour les deux sexes, le danger de tomber dans le piège du " faire " est toujours là. Cependant, les femmes ont plus de mal à s'en sortir... La grande question étant : "Comment faire pour obtenir ce dont j'ai besoin sans être égoïste ?" Tant que nous croirons que nous occuper de nous-mêmes est faire preuve d'égoïsme, les vilaines mâchoires du " faire " resteront refermées sur nos chevilles. »

C'est le principe du masque à oxygène. Au départ d'un voyage en avion, l'agent de bord nous explique qu'advenant le cas d'une baisse de pression d'air dans la cabine, des masques à oxygène tomberaient automatiquement d'au-dessus de notre tête. On recommande à chacun de mettre d'abord son masque, avant d'aider les enfants ou d'autres personnes à mettre le leur. En effet, si vous êtes en train de mourir, au propre ou au figuré, comment pouvez-vous aider les autres ?

Dans l'histoire suivante, Christina Sukkal nous raconte que le fait de découvrir la signification réelle de prendre soin de soi a un impact considérable sur sa personnalité et sur son travail. Cela a aussi un impact sur moi, car cette histoire m'a montré que le fait de prendre du temps pour moi, pour faire des choses qui nourrissent mon âme, comme le yoga et la danse, a une grande valeur thérapeutique. Je sais que si je commence à ressentir de l'inconfort à cause d'une séance trop longue à l'ordinateur, je n'ai qu'à faire quelques étirements et je me sens mieux. Plus je pratique le yoga, plus je peux travailler de longues périodes à l'ordinateur ou plus je peux conduire longtemps la voiture sans ressentir de douleur.

Lorsque je ne me sens pas très bien, pour une raison ou l'autre, le moyen le plus rapide que j'ai trouvé pour sortir du malaise est de prendre une courte pause et d'écouter un peu de musique. Comme le dit Gabrielle Roth, créatrice de *The Five Rhythms* : « Mettez le psychisme en branle et il se guérira lui-même. » Je me suis rendu compte que le fait de danser, ne serait-ce que cinq minutes, au son d'une musique que j'aime peut changer mon humeur, libérer des émotions refoulées, me donner de l'énergie et me rendre meilleure.

Grâce à Christina, j'apprends comment prendre soin de mon côté féminin en premier.

L'histoire de Christina Sukkal
Cultiver la féminité

Nous sommes en 1990. J'ai des enfants d'âge préscolaire et je suis mariée depuis neuf ans. Sous certains aspects, je manque de conformisme alors que selon d'autres, je suis une femme et une mère tout à fait ordinaire, faisant fonctionner une affaire de formulaires pour des clients et décorant la maison.

À quarante et un ans, je suis une danseuse qui ne danse pas : une femme sans formation en danse, sans justaucorps ni collants, néanmoins je suis quelqu'un dont la nature profonde est reliée à la danse. Enfant et jeune fille, j'ai dansé avec une passion sauvage, bien que je ne sois jamais restée très longtemps dans aucune classe. Je me suis mariée avec un homme qui n'était pas un danseur, je suis devenue mère, et mon intérêt pour la danse s'est évanoui.

Quoique j'ai toujours en moi cette impulsion : une certitude qu'au plus profond de moi, je suis une divine danseuse. Adulte, j'essaie de suivre des leçons de danse, mais la musique et les mouvements conviennent à des personnes plus jeunes et plus flexibles que moi ; ces cours ne laissent pas de traces. De plus, je fais un peu d'embonpoint, je suis frustrée et je ne sais pas comment changer.

Puis, un soir, la danseuse en moi émerge. Cela arrive d'une manière inattendue. Mon mari Michael est à San Franscisco et je suis seule à la maison. Dernièrement, j'ai appris une technique de méditation qui consiste à s'asseoir sur un petit coussin rond, appelé zafu, et à respirer profondément. Ce soir-là, une fois les enfants endormis, j'éteins les lumières, j'allume quelques chandelles, je mets un peu de musique et je m'assois pour respirer. En raison de la forme du coussin, je remarque immédiatement que ma colonne vertébrale se dresse d'une façon inhabituelle.

Je me mets ensuite à sentir mon corps d'une manière tout à fait nouvelle pour moi. Je sens mes mouvements partir de l'intérieur. Je sens d'une manière exquise les moindres mouvements de mes muscles. J'écoute mon cou et, pour la première fois, j'entends mes muscles et mes os bouger. À partir de ce moment, je me perds dans mon corps. Pendant les soixante ou, peut-être quatre-vingt-dix minutes qui suivent, je reste concentrée sur ce qui se passe en moi : je bouge d'une manière fluide, en utilisant toutes les parties de mon corps et pour la première fois, je prends conscience de chaque composante individuelle de mon corps.

C'est magnifique. Je mets mon esprit de côté et je n'écoute plus que mon corps. Je ne pense plus à mon mari, à notre vie et à la relation que nous avons, aux enfants ou à l'argent. Mon attention est dirigée en moi-même. Le plaisir d'explorer mon corps en mouvement, de découvrir sa force et ses caractéristiques musculaires m'emporte.

Quand la musique s'arrête, je me rends compte que j'ai dansé. Pour la première fois, j'ai dansé la danse qui vit en moi, sans penser à ce dont je pouvais avoir l'air. Cela a été une danse libre et vraie, et je sais qu'elle était belle. C'est une expression qui relevait de l'art, car chaque mouvement était relié à sa source. La musique et le mouvement se sont déployés ensemble, chaque note de musique éveillant en mon corps la réponse poétique qui lui correspondait. C'était la danse pour laquelle j'étais née : je n'ai pas dansé pour le monde, mais pour moi. À mon insu, la partie profonde de féminité en moi — la déesse — se réveillait.

Je me mets à prendre goût aux absences de Michael. Quand il est à la maison, je remarque que je me sens un peu gênée et plus portée à tenir compte des autres. Toute mon attention est dirigée vers lui, et je ne peux me concentrer sur moi. C'est pourquoi je me réjouis de ses fréquents voyages en ville. Pour la première fois, je vois l'importance de passer du temps chacun de son côté. Je me rends compte que mon existence a toujours tourné autour de lui et des enfants et que je n'ai jamais pris le temps de faire ce dont j'ai besoin pour nourrir la partie féminine en moi. Loin de me sentir isolée, je suis ravie d'être seule.

Je continue à danser. Mon pelvis, mes épaules et mes bras ont trouvé une façon d'onduler naturellement qui m'est devenue familière autant que cela a dû l'être pour les femmes qui vivaient, il y a cinq mille ans. On dirait qu'un savoir ancestral circule à travers mon corps. J'ai l'impression d'effectuer des mouvements sacrés, et le bonheur que j'en retire ressemble à un cadeau d'ordre spirituel.

Toutefois, ce n'est pas seulement mon corps qui bouge ; toute mon existence bouge aussi. Après la première soirée dont j'ai parlé, des changements profonds surviennent. Une affaire que Michael et moi avions mise sur pied ensemble fait faillite, et l'état de nos finances devient précaire. Nous ne savons plus quelle direction prendre. Ensuite, Michael m'informe qu'il y a une autre femme dans sa vie. Malgré l'amour qu'il éprouve pour moi et l'engagement qu'il souhaite maintenir dans notre mariage, il est tombé amoureux d'une femme sans l'avoir cherché. Et il est indéniable qu'il a des affinités avec cette femme.

Tout à coup, nos vies deviennent très compliquées. Notre mariage, autrefois parfait comme une image de conte de fées, n'est plus très beau à voir. En dépit de cela, nous sentons que la relation qu'il y a entre nous devient plus intense. Notre amour grandit au lieu de diminuer. Souvent, Michael et moi restons debout jusqu'à deux heures du matin, à discuter et à parler. La sincérité dont nous faisons preuve dépasse tout ce que nous avons connu dans le passé. Pour la première fois, je connais l'amour sans condition, et je sens que mon psychisme en est transformé. Je suis en train de devenir la femme que je suis destinée à être.

Mes soirées hebdomadaires de danse m'ont aidée à créer du changement dans ma vie. Maintenant, elles me sont utiles pour composer avec ces changements d'une manière saine. Je me rends compte que si Michael n'avait pas eu cette autre relation, je n'aurais jamais eu tout ce temps seule avec moi-même. Je n'aurais pas pris le temps d'observer ce qui se passait en moi et de me relier à mon essence spirituelle. La partie divine et féminine de moi aurait pu ne jamais se manifester. Cependant, maintenant, je sais qu'elle existe et je m'aperçois que la conscience qu'elle a des choses est large. Par la danse, elle m'apporte une telle inspiration et un tel respect de moi-même qu'il m'est possible de m'ouvrir et d'accepter les difficultés de la vie avec amour. Michael et moi décidons de rester mariés et de voir où l'amour nous mènera.

Un soir, j'ai une vision pénétrante de ce que doit être mon but. J'entends une voix qui me dit : *Travaille avec les femmes, et fais avancer la danse.*

Je trouve une combinaison-pantalon : un collant noir, seyant, avec une fermeture éclair à l'avant et de longues manches ainsi qu'un large décolleté au dos. C'est un vêtement merveilleux à porter : anticonformiste, féminin, créatif. J'entoure mes hanches d'un foulard de soie et je m'admire. La déesse en moi exulte. Bientôt, je prends conscience de ce qu'est le but de ma vie : partager mon expérience d'éveil de la féminité avec d'autres femmes et utiliser les mouvements du corps pour se relier à la divinité.

Le temps passe et mon expérience de transformation profonde se poursuit. Je grandis sous le plan spirituel et mon corps se modifie. Découvrant la divinité en moi, je me sens plus forte, et débordante d'amour. Michael et moi sommes heureux de continuer à grandir ensemble. Avec le temps, nous mettons sur pieds des ateliers pour aider les autres à éveiller la divinité en eux.

Aujourd'hui, dix ans plus tard, la déesse en moi est une partie intégrante de ma vie de tous les jours. À travers moi, elle a chanté, elle a bougé, elle a dansé, elle a aimé. Elle m'a permis de définir ma mission dans la vie et elle guide mon travail. Grâce à elle, j'ai un contact aimant avec chaque personne que je rencontre dans ce monde d'abondance.

Quand je repense à ces années de ma vie, je me sens reconnaissante d'avoir pu naviguer cette transition difficile. Je suis maintenant en mesure d'apprécier la perfection de tout cela et de constater qu'une grâce extraordinaire a dirigé ma route. Si Michael n'en avait pas aimé une autre, j'aurais pu ne pas pouvoir regarder en moi et découvrir la danse. Sans la danse, je n'aurais pas découvert la divinité qui m'habite. Et si je n'avais fait cette expérience du féminin en moi, je n'aurais probablement jamais conçu l'idée de ce travail qui est le mien : créer une communauté en ligne et vendre des vidéos, des cassettes et d'autres produits pour aider les gens à vivre plus intensément leur vie. Aujourd'hui, à l'aube de mes cinquante-cinq ans, je vis la vie pour laquelle j'étais destinée.

« *Pour la première fois, j'ai dansé la danse qui vit en moi, sans penser à ce dont je pouvais avoir l'air. Cela a été une danse libre et vraie, et je sais qu'elle était belle.* »

— Christina Sukkal

25- Le lâcher prise

Je reviens à l'instant d'un congé de dix jours en Floride au cours duquel j'ai travaillé un peu. Je n'ai que deux jours chez moi avant de partir en voiture pour Chicago et assister au Book Expo of America. J'ai prévu défaire mes bagages, faire la lessive et refaire mes bagages ; dépouiller mon courrier, prendre connaissance des courriers électroniques et des messages téléphoniques ; et régler les factures. J'ai aussi en tête l'idée de faire entrer dans ce programme un peu de travail sur le présent livre.

En arrivant dans l'entrée, je remarque que le gazon est haut de plusieurs centimètres. Lors de mon absence, on m'a averti que la pelouse était attaquée par la moisissure et qu'il fallait procéder à un traitement avant de la tondre. J'ai fait quelques appels pour essayer d'arranger les choses avant mon retour. Néanmoins, il semble que rien n'a été fait. Pelouse et moisissure prolifèrent.

Dans la maison, la première chose que je constate est que le réfrigérateur a une fuite. Le matin suivant, je laisse un message à un réparateur du voisinage. Cependant, lorsqu'il rappelle plus tard dans la journée pour annoncer qu'il s'en vient, je suis sur le point de sortir pour aller à un rendez-vous. Nous devons trouver un autre moment.

Au bureau, malgré tous mes efforts, je n'arrive pas à faire fonctionner l'imprimante. De mon portable, je m'envoie à moi-même des documents par messagerie électronique afin de pouvoir les imprimer à l'aide de mon ordinateur de bureau. Cela ne fonctionne pas non plus. Mon technicien, qui est un des consultants les plus accessibles que je côtoie, ne répond ni à son téléphone cellulaire ni au courrier électronique.

J'abandonne le combat avec l'imprimante pour aller à ce rendez-vous. Dès mon arrivée, je ne peux que me rendre compte qu'ils ont tellement de retard qu'ils ne pourront me voir. Il faut trouver une autre date. Je décide donc de me rendre à l'épicerie où je m'aperçois rapidement que j'ai oublié ma liste à la maison.

Il y a plus encore à raconter, mais vous comprenez de quoi il retourne. Qui, parmi vous, n'a jamais eu de jours comme celui-là ? Naturellement, ces « problèmes » ne sont pas de vrais problèmes : ils paraissent tout à fait anodins à côté de la situation critique que vivent les femmes qui luttent pour la survie dans de nombreux pays du monde. Permettez-moi cependant de paraphraser des paroles attribuées à Mère Térésa dans le magnifique documentaire de Ann Petrie, intitulé *Mère Térésa*, en affirmant : c'est Dieu qui nous a donné la vie que nous avons. Que nous habitions un palais ou un taudis, il faut accepter la situation. Il peut sembler ironique qu'en dépit du confort dans lequel nous vivons, nous trouvions toujours moyen d'être contrariés par les circonstances !

Que faire lorsque tout semble aller de travers ? Dans Star Trek, Borg dit : « La résistance est inutile. » Dans de telles situations, la frustration que je ressens vient du fait que je m'oppose aux évènements tels qu'ils sont ou que je crois avoir le pouvoir de les changer. Le seul moyen de trouver la paix dans des moments comme ceux-là est de s'abandonner « à ce qui est ». Cela n'est pas facile, surtout pour quelqu'un d'entêté comme la personne que j'ai vue ce matin dans le miroir.

Néanmoins, je pourrais considérer les évènements dont je fais mention ici comme des signes qui me disent de *cesser de forcer les choses*. À mon retour de vacances, sans doute aurait-il été préférable de prendre un rythme plus décontracté. J'aurais pu prendre un peu de temps pour écrire et chasser de mon esprit l'idée que les factures, la pelouse et le courrier électronique ne pouvaient attendre mon retour de Chicago. Si je regarde froidement la situation, la seule chose dont il me faut absolument m'occuper est le réfrigérateur ; et j'ai encore le temps de le faire avant mon départ. Voilà encore un exemple de cette habitude que j'ai de me créer des problèmes en pensant que la vie devrait se dérouler d'une façon, la mienne.

Dans notre culture, l'abandon implique souvent qu'il faut lâcher prise et capituler ; ce que nous avons tendance à considérer comme une faiblesse. Néanmoins, je crois qu'il y a des moments où l'abandon est une action (ou une absence d'action très puissante). Cela ne signifie pas que, sous prétexte d'abandon, on ne fasse rien ou on évite de prendre ses responsabilités. Le lâcher prise dont il est ici question signifie se détacher complètement du résultat que nous souhaitons voir se produire. Si nous en sommes capables, même une fraction de seconde, nous permettons que se forme une ouverture par laquelle le flot cosmique de la vie peut passer, et transformer la frustration, la colère et la peur en un profond sentiment de confiance dans une puissance supérieure à nous-mêmes.

Comme vous le verrez dans l'histoire suivante, racontée par Cielle Kollander, cela peut même signifier une vie tout à fait nouvelle.

L'histoire de Ciella Kollander
Le chant du guerrier

D'aussi loin que je me souvienne, tous les membres de ma famille, dont les origines pour la plupart étaient écossaises-irlandaises ou indiennes cherokee, avaient une histoire d'amour avec la musique. Mes parents, tous deux chanteurs et musiciens, ont suivi des cours de chants des professeurs les plus réputés de leur époque. Ma mère jouait de onze instruments de musique, et nous, les trois enfants, jouions aussi de plusieurs instruments, et il était naturel que nous chantions des harmonies. Notre maison résonnait des chants des plus fameux interprètes du jour, comme John Charles Thomas et Marian Anderson, la première Africaine-Américaine à se produire avec l'opéra métropolitain de New York.

Dès l'âge de quatre ans, j'ai commencé à étudier avec ma mère ; j'ai eu ensuite d'autres professeurs et je faisais des numéros de piano, de chants, de danse, d'accordéon et de violon. Pour des gens comme nous, la musique est le remède à tout ; nous commençons à l'entendre dans le ventre de notre mère. En ce temps-là, la télévision n'existait pas. Lors des réunions de famille ou lors des pique-niques, nous chantions et faisions de la musique toute la journée, quelques fois jusqu'à cinq ou six heures de suite. Chacun apportait son instrument, et il y avait tant de personnes de la famille élargie qui jouaient du piano ou de l'orgue que nous nous disputions pour savoir qui allait en jouer lors de nos réunions !

En plus d'être musicien, mon père était aussi un ministre du culte protestant, comme l'étaient d'ailleurs mes grands-parents. Je l'appelais « le prêcheur voyageur », car nous nous déplacions en différents endroits du pays pour construire des églises. Mon père les construisait au sens propre du terme ; il y réunissait ensuite une assemblée de fidèles et dirigeait le chœur, pendant que maman jouait du piano ou de l'orgue et que toute la famille chantait ! Une fois que l'église était bien établie et que nos efforts avaient porté ses fruits, nous partions tout recommencer ailleurs.

J'ai grandi dans des quartiers pittoresques habités par des groupes de différentes ethnies. J'ai connu les églises noires et leur musique fabuleuse. Souvent, papa installait la famille dans des quartiers hétérogènes, car il pensait que le fait de vivre parmi un aussi grand nombre d'ethnies que possible ferait de nous de meilleures personnes. À une époque, nous habitions une banlieue dans le sud-est de Los Angeles. Chaque dimanche soir, quand mon père avait terminé les offices dans sa propre église, il nous faisait tous monter en voiture et nous emmenait en ville à une très grande église noire, où il y avait un chœur extraordinaire, appelé l'Écho du paradis. Nous y allions pour assister à l'office radiodiffusé du dimanche soir. Le chœur devait bien compter cinq cents voix — à ce qu'il me semblait — et de nombreux musiciens ; des artistes de la scène venaient de Los Angeles pour jouer de leur instrument. Je me souviens des grosses matrones, vêtues de blanc comme des infirmières, postées à intervalles réguliers au bout des rangées de bancs, qui tempéraient les gens lorsqu'ils s'enflammaient un peu trop : la prédication et la musique excitaient les gens et les exaltaient.

Souvent, nous étions les seuls blancs dans un océan visages noirs ; nous étions toujours accueillis à bras ouverts. J'aimais beaucoup la façon dont l'office commençait. À vingt-deux heures, d'une voix riche, profonde et musicale, le pasteur récitait le Notre Père, verset après verset. Avec toute la magnificence du gospel, le chœur lui répondait, chantant après lui chaque verset. À la fin, tout le monde se balançait. Mes parents me plaçaient debout sur un banc. Je chantais et je bougeais mon corps en suivant le rythme. Voilà une religion qui a du sens ! Tous ces gens étaient à l'aise dans leur corps ; ils y allaient de bon cœur, leurs mouvements étaient sensuels, rythmés et poétiques. Ils aimaient chanter et pour moi, il n'y avait rien de comparable.

À cette époque, il était courant de voir aux coins des rues des familles qui chantaient. Nous ne le faisions pas pour l'argent, mais pour être une source d'inspiration pour les autres. En ce temps-là, le pasteur jouait le rôle que le psychologue joue aujourd'hui : il prodiguait des conseils et il apaisait les âmes inquiètes des fidèles. En tant que famille de pasteur, nous visitions les prisons et les hôpitaux et chantions pour les détenus et les malades. Je me souviens que souvent, mon père et moi étions seuls pour effectuer ces tournées — j'étais mignonne, je ressemblais à Shirley Temple enfant — et il me posait sur quelque chose pour me surélever, car j'étais si petite. Je me rappelle que je portais ma robe préférée, une robe d'un riche velours bleu avec des petits rubans de satin, et que j'étais coiffée de longues boucles, lesquelles avaient été frisées à l'aide d'un fer chauffé sur l'énorme poêle à bois de la cuisine. Je revois la tristesse sur le visage des prisonniers.

Je chantais pour eux tout mon répertoire : des hymnes et des chansons américaines, comme des chants de camps et des chansons de Stephen Foster. À l'âge de sept ans, je chantais dans des publicités pour la radio. J'étais tombée amoureuse de la radio dès l'âge de trois ans ou quatre ans et je savais que j'en arriverais là.

De plus, je chantais *toujours* pour les soldats chaque fois que ma mère et moi prenions le train pour traverser le pays de San Diego, où résidaient les membres d'un côté de la famille, en Virginie, où résidaient les autres. C'était l'époque de la Seconde Guerre mondiale et les trains étaient pleins de soldats en uniforme, qui partaient au front ou qui en revenaient. Ils me demandaient de chanter et de danser, et de m'asseoir sur leurs genoux et ils me donnaient des cadeaux comme des friandises et des sucettes, et même des souvenirs comme leur képi. Je les aimais bien et ils m'aimaient aussi. Il est certain que je leur rappelais leurs propres enfants qui devaient beaucoup leur manquer.

Quand j'ai eu treize ans, mon père a quitté son ministère et il est parti travailler pour le gouvernement américain. Quand j'en ai eu seize, il était devenu administrateur responsable de l'école d'officiers des alliés aux Philippines. C'est là-bas que j'ai obtenu mon diplôme du lycée. La radio était encore la principale joie de ma vie, et à l'époque j'avais mes propres quarante-cinq tours : une immense collection de disques de Rythms and Blues. J'avais le culot de me rendre à la station de radio de la base pour demander aux animateurs s'ils souhaitaient emprunter mes disques ! J'ai fini par avoir ma propre émission de Rythms and Blues, au cours de laquelle je parlais aux auditeurs et je faisais tourner mes disques.

Pendant mes années de lycée et de collège, j'ai continué à chanter et à danser. Je faisais partie de tous les spectacles musicaux. À un moment, je me produisais avec la troupe de danse de la marine américaine et je suis tombée amoureuse du premier trompettiste ; c'était dans l'ordre des choses ! Nous nous sommes mariés et nous sommes partis vivre à Las Vegas, l'un des trois endroits de ce pays, mis à part Los Angeles et New York, où les musiciens et les artistes pouvaient vivre de leur art.

La vie à Las Vegas était parfois merveilleuse, mais toujours effrénée. Je me produisais en tant que chanteuse et danseuse au Riviera, au Stardust, au Harrah, ainsi qu'à de nombreux autres hôtels là-bas et à Reno. Certains soirs, je pouvais partager l'affiche avec des chanteurs comme Elvis ou des comédiens comme Don Rickles ; ceux-ci adoraient me taquiner de derrière les coulisses ! Souvent, entre les spectacles, je prenais le café avec Dan Rowan et Dick Martin, deux de mes copains très amusants qui faisaient une émission de télévision appelée *Laugh-In*. Ou encore le bassiste de Elvis et moi nous réfugions dans nos loges à Reno pour lire des livres de yoga ensemble.

En même temps que je me produisais sur scène, j'élevais une famille, j'étudiais la théorie de la musique et la composition à l'université, et je dirigeais le seul club de jazz de Las Vegas, dont j'étais aussi copropriétaire. Notre club était un endroit où les musiciens de jazz — qui comprenaient des grands comme Steve Allen et Bill Cosby — pouvaient venir jouer ce qu'ils voulaient, toute la nuit, s'ils le souhaitaient. Ce qui était différent de ce qui se passait dans les grands hôtels où ils devaient jouer ce qu'on leur demandait.

Mon mari, lui aussi, était un artiste. C'était un musicien de présentation, il jouait avec tous les orchestres qui venaient en ville. C'était un bon ami de Frank Sinatra junior, lequel chantait souvent avec le groupe Dorsey ou le dirigeait.

Lorsque mon mari et moi, nous nous sommes séparés, je suis partie vivre à Los Angeles, où, immédiatement, j'ai commencé à chanter dans les studios. J'ai signé un contrat avec plusieurs des grands studios de l'industrie du disque et du cinéma qui engageaient des chanteurs. Je travaillais fort, mais j'étais entourée de gens célèbres et prestigieux. J'ai travaillé, collaboré et effectué des tournées avec tous : Andy Williams and The Osmonds, Bobby Darin, Paul Horn, Chad and Jeremy, John Davidson, la vedette du country Lee Greenwood et des grands du jazz comme Roger Kellaway et Tom Scott. Ma fille et Marie Osmond, qui étaient petites à l'époque, voyageaient ensemble dans des avions privés et prenaient ensemble des cours par correspondance, pendant que nous voyagions à travers les États-Unis et le Canada.

Nous étions dans les années soixante, rien n'arrêtait le succès dont je jouissais. C'était presque magique. Je suis devenue parolière chez A & M Records ; j'avais mon propre studio situé dans les anciens studios de Charlie Chaplin. J'avais de nombreux amis qui faisaient partie de la distribution de la comédie musicale *Hair*, et un autre de mes amis était directeur musical du groupe The Fifth Dimension. Le groupe était à la recherche d'une pièce pour terminer leur album *Aquarius*, et quoique des artistes renommés aient soumis des propositions, jusqu'à maintenant, rien n'avait été considéré comme satisfaisant. Pendant l'enregistrement dans un studio, mon ami a aperçu mon nom sur une bande de la A&M. Il s'en est emparé et il a écouté une pièce que j'avais écrite avec mon partenaire et que j'avais enregistrée avec le groupe dont je faisais partie à l'époque. Il l'a joué aux membres du Fifth, et ils l'ont adorée !

Ils ont donc ajouté ma chanson et l'arrangement que j'en avais fait à l'album, lequel a remporté le disque de platine.

Néanmoins, les choses dans le « show-business » commençaient à se gâter. J'avais assuré ma fortune, et dans les maisons de productions, je me tenais à côté d'idoles populaires comme Dylan, The Byrds, The Beach Boys, The Monkeys, Sonny and Cher et The Doors. La drogue était omniprésente. Dans les studios d'enregistrement, tout le monde était givré : des chanteurs et des musiciens jusqu'aux producteurs et aux ingénieurs. À certains moments, il fallait passer la nuit debout pendant des jours. Malgré l'excitation extrême que ces situations me procuraient, j'étais épuisée.

Lorsque la pratique de la méditation, popularisée par les Beatles et par d'autres célébrités, est entrée en scène, cela m'a semblé comme une réponse à mes prières. Comme bon nombre de musiciens et de hippies des années soixante, j'étais attirée par la paix que cette pratique offrait et les promesses qu'elle proposait de sortir de cette vie de fou. J'ai donc appris à méditer ; le silence et la paix que j'en retirais étaient bienvenus.

Je suis bientôt devenue professeur de méditation et je suis partie vivre à Carmel pour enseigner à temps plein. Je fréquentais Clint Eastwood et quelques-uns de ses amis. Je menais une existence magnifique, toujours entourée de gens célèbres. Cependant, désormais, je leur apprenais la médi-tation. Je me sentais bénie du ciel.

Un jour, je me rendais à une rencontre de suivi de méditation ; j'avais rendez-vous pour le lunch avec le directeur de la AMPEX Corp. C'était le vingt-sept décembre 1974, ma voiture était chargée de cadeaux de Noël tardifs pour cet homme merveilleux, son personnel et sa famille. Il était environ onze heures trente. La première pluie glacée de la saison tombait et l'autoroute était glissante.

Tout à coup, j'ai perdu la maîtrise de ma voiture. Enjambant le terre-plein, ma petite voiture a tourné dans l'autre sens, à contre-courant de la circulation, et elle a été heurtée de plein fouet. La voiture a été poussée contre un parapet sur le côté de la route, lequel a empêché qu'elle ne bascule, par-dessus le talus, dans une gorge profonde. C'était un très grave accident. Le conducteur de l'autre voiture a été emmené à l'hôpital pour passer la nuit en observation. Ma voiture et moi étions tout à fait démolies.

La première chose dont je me suis rendu compte après l'accident était que ma conscience s'enfuyait par le sommet de ma tête. Je traversais un énorme champ de lumière, et je me sentais envahie d'un sentiment palpable de bénédiction qui était indescriptible. J'observais la mécanique de l'univers calculer l'énigmatique équation de mon destin. J'ai pris conscience — sans y penser vraiment — que je n'avais pas terminé ma tâche de mère et d'enseignante et que, malgré mes graves blessures, je me rétablirais. Oui, je guérirais. J'observais l'univers décider que je reviendrais.

De très loin, j'ai entendu venir une plainte et j'ai senti beaucoup de compassion. Quittant cet extraordinaire monde de lumière et d'amour, je suis revenue dans mon corps et je me suis rendu compte que c'était moi qui gémissais. Après cette expérience de lumière infinie, l'existence ne pouvait plus me sembler insignifiante ; selon moi, cette lumière constitue l'aspect invisible de la vie qui fait partie de tout ce que nous voyons et de tout ce que nous croyons être la réalité.

Lorsque l'ambulance est arrivée, j'aurais dû être morte. J'avais deux artères principales qui avaient été sectionnées, et je suis probablement demeurée une heure sur le bord de la chaussée avant que quelqu'un compose le 911 et que les secours arrivent (à l'époque, le téléphone cellulaire n'existait pas !) À l'arrivée de l'ambulance, j'ai entendu que l'on disait qu'il allait falloir un chalumeau. Je me souviens avoir été consciente de la gentillesse dont les ambulanciers ont fait preuve à mon égard. D'après ce que j'avais vu à la télévision, je me serais attendue à de la froideur et à de la rudesse. Cependant, ils étaient affectueux et très aimables, et de mon côté, j'éprouvais une conscience compatissante de leur douceur à mon égard. Quand ils sont finalement parvenus à m'extirper des débris et qu'ils m'ont transportée de la voiture à l'ambulance, j'ai senti la pluie qui tombait pendant que je me battais entre la vie et la mort. Une pensée m'a traversé l'esprit : « Tu as changé ! » C'était comme si quelqu'un me parlait à voix basse.

Les blessures de mon corps étaient considérables. J'avais le côté droit de la boîte crânienne, le bras et le coude droit ainsi que le foie écrasés. J'avais le poumon droit affaissé et les os cassés de ma cage thoracique me transperçaient la peau et les vêtements. À mon arrivée à l'hôpital, j'avais conscience que les préposés tournaient de l'œil en me voyant. J'avais environ quatre-vingt-dix fractures. J'avais en plus de graves entorses à la mâchoire et au pelvis, et les médecins ont considéré la possibilité de m'amputer le bras droit. Néanmoins, le pire de tout était que j'avais les cordes vocales, la trachée et l'œsophage complètement détruits.

Pendant que les chirurgiens essayaient de reconstruire mon corps brisé, je voyais des mains pleines de lumière danser au-dessus de mon corps. Des doigts longs et gracieux raccommodaient les morceaux déchirés de mon corps qui formaient, à ce qu'il semblait, un flocon de neige plein de lumière. Pendant toute l'opération, malgré les moments d'absence complète de signes vitaux, je suis demeurée totalement consciente de ce qui se passait en moi et autour de moi.

Peu de temps après la fin des chirurgies, il est devenu évident que ma voix ne se rétablirait pas. Les médecins m'ont dit que si je survivais à cet accident, je ne parlerais plus jamais, et encore moins je ne chanterais. Pour moi, c'était clair : si je ne pouvais plus chanter, j'aimais mieux mourir.

Aussi bien pour supporter la douleur que pour composer avec les implications de cet événement dans ma vie, il n'y avait qu'une chose à faire : lâcher prise. Que faire d'autre ? J'avais le choix de me tourmenter atrocement, de me mettre en colère et de me battre contre la réalité, ou de m'abandonner aux évènements. Par la force des circonstances, c'était quelque chose que j'avais pratiqué toute ma vie, aussi y étais-je bien préparée. Quand je regardais en arrière les choses les plus belles et les mieux réussies qui me sont arrivées : la musique, donner naissance à des enfants, voyager seule à travers le monde, me produire devant de vastes auditoires — expérience à la fois excitante et terrifiante —, je ne pouvais que constater que tout cela était arrivé parce que j'étais allée de l'avant malgré la peur. J'avais accepté de m'abandonner à l'instant présent, à l'inconnu et à mes rêves.

Ma vie avait irrévocablement changé, et il me fallait lâcher prise d'une manière plus profonde qu'auparavant. J'avais perdu la voix, laquelle représentait mes premiers amours et ma carrière, et j'avais perdu mes capacités physiques et mon apparence, lesquelles, comme ma voix, j'avais tenu pour acquises. J'ignorais si j'allais me rétablir, néanmoins, j'avais déjà commencé à lâcher prise dans la voiture lorsque j'attendais les secours. Je conservais cette attitude et une bénédiction indescriptible coulait sur moi comme un fleuve d'amour liquide. Un sentiment intime et profondément familier m'habitait : j'étais de retour à la maison.

Je méditais presque constamment, même pendant les allées et venues des médecins et des infirmières. Durant mon séjour à l'hôpital, j'ai même commencé à composer mentalement une chanson d'amour pour Dieu. Je savais que ce qui nous anime, nous les humains, va bien au-delà de l'esprit capable de pensées et je demeurais dans un état constant de respect et de gratitude.

Les miracles ont continué de se produire. De temps en temps, un son s'échappait de mes cordes vocales. De plus, je suis sortie de l'hôpital après cinq semaines seulement. Les gens étaient tout à fait étonnés de mon rétablissement. De nombreuses fois, les médecins et les infirmières m'ont dit que mon rétablissement dépassait de loin tout ce qu'ils avaient appris dans les livres pour réparer mon corps. Ce sont des gens compétents et qui ont travaillé magnifiquement pour me sauver, néanmoins, je crois que ma guérison découle en dernier recours de ma capacité de m'abandonner au moment présent et de constamment lâcher prise sur les résultats et les pensées concernant l'avenir.

L'année suivante, je me suis reposée, j'ai médité, j'ai fait de l'exercice, j'ai étudié et j'ai travaillé avec un entraîneur. Pendant cette période, environ deux cents personnes : des chirurgiens, des médecins, des infirmières et des thérapeutes, se sont mis à méditer quand ils ont vu ce qui m'était arrivé. Chacune de ces personnes était intervenue d'une façon ou d'une autre dans mon dossier. J'ai enseigné la méditation à bon nombre d'entre elles, et cela m'a fait plaisir de rendre ce que j'avais reçu. Dans plusieurs hôpitaux, mon histoire a fait l'objet de conférences au cours desquelles on m'invitait à parler de mon expérience.

Trente ans plus tard, je suis toujours en train de me rétablir tant au plan physique qu'au plan émotionnel. La vie est bonne pour moi. J'écris, je supervise des artistes débutants et professionnels, je compose des chansons et j'enregistre encore. J'enseigne les arts d'interprétation qui font intervenir tout le corps ; je considère cela et ma pratique de méditation comme les éléments les plus significatifs de mon processus continuel de thérapie et de guérison. De plus, à ma plus grande joie, j'ai retrouvé presque toute la portée de ma voix d'avant : plus de quatre octaves sur cinq octaves et demie.

La conséquence de cet accident est que, dorénavant, je sais qu'il ne faut pas craindre la mort. C'est un événement plein de lumière et d'amour. C'est plus grandiose que tout ce que l'on peut imaginer ! Désormais, je n'ai plus peur de mourir... ni de vivre. Je suis plus capable de faire preuve de patience, de compassion et je démontre plus d'empressement à accepter les choses simplement comme elles sont : voilà ce qu'est le véritable abandon au moment présent. Mes valeurs ont changé, et bien que ma tâche d'enseignante m'amène à voyager à travers le monde, je demeure dans une petite ville : je cultive mon jardin, je me promène à bicyclette et je donne des cours aux jeunes gens qui fréquentent le conservatoire local d'arts de la scène.

Il m'arrive parfois d'avoir des regrets en pensant à ce qui aurait pu être. Néanmoins, je crée aujourd'hui la meilleure musique de ma vie. Lorsque j'étais enfant, je pensais que mon destin était de monter sur les plus grandes scènes du monde. Aujourd'hui, ma vie est plus simple que cela et j'ai finalement trouvé en moi une musique qui est un véritable remède pour l'âme. Voilà le but ultime de l'art et de la musique.

« *Néanmoins, je crois que ma guérison découle en dernier recours de ma capacité de m'abandonner au moment présent et de constamment lâcher prise sur les résultats et les pensées concernant l'avenir.* »

— Ciella Kollander

26- L'autorité

Je sais reconnaître une bonne conférence quand j'en entends une. Moi-même conférencière depuis l'âge de sept ans (voir chapitre 17), je réagis à une conférence comme toute personne de l'auditoire, mais de plus, j'ai le point de vue critique d'une professionnelle du domaine.

Pendant les conventions politiques de 2004 au pays, j'ai écouté sur les ondes différents discours et j'ai remarqué deux genres distincts de présentation. Dans le premier genre, les discours sont prononcés avec force et nous donnent l'impression que les mots sont criés. Dans le deuxième, les discours sont prononcés avec passion et le conférencier semble comprendre les mots qu'il emploie. La différence est une question de cœur : a-t-on affaire à un conférencier — homme ou femme — qui sait de quoi il ou elle parle ou à quelqu'un qui ne fait que débiter des paroles sans porter attention à ce qu'il dit ?

Chaque fois que j'entendais un conférencier qui parlait avec des mots qui venaient du cœur, je sentais la présence d'une autorité qui m'inspirait confiance dans la capacité de cette personne de mener le pays, et j'étais plus portée à croire ce que j'entendais.

L'autorité est une qualité de meneur que l'on retrouve chez celui ou celle qui a la maîtrise de lui-même ou d'elle-même. Par exemple, un parent fera preuve d'une réelle autorité, lorsqu'il guide son enfant avec sagesse et non pas en essayant de le contrôler, et qu'il applique pour lui-même les principes qu'il essaie d'inculquer. De même, un chef d'État dont les valeurs sont cohérentes avec ce qu'il ou elle proclame publiquement aura de la crédibilité auprès de la population… et de l'autorité. De même, un directeur d'entreprise qui s'attend à certains comportements de la part de ses employés doit être disposé à s'y conformer lui-même, s'il souhaite obtenir le respect et l'obéissance de ses employés.

Pendant les conventions de 2004, j'ai entendu plus de femmes, à ce qu'il m'a semblé, que lors des précédentes conventions. J'ai senti, comme jamais, la possibilité qu'une femme soit élue présidente des États-Unis et je trouvais que cela était une bonne chose ! Non pas que nous n'avons pas eu de grands dirigeants politiques hommes. Mais l'élection d'une femme signifiera que la conscience collective de la population est maintenant prête pour un changement de direction de l'autorité, laquelle passera du domaine prépondérant de l'esprit à celui plus profond du cœur.

Diriger à partir des valeurs du cœur est un attribut de la féminité. Cela ne signifie pas que les femmes dirigent toujours avec cette attitude ni que les hommes ne le font jamais. Il est certain que certaines femmes chefs d'État de notre époque ont fait l'objet de controverse autant que leurs correspondants masculins. Néanmoins, comme l'aspect féminin est d'habitude plus présent chez les femmes, nous sommes plus enclines à diriger à partir des valeurs du cœur. Antoine de Saint-Exupéry disait : « On ne voit bien qu'avec le cœur, l'essentiel est invisible pour les yeux. »

Je suis fortement convaincue que la capacité de nous soigner nous-mêmes et de soigner le monde dépend de notre capacité à passer de nos comportements compétitifs et agressifs à des conduites d'entraide et d'ouverture. Cela signifie que les valeurs féminines devraient s'exprimer davantage dans notre culture, surtout dans le monde des affaires et de la politique.

Dans l'histoire suivante, Linda Elliott en fait l'expérience. Elle nous montre aussi qu'un meneur qui sait faire preuve d'autorité entraîne les autres à découvrir leur propre pouvoir et à prendre conscience de leur être. Un véritable meneur est celui ou celle qui obéit à sa propre vérité intérieure et qui a le courage de marcher en direction de cette vérité. En accomplissant cela, Linda Elliot nous donne un exemple d'un type de meneur dont notre monde a grandement besoin.

L'histoire de Linda Elliott
La course des taureaux

Dès mon arrivée au travail, à huit heures, ce matin-là, il est clair que quelque chose ne tourne pas rond chez Visa International. Les gens se déplacent rapidement, le visage renfrogné, et l'ambiance est chargée de tension. Presque tout de suite, quelqu'un me met au courant de la nouvelle : il y a eu une interruption de service de trois minutes durant la nuit.

Visa International fait fonctionner les systèmes responsables du traitement d'environ les deux tiers de toutes les transactions effectuées par carte de crédit à travers la planète. Que vous utilisiez une carte de crédit pour acheter un tuba à Tahiti ou pour louer une voiture en Nouvelle-Zélande, il y a de fortes chances que la transaction soit vérifiée et approuvée par Visa International. Lorsque les systèmes, exploités en temps réel, de vérification en ligne des cartes et des limites de crédit sont initialement mis en place, c'est une vraie révolution. Pour la première fois dans l'histoire, les consommateurs peuvent porter à leur carte de crédit des achats de biens et services effectués en n'importe quelle devise, partout à travers le monde, et la banque émettrice de la carte a le moyen de vérifier la validité de la carte et la solvabilité du détenteur.

Des innovations aussi considérables ne sont pas le fait de gens qui ont froid aux yeux. Visa International emploie bon nombre de professionnels audacieux, dynamiques et énergiques qui connaissent leur secteur de marché aussi bien qu'ils maîtrisent les connaissances technologiques requises. La réussite dans ce milieu peut se comparer à une poursuite de taureaux.

Je suis chez Visa depuis quelques mois seulement. Je suis la dernière entrée du groupe de directeurs qui est responsable du développement et du soutien de ces systèmes de vérification. Chaque matin, à huit heures, nous tenons une rencontre éclair qui porte sur tout ce qui peut s'être produit en relation avec ces systèmes durant les vingt-quatre dernières heures : que ce soit un petit problème ne concernant qu'un marchand ou un problème plus vaste affectant tout le système. Quand une panne affectant l'ensemble des systèmes est détectée, quelle qu'en soit l'importance, toute l'équipe se mobilise de manière à déterminer exactement ce qui s'est produit, à corriger la situation et à empêcher le problème de se reproduire à l'avenir. Tout est également mis en œuvre pour informer les utilisateurs du système de ce problème.

Toutes les actions sont entreprises avec une extrême rapidité et le plus grand sérieux : comme si le système était le corps humain et le problème une hémorragie ! Une interruption de service d'une minute n'est pas loin d'être une catastrophe. Une interruption de plus de deux minutes peut facilement entraîner des pertes d'emploi et un remaniement important des systèmes. Ces systèmes constituent la marque de commerce de Visa et l'équipe prend cela extrêmement à cœur.

Les premiers jours chez Visa, j'étais étonnée de voir les gens se bouleverser autant pour des évènements de deux ou trois minutes. Mais, j'ai appris très vite les effets dévastateurs des interruptions. Pendant une panne, les marchands, partout à travers le monde, n'obtiennent aucune réponse lorsqu'ils glissent la carte dans le terminal ; ils demandent alors au client s'il possède une autre carte. Il en résulte donc une perte de revenu de l'ordre de plusieurs millions de dollars tant pour Visa que pour les banques émettrices de cartes. Il y a pire : le détenteur de la carte aura tendance à oublier dans son portefeuille la carte qui a été rejetée et à ne plus l'utiliser.

Lors de la rencontre éclair, je sens la terreur envahir ma poitrine. Il semble que l'interruption de trois minutes a été causée, du moins en partie, par une faille des composantes dont je suis responsable. À la suite de cette terrible constatation, il me faut prendre la responsabilité de l'équipe multidisciplinaire qui tentera de déterminer la cause première de la panne et prendra toutes les mesures nécessaires pour enrayer celle-ci du champ des possibilités futures.

Une heure plus tard a lieu la première rencontre du groupe en question et je me retrouve assise au bout d'une table autour de laquelle se serrent des gens au visage fermé, très déterminés et très influents, et qui, pour la plupart, ont plusieurs années d'expérience dans le domaine. Je jette un regard sur la longue table : il y a vingt-quatre hommes et une femme. Nous sommes dans les années quatre-vingt et cela ne me semble pas étrange que les femmes soient en si petit nombre ; ce qui est étrange, c'est que nous sommes deux ! Ce n'est pas la faute de Visa ; j'ai pu me rendre compte par moi-même que Visa ne fait preuve d'aucun biais préjudiciable aux femmes et qu'elle se montre disposée à leur donner des responsabilités. À ce moment de l'histoire, il y a surtout des hommes dans les salles de conférence parce que, dans le monde des affaires en Amérique, les femmes sont encore en train de gravir l'échelle professionnelle et elles n'ont pas encore atteint ce niveau de responsabilité.

Je sens que mes collègues masculins ont un comportement correct à l'égard des femmes, mais qu'ils doutent de notre capacité à survivre dans ce rude milieu. Dieu sait qu'il faut faire preuve de détermination ! Autour de la table, les gens veulent des réponses ; néanmoins, ils sont aussi déterminés à trouver la cause première du problème partout, pourvu que ce ne soit pas dans leur propre secteur. Le désastre est à la fois une occasion d'avancement et une menace pour chaque directeur présent. Dans le milieu des affaires, les requins sont attirés par l'odeur du sang. Si quelque chose va de travers, chacun souhaite éviter le blâme et tâche de trouver quelqu'un à qui l'attribuer. Si on vous porte un coup, vous ne pouvez vous défendre, car tous se ruent sur vous comme des requins, cela pourrait bien signifier la fin de votre carrière. Dans l'heure qui a précédé la rencontre, j'ai entendu plusieurs récits à propos des groupes, incluant le mien, qui évoquent des scénarios dévastateurs. J'ai bien conscience que les requins rôdent.

À la table, tous les regards sont fixés sur moi. Je suis une cible de premier choix : nouvellement arrivée, plus jeune que la plupart et une femme de surcroît ! Je sais qu'ils pensent qu'il sera facile de me manipuler et de me passer sur la tête. Bon nombre d'hommes courageux ont déjà fait la culbute en essayant de survivre dans ce milieu ; je devrais être une victime qui ne pose pas de problèmes. Je suis convaincue qu'ils s'attendent à ce que je fonde en larmes d'un moment à l'autre, et à dire vrai, en dedans de moi-même, je suis terrifiée. Je sais que je suis en train de jouer mon poste ; ce n'est jamais plus terrible que cela dans ce milieu. Néanmoins, extérieurement, je reste calme et je ne démontre aucune crainte. Je sais qu'il me faut être forte, mais je sais aussi — à cause de mon éducation et de mes valeurs — qu'il me faut faire preuve de prudence et de justice. L'idée de poursuivre les taureaux en direction de l'arène me va, mais celle d'attaquer comme un escadron de requins ne me convient pas.

Je prends une bonne respiration et je me mets à parler. Je dis à ces gens forts et déterminés qu'il nous faut obtenir toute l'histoire, et qu'aucun élément de l'histoire ne sera négligé. Je prononce ensuite des paroles inconcevables : je leur dis que si le problème relève du secteur dont je suis responsable, je l'accepterai et je ferai le nécessaire. Je les avise que je m'attends à la même chose de leur part. Nous allons examiner les faits, purement et simplement, trouver les causes du problème et remédier à la situation, sans partir à la recherche de boucs émissaires. Ensemble, nous pouvons trouver la solution du problème, et toute information concernant cette affaire ou toute découverte à laquelle nous mènera notre enquête ne fera l'objet d'aucun jet d'attaques.

Pendant que je parle, je vois presque apparaître les cicatrices, résultats de précédentes attaques de requins, que portent plusieurs de ces guerriers. Je sais que leur première réaction est de sauver leur peau à tout prix, parce que c'est exactement ce que je ressens fortement moi-même. Néanmoins, je sais que ce n'est pas cela qui doit nous guider. En bref, j'informe ces gens que je ne tolérerai ni manigances ni tentatives d'anticipation ni attaques personnelles lorsque nous aurons découvert exactement ce qui s'est passé.

Je termine mon préambule dans un silence total. Tous me regardent encore, mais leur expression a changé. Ils ont maintenant l'air interrogateur, et ils sont stupéfaits. Ma démarche ouverte et directe les a complètement déroutés.

Comme tous semblent hésiter, je poursuis simplement en leur faisant part des étapes qu'il nous faudra suivre et en les informant des données que chaque équipe devra fournir ainsi que l'horaire de nos rencontres (en fait, nous devons nous réunir toutes les deux ou trois heures jusqu'à ce que le problème soit réglé). Je suggère ensuite que nous ajournions la réunion et que nous partions tous à la recherche des informations requises pour la prochaine rencontre.

En quittant la salle, tous semblent soulagés et contents. À partir de ce jour, j'acquiers réputation d'être bonne joueuse, forte et crédible, car au grand étonnement de tous, la stratégie, simple et directe, que j'ai proposée fonctionne. Nous trouvons plusieurs facteurs auxquels le problème peut être attribué.

Quelques-uns relèvent de l'équipe dont je suis responsable, mais plusieurs autres sont aussi concernées. Tous, nous présentons au groupe des propositions pour remédier à la situation dans nos secteurs respectifs, et nous travaillons ensemble pour améliorer ces solutions. Nous créons un nouveau modèle d'intervention pour les crises de ce genre, qui s'avère productif au lieu d'être destructif. Personne ne perd son poste ou n'est discrédité aux yeux des autres. Le sang ne coule pas et personne ne voit étinceler les crocs acérés des requins.

En quelques années, les pannes de services de Visa disparaissent virtuellement. À un moment, le système fonctionne pendant cinq années consécutives sans aucune interruption. Visa est une entreprise de calibre international et je suis fière d'en faire partie. J'ai travaillé chez Visa pendant quatorze ans, gravissant les échelons de l'entreprise pour finalement accéder au poste de vice-présidente directrice générale. C'est un excellent milieu de travail qui m'a permis de grandir et d'apprendre comment, en tant que femmes, nous pouvons avoir un impact positif sur la culture d'une entreprise.

L'une des choses, peut-être parmi les plus significatives, que nous pouvons apporter au monde du travail est la compréhension que la peur n'est pas un ingrédient nécessaire à l'exercice du pouvoir. Les gens peuvent poursuivre les taureaux en direction de l'arène, mais il n'est pas nécessaire d'attaquer comme un escadron de requins. Les efforts soutenus des gens bien intentionnés parviennent à accomplir de grandes choses.

« L'une des choses, peut-être parmi les plus significatives, que nous pouvons apporter au monde du travail est la compréhension que la peur n'est pas un ingrédient nécessaire à l'exercice du pouvoir. »
— Linda Elliott

27- La paix

Dans plusieurs des chapitres précédents, j'ai raconté des histoires se rapportant à ma décision de partir en Afrique occidentale servir pour la Peace Corps ; j'ai aussi parlé des voyages autour du monde que j'ai effectués à la fin de ma mission. Quelle chance j'ai eue ! Mon séjour en Afrique occidentale dure deux années entières et constitue l'expérience la plus marquante de ma vie : un tremplin pour apprendre et grandir.

J'habite une ville appelée Porto Novo qui est la capitale d'un petit pays d'Afrique occidentale connu aujourd'hui sous le nom de Bénin, mais qu'on appelle alors Dahomey. J'enseigne l'anglais à de jeunes gens d'un pays qui a comme voisin le Nigeria, un géant africain dont la population est anglophone ; je trouve ma tâche importante et satisfaisante. Je m'immerge dans la culture du pays et je côtoie des adeptes des religions chrétienne, naturelle et musulmane qui vivent en harmonie les uns avec les autres. Souvent, la nuit, je suis réveillée par les tambours, et parfois on m'invite à me joindre aux danses dans des fêtes de village. J'adore mes élèves et je suis ravie de l'enthousiasme dont ils font preuve pour parler anglais avec moi, de leur empressement à m'apprendre leur langue et de l'amusement évident que leur causent mes façons à l'américaine.

De plus, j'apprécie beaucoup les quelques contacts que j'ai avec les anglophones du pays de même que j'apprécie les volumes écrits en anglais que j'obtiens de la bibliothèque de la Peace Corps de Cotonou, la capitale (sans parler du shampoing américain !) L'un des évènements les plus significatifs qui m'arrivent en Afrique est de tomber par hasard sur le livre de Herman Hesse intitulé *Siddharta*. Ce livre raconte l'histoire d'un jeune homme qui cherche le sens de la vie.

À un certain moment, Siddharta prononce des paroles qui me laissent une profonde impression : « … en vous, il y a un endroit de paix où vous pouvez trouver refuge à tout instant et vous sentir bien… » Ce livre fait naître en moi un immense désir de trouver la paix ; c'est pourquoi, au lieu de me rengager pour une troisième année avec la Peace Corps, je décide de partir pour l'Inde, le lieu où se déroule le récit de Siddharta, et de me mettre à la recherche de quelqu'un qui m'aidera à trouver cette paix.

Ma quête se poursuit encore aujourd'hui, et il y a eu des épisodes glorieux ! Parfois, j'ai l'impression que j'ai trouvé tout ce que j'ai jamais souhaité ; parfois, je désire encore plus. Ai-je trouvé la paix intérieure ? Récemment, je ne pense pas pouvoir dire que j'étais en paix lorsque j'ai dû passer huit heures à l'urgence d'un hôpital de Toronto afin qu'on puisse déterminer si les problèmes que j'avais à un œil étaient des symptômes de décollement de la rétine ! (Grâce au ciel, ce n'était pas le cas.) Et que dire de l'époque où, dans le but de réaliser nos rêves de créativité respectifs, mon mari et moi avions pris la décision de vivre chacun d'un côté du pays, à mi-chemin l'un de l'autre.

Cependant, malgré les aléas de la vie et l'alternance entre joie et désespoir, je reconnais qu'il y a une partie de moi qui ne change pas : l'aspect éternel de la vie qui m'habite et qui constitue mon essence. Que je sois dans le haut ou le bas du cycle de la vie, je sais que « cela aussi passera » parce que c'est dans l'ordre des choses. Plus je suis disposée à accepter tout ce qui m'arrive comme part de l'expérience humaine, plus je me sens libre.

C'est exactement ce qui se passe pour Lindy Jones dans l'histoire suivante. Je revois Lindy un jour au yoga. C'était la première fois que nous nous rencontrons depuis que son partenaire, Matthew, est décédé du cancer aux Philippines, il y a quatre mois. Nous nous serrons dans les bras l'une de l'autre pendant un long moment. Elle m'informe qu'elle a décidé d'aller dans le Sud en voiture visiter sa famille. Elle s'arrêtera d'abord à la Nouvelle-Orléans, pour porter les appareils photographiques de son père, un photographe de documentaires, lors du festival annuel de Jazz. Je lui dis que, bien que cela soit difficile à croire, car j'ai grandi en Louisiane, je n'ai jamais assisté à un festival de Jazz. Sans hésitation, elle me rétorque : « Monte ! Tu resteras avec moi. »

Lindy est une femme extraordinaire et une merveilleuse chanteuse et parolière. J'étais enchantée de passer quelque temps avec elle et de rencontrer sa famille. Nous nous amusons bien au festival, nous mangeons des glaces à la mangue et de gros bols d'étouffade de crevettes ; néanmoins, je me rends compte que Lindy a l'esprit ailleurs. À la surface, elle semble heureuse et aimable, et se montre intéressée aux gens qui l'entourent et aux évènements qui surviennent. Intérieurement, elle est submergée par le chagrin d'avoir perdu son partenaire, et elle a perdu le goût de vivre. Quand vient le temps de nous quitter, je sais qu'elle vit un intense désespoir.

Quelque deux mois plus tard, j'invite Lindy à demeurer chez moi, dans ma maison du Middle West, pendant que j'effectue un voyage d'affaires. À mon retour, je retrouve une personne tout à fait différente de celle que j'ai côtoyée durant mon séjour à la Nouvelle-Orléans. Elle est heureuse, vibrante et pleine de vitalité. La vie circule en elle d'une manière que l'on dirait magique. Nous allons et venons sans nous déranger l'une l'autre, et par moments, nous nous rejoignons d'une manière inattendue. Un soir, à minuit, nous nous retrouvons étendues sur une couverture au terrain de golf de ma rue, à regarder les étoiles et les lucioles. Le temps est enfin venu qu'elle me raconte l'histoire de Matthew.

Selon moi, cette histoire nous confirme qu'il est possible de connaître la paix, peu importe ce que nous vivons : joie ou peine.

L'histoire de Lindy Jones
Une nuit remplie d'étoiles

Je vis depuis un an et demi avec Matthew quand il apprend qu'il a un cancer avancé de l'estomac, très agressif, et qu'il ne lui reste qu'un mois ou deux à vivre. On l'informe également que toute démarche de médecine occidentale ne peut que s'avérer inutile à ce stade. Nous décidons donc de nous rendre aux Philippines pour consulter là-bas d'éminents chirurgiens médiums. Il y a cinq ans, l'un de nos amis a été guéri de trois types de cancer grâce à ces chirurgiens. Depuis, il a conseillé à une dizaine d'autres amis de se rendre là-bas parmi lesquels sept sont en rémission.

Matthew est l'un des trois qui ne s'est pas rétabli. Lorsqu'il est mort, je dois non seulement affronter la douleur de perdre mon bien-aimé, mais encore faire face aux difficultés que cause un décès dans un pays étranger. Je me dispute avec les fonctionnaires pour qu'ils acceptent de me laisser rester avec lui pendant qu'on l'emmène à la morgue. Je dois voyager deux heures avec le corps par une chaleur tropicale afin de me rendre au crématorium le plus proche. Au crématorium, je reste assise six heures près du four crématoire, faisant une veille pour Matthew pendant que sa dépouille est incinérée. Je me pose la question : *Qu'est-ce qui est réel ?*

Après la crémation, je retourne à Baguio City à l'appartement que nous habitions lorsque Matthew est décédé.

Je me lance dans la tâche de préparer un endroit sacré pour recevoir les cendres de Matthew. Je vide complètement la pièce, je pose les lits à plat contre le mur, je lave les planchers et je nettoie la salle de bain. Je verse ensuite de l'huile de lavande sur le parquet et je le frotte à genoux. Je remets les lits en place, je mets des draps propres, j'allume des chandelles et des bâtons d'encens, et je répands des pétales de roses sur les lits et le plancher. C'est un rite de purification pour nous deux. Pendant la semaine, des amis appellent et un ami proche de Matthew m'offre son aide. Toutefois, plus que tout, je chéris le moment que j'ai passé seule lorsque l'âme de Matthew s'est envolée.

Les jours qui suivent, je trouve une magnifique urne en ébène pour y déposer les cendres de Matthew et je demande à un artisan de l'endroit de sculpter les mots « Dans l'amour et la lumière » à l'intérieur du couvercle, à côté des dates de naissance et de décès de Matthew. C'est important que l'urne soit fabriquée et sculptée ici aux Philippines : c'est important en regard de la transition que Matthew et moi devons effectuer. Je suis très touchée par la sincérité et la compassion que les Philippins avec qui j'ai fait affaire me démontrent. Quand ils apprennent ce qui s'est produit, ils prennent ma main dans la leur, me regardent dans les yeux et disent à voix basse : « Je vous offre mes condoléances. »

Puis, enfin, le moment est venu de revenir aux États-Unis. En plus du certificat de décès et des documents d'incinération, j'ai aussi besoin de documents pour la douane philippine afin d'avoir la permission de sortir les cendres du pays et pour la douane américaine pour pouvoir les faire entrer aux États-Unis. Je contacte l'ambassade américaine à Manille et je prends rendez-vous pour rencontrer quelqu'un là-bas à sept heures le jour de mon départ pour la Californie. Le voyage à Manille est éreintant : j'ai six valises, les miennes et celles de Matthew, et un fauteuil roulant. Néanmoins, la fatigue physique n'est rien en comparaison de la douleur que me cause l'inévitable réalité : je repars du pays seule.

Comme convenu, j'arrive à l'ambassade à sept heures… pour trouver les bureaux fermés en l'honneur du jour de Martin Luther King. Je suis prise de panique. Je m'approche du gardien et je lui explique ma situation. Je me sens au bord de la crise de nerfs quand il m'informe que l'ambassade est vide et qu'il n'y a personne pour m'aider. Je supplie d'appeler la fonctionnaire qui m'a fixé le rendez-vous à cette heure-là, ce jour-là. Avec grand soulagement, j'aperçois une lueur de compassion dans les yeux du gardien et je me rends compte qu'il va faire son possible pour m'aider. En fin de compte, la femme à qui j'ai parlé et son supérieur rentrent au travail leur jour de congé, ils ouvrent les bureaux de l'ambassade et ils procèdent aux tâches administratives nécessaires à mon retour.

Étant donné que seul le personnel est autorisé à entrer dans l'édifice, le gardien me donne une chaise en plastique sur laquelle je m'assois dans la cour. Je reste là six heures à attendre que les documents soient prêts. C'est une longue attente, néanmoins, chose étonnante, cela ne me semble pas long. Je ne ressens ni ennui ni agitation. Les heures passent et je me demande ce que j'aimerais faire au lieu d'attendre. Regarder un film ? Boire du thé dans un petit café ? Non, il me semble que je ne souhaite être nulle part ailleurs. L'instant que je vis est parfait comme il est.

Tout à coup, cela me frappe. Je suis responsable de chaque instant que je vis, où que je sois, quoi que je fasse, qu'importe avec qui je suis. Jamais plus, je ne ferai une chose en pensant à quelque chose d'autre. Désormais, je souhaite me consacrer entièrement à ce qui se produit dans ma vie à chaque instant ; même si, d'un certain point de vue, les choses peuvent paraître extrêmement inadéquates. Je prends conscience de la profonde vérité que tout chose est parfaite comme elle est.

Ce soir-là, je m'envole pour la Californie ; Matthew y a vécu la majeure partie de sa vie. Je me sens hébétée et déprimée, mais j'ai promis à Matthew de m'occuper de ses affaires et de répandre ses cendres sur le mont Tamalpais. Cette promesse me donne de l'allant. Je demeure chez une bonne amie à moi et je fais du bénévolat, quelques heures par jour, dans un jardin botanique de l'endroit ; je fais mon possible pour parler aux gens et me comporter normalement. Néanmoins, ma vie me semble vide et inutile.

Quelques semaines plus tard, en compagnie d'un petit groupe d'amis intimes et de membres de la famille de Matthew, je grimpe le sentier abrupt et venteux qui nous mène à l'endroit que nous avons choisi près du sommet du mont Tamalpais. Nous nous rassemblons dans une clairière au pied d'un vieux pin aux lignes grossières. Sur le sol, un cercle formé de pierres semble être là depuis le début des temps. La lumière sur l'océan Pacifique rayonne et miroite d'une manière extraordinaire. Nous parlons de Matthew et de l'influence qu'il a eue sur notre vie. Pendant que nous nous racontons nos histoires respectives, le jour se transforme sous nos yeux : tour à tour brumeux, clair, sombre, ensoleillé. Je ne me suis jamais trouvée dans un plus bel endroit, et tous, nous y sentons la présence de Matthew. Il est arrivé à destination.

Un mois plus tard, je franchis la porte de la maison de Matthew en Iowa. Je regarde partout autour de moi. Voici les chaises dans lesquelles nous nous sommes assis à la table de la cuisine ; voici les grains qu'il a utilisés pour faire du café. Cette vie est terminée. Je m'assois sur la chaise le plus près, et je sens la douleur me dévaster. Il me faut continuer à vivre sans Matthew et cette pensée m'est insupportable. À quarante ans, j'avais finalement établi une relation harmonieuse avec quelqu'un. Je ne peux accepter qu'il soit parti.

Les jours passent et je suis indifférente à tout. Je veux mourir. Un matin, je suis recroquevillée sur le plancher de la salle de séjour, serrant mes genoux contre ma poitrine, habitée par une tristesse douloureuse. Tout à coup, je bascule dans ce qui me semble un puits de chagrin. Plus je tombe profondément, plus je découvre que c'est différent de ce que je croyais. Je fais l'expérience — ni déchirante ni trop bouleversante, mais viscérale — du caractère poignant de la vie, de sa portée, de son étendue, de son aspect mystérieux, de sa profondeur, de son ampleur, de son immensité et de son obscurité qui n'est pas vraiment noire.

Je me rends compte qu'on pense souvent que le chagrin est sombre et que la noirceur est mauvaise alors qu'en fait, cela s'apparente à la nuit. C'est magnifique. La lumière qui l'éclaire ressemble à une nuit remplie d'étoiles. Ce n'est ni une mauvaise expérience ni une bonne expérience. C'est simplement une expérience différente. J'ai vu comment j'allais faire pour survivre.

Les semaines suivantes, je suis envahie par des vagues d'émotions qui me portent d'un extrême à l'autre. À un moment, je me comporte normalement, je converse avec quelqu'un ou je conduis ma voiture. Le moment d'après, j'ai le souffle coupé par une douleur qui me torture le cœur. Les moments de chagrin sont suivis par un état d'exaltation et le très fort sentiment d'aimer et d'apprécier la fascinante beauté du monde et d'y être reliée. Je sanglote et quelques instants plus tard, je tombe en extase et j'éprouve une immense gratitude de pouvoir regarder un lever de soleil, entendre les bruits matinaux ou sentir dans ma main la chaleur d'une tasse de thé.

Les jours, les semaines, les mois passent. Aujourd'hui, la blessure de mon cœur continue de guérir et je ressens une paix croissante. Il m'arrive encore d'éprouver de la colère. Je n'accepte pas d'avoir perdu l'homme avec qui je me suis sentie enfin heureuse. J'observe le va-et-vient de mes émotions ; on dirait une tempête qui se lève. Il pleut, le soleil paraît et il y a un arc-en-ciel. Une autre tempête s'amorce, elle déracine un arbre, puis le calme revient.

Lorsque j'ai perdu Matthew, j'ai eu l'impression de me fracasser en morceaux pour ensuite découvrir que mon être véritable ne peut être réduit en morceaux. Forte de cette connaissance, je peux dire que la vie est pour moi plus profonde, plus belle et plus mystérieuse que tout ce que je croyais possible.

« *Les gens vivent et meurent, ils apparaissent dans notre vie et s'en vont : en un sens, toutes ces allées et venues n'ont rien de réel. Selon moi, ce qui est réel est l'amour, et l'amour subsiste.* »

— Lindy Jones

Mot de la fin

Je ne suis plus celle que j'étais lorsque j'ai commencé à écrire ce livre. Le fait de côtoyer les femmes extraordinaires dont les histoires apparaissent ici — et de m'imprégner des principes qui mènent au bonheur et au contentement — a fait de moi une personne plus honnête, plus vulnérable et plus réelle. Je suis en mesure de faire de meilleurs choix de vie. Je ressens de la gratitude à l'état pur devant l'insondable mystère de la vie. Ma quête de paix s'est approfondie depuis que je suis de mieux en mieux capable d'accepter les évènements de la vie.

Quand je voyageais autour du monde, une citation de T.S. Eliot a attiré un jour mon attention. Pendant mon séjour en Inde, je faisais des dessins représentant les simples scènes de la vie que j'observais. Dans le haut de la feuille, j'écrivais la citation en question : « Nous ne cesserons pas d'explorer, et la fin de notre exploration sera de parvenir à notre lieu de départ et de le connaître pour la première fois. »

Le seul moyen de connaître notre lieu de départ est de nous connaître nous-mêmes. Les principes qui permettent d'atteindre la réussite, qui sont présentés dans ce volume, sont simplement l'expression d'une bonne compréhension de soi. Il n'est pas nécessaire de les mettre en pratique : il suffit de reconnaître leur existence et de souhaiter qu'ils fassent partie des personnes que nous sommes.

Je prie du fond du cœur que nous puissions tous acquérir l'habileté de vivre au présent, de reconnaître les choses pour lesquelles nous devons éprouver de la gratitude, et d'être en paix avec celace qui est. Voilà l'âme de la réussite. Voilà la source de l'authenticité et du vrai pouvoir.

Remerciements

Je remercie de tout cœur les personnes suivantes ; sans leur amour et leur soutien, ce livre n'aurait pu voir le jour.

Merci au personnel extraordinaire de la Health Communications Inc., et surtout à mon éditeur, Peter Vegso, et à mon éditrice, Allison Janse, pour ses suggestions et ses conseils inestimables.

Merci à mon éditrice Cindy Buck pour ses brillantes rétroactions et tout simplement parce que j'ai eu grand plaisir à la côtoyer. Merci aussi à Carol Kline et à Diane Frank pour leur publication d'histoires choisies.

Merci à la docteure Lilli Botchis pour l'amour et le soutien constant dont elle a fait preuve, pour avoir écouté la lecture interminable de chacun des mots de cet ouvrage et m'avoir fait part de ses suggestions, et pour m'avoir aussi appris que les portables et le sable ne font pas bon ménage. Sans elle, je n'y serais pas arrivée.

Merci à Elinor Hall, toujours prête à me faire part de ses suggestions et de ses précieuses opinions. Merci d'être ma plus grande admiratrice depuis des dizaines d'années.

Merci à Jennifer Claire Mayer, ma meilleure amie et l'ange qui a veillé sur ce livre du début à la fin.

Merci aux personnes qui m'ont mise en contact avec quelques-unes des femmes dont les histoires apparaissent ici : Caroll Allen, Lilli Botchis, Ph.D., Kent Crawford, Karla Christensen, Arielle Ford, Fredric Lehrman, Candace Freeland et Virginia St.Claire, Daniel Orion Hawthorne, Barbara Holden, Terry Johnson, Jennifer Moyer, Sheila Ross, Marci Shimoff et Christina Sukkal.

Merci aux personnes qui m'ont conseillée ou qui m'ont accordé une interview. Merci de leur précieuse contribution à l'élaboration des divers principes exposés dans ce volume : Lilli Botchis, Ph.D. (plusieurs), le docteur Jeremy Geffen et l'infirmière Kim Klein (Un remède souverain), Daniel Orion Hawthorne (L'intégrité), R.P. Tom Miller (La foi), le sergent Karl Mohr (L'ouverture), Janet Sussman (La grâce), et la Ph. D. Deborah Tannen, Ph.D. (L'harmonie).

Merci aux femmes — et aux hommes — qui ont lu le manuscrit avant la publication et m'ont donné leur précieuse rétroaction : Karen Burke, Sheryl Fulton, Leilani Gibson, Kim Antara Green, Ellen Greene, Elinor Hall, Amy Hawthorne, Daniel Orion Hawthorne, Nancy Leahy, Kelly McLoughlin, Yaniyah Pearson, Gabrielle ReadHess, Maureen Read, Sheila Ross, Heather Sanders, Kristy Smith, Selma Sussman, Livy Ullman et Kari Wrede.

Merci à Wendy Read. Grâce à son habileté remarquable avec le tableur, il a été possible de quantifier et d'utiliser efficacement les précieuses rétroactions des lecteurs.

Merci à Barbara Warren Holden. La recherche que nous avons effectuée ensemble pour le livre *Diamonds, Pearls and Stones : Jewels of Wisdom for Young Women from Extraordinary Women of the World* m'a fourni de nombreuses citations utilisées dans ce livre.

Merci à Paul Holden pour les séances de remue-méninges, créatives et amusantes, portant sur le titre du livre.

Merci à mes excellents mentors : Marjorie Dyer, mon professeur d'art oratoire au lycée, et Jack Canfield, mon coauteur pour plusieurs volumes de la série *Bouillon de poulet pour l'âme*, de m'avoir ouvert les portes et donné le courage de les franchir.

Merci à toutes les femmes qui ont aimablement raconté leur histoire et qui ont collaboré avec moi afin que leur voix soit parfaitement entendue.

Enfin merci aux femmes que j'ai côtoyées dont l'histoire n'apparaît pas dans ce livre. Elles ont généreusement donné d'elles-mêmes et représentent le mieux ce que c'est que d'être femme. Merci du fond du cœur.

Biographies

Nancy Bellmer est une femme et une mère qui aime méditer, enseigner, faire de la poterie, donner des massages, explorer la nature, et entretenir des contacts affectueux avec ses amis et sa famille. Elle offre son histoire aux lecteurs avec l'espoir qu'ils obtiennent la guérison et l'épanouissement.

Chellie Campbell est l'auteure du livre *The Wealthy Spirit : Daily Affirmations for Financial Stress Reduction* (Sourcebooks, 2002). Elle a mis sur pied les Ateliers de gestion des tensions reliées aux questions d'argent desquels son livre s'inspire et elle anime des programmes partout au pays. On peut contacter Chellie à l'adresse de messagerie *chellie@chellie.com* ou en allant sur le site *www.thewealthyspirit.com*.

Catherine Carter est enseignante, conférencière et animatrice d'ateliers depuis 1976. Elle enseigne la technique de méditation transcendantale et elle est astrologue védique et éducatrice en santé ayurvédique. Elle est diplômée en sciences védiques de la Maharishi University of Management. Elle est coauteure du volume *The Healthy Home*, un guide portant sur les principes de construction de maisons favorisant la santé. Elle a contribué à la création d'un CD intitulé *Love Songs to Mother Earth*, dans lequel elle a participé, et qui s'inspire des traditions amérindienne et védique.

Linda Chaé a mis sur pied la ToxicFree® Foundation, un organisme à but non lucratif. Madame Chaé agit comme consultante auprès des compagnies qui souhaitent mettre sur le marché des produits qui ne contiennent pas d'ingrédients toxiques parmi lesquels des produits : anti-âges, capillaires, pour la bouche, pour bébé, pour les animaux domestiques et pour la maison. Pour commander ces produits, visitez le site web *jh.vivatoxicfree.com*. Pour avoir des informations ou pour retenir Linda pour une conférence de présentation, contactez-la à l'adresse de messagerie suivante : vickimartin@direc-way.com ou appelez au numéro 719-742-5288. Pour avoir des informations supplémentaires sur les ingrédients toxiques, visitez le site *www.toxicfree.org*.

Eileen Dannemann est la fondatrice directrice de la National Coalition of Organized Women (NCOW). La NCOW a été fondée à la fin des années quatre-vingt-dix. Cet organisme constitue l'un des premiers groupes d'action organisée dont le but est de s'opposer aux manipulations génétiques de la réserve de nourriture mondiale effectuées par l'entreprise américaine Monsanto. La NCOW constitue d'abord une force stratégique de consultation et de soutien pour tous les groupes de militants, en particulier pour ceux qui se soucient de sécurité en matière d'agriculture et d'alimentation.

Vicky Edmonds est une poète et une enseignante qui utilise l'art et la pratique de l'écriture afin de nous permettre d'exprimer par écrit les parties les plus profondes et les plus authentiques de nous-mêmes et de les offrir au monde. Elle a publié cinq volumes de poésie et deux volumes d'exercices d'écriture. Le poème « Devenir une nourriture » que l'on retrouve dans son récit « De la nourriture pour tous », est tiré d'un ouvrage à venir qui s'intitule *One Cell in the Body of God : Poetry as a Therapeutic and Spiritual Practice*. Pour obtenir des informations supplémentaires, contactez Vicky à l'adresse 4742, 42nd Avenue SW, #607, Seattle, WA 98116, appelez au numéro 206-937-0700 ou visitez le site *www.ealloftheabove.com*.

Linda Elliott a travaillé quinze ans chez Visa International. À titre de vice-présidente directrice générale, elle a géré les développements technologiques qui ont rendu possible l'utilisation des cartes Visa à l'échelle mondiale et elle a créé de nouveaux systèmes de commerce électronique. Aujourd'hui, Linda est présidente du PingID Network et se consacre à l'élaboration de techniques favorisant des interactions sans frictions et sécuritaires sur Internet. Linda agit aussi comme consultante et mentor, et fait partie du conseil d'administration de plusieurs entreprises.

Pamela George est titulaire d'un Ph. D. Après une carrière de trente ans comme professeure de psychologie de l'éducation, Pamela vient d'ouvrir un studio de peinture à Durham en Caroline du Nord. Les missions qu'elle a effectuées pour la Peace Corps et pour le programme Fulbright l'ont conduite en divers endroits exotiques du globe : les îles Samoa, le Portugal, la Chine et l'Asie du Sud. Néanmoins, elle est toujours revenue à son port d'attache : le sud des États-Unis où elle est née. Pour voir les œuvres de Pamela ou pour avoir des informations, visitez le site *www.pamelageorge.net*.

Leah Green, directrice du projet pour l'Écoute compatissante, possède une maîtrise en Politique publique et en Études du Moyen-Orient. Elle a accompagné des centaines de citoyens américains au Moyen-Orient. Elle a réalisé trois films documentaires sur le conflit israélo-palestinien et a contribué à mettre sur pied le projet d'Écoute compatissante germano-israélien. Leah enseigne l'écoute compatissante partout à travers le monde. Vous pouvez la joindre à l'adresse Compassionate Listening Project, P.O. Box 17, Indianola, WA 98342 , au numéro 360-297-2280 ou par messagerie électronique *office@compassionatelistening.org*. Visitez son site web *www.compassionatelistening.org*.

Ellen Greene a obtenu un Ph. D de Berkeley en 1992. Elle enseigne les lettres classiques à l'université d'Oklahoma et elle est spécialisée dans l'étude des femmes et de la sexualité dans la Grèce antique et dans la poésie latine romantique. Parmi ses œuvres, on compte *Reading Sappho* et *The Erotics of Domination : Male desire and the Mistress in Latin Love Poetry*.

Despina Gurlides est née à New York en 1953. Elle a obtenu un MBA de l'université de New York et a ensuite travaillé pendant vingt ans dans cette ville. Puis, elle est partie vivre dans la baie de San Francisco en Californie où sa vie a pris un virage important à la suite de sa rencontre avec son professeur bien-aimé, Eli Jaxon-Bear. Elle travaille maintenant pour un organisme fondé par Eli, la Fondation Leela, et vit à San Rafael.

Christine Horner est médecin. C'est également une chirurgienne spécialisée en chirurgie plastique certifiée par la commission. Elle a un intérêt particulier pour la médecine naturelle. Elle a reçu une distinction honorifique du magazine *Glamour* et de l'émission Oprah pour la campagne qu'elle a menée visant à faire adopter une législation sur la reconstruction mammaire. Le livre de la docteure Horner intitulé *Waking the Warrior Goddess : Dr Christine Horner's*

Program to Protect Against and Fight Breast Cancer est sorti en librairie en 2005.

Ciella Kollander est une artiste de renommée internationale qui a remporté des disques d'or. C'est également une compositrice et une enseignante. Actuellement, elle travaille à l'écriture de son autobiographie intitulée *The Heart of a Singer*, à la réalisation sur vidéo de son séminaire WholeBodySinging™ et à l'enregistrement d'un CD avec Roger Kellaway. Elle publie aussi des nouvelles, des articles et de la poésie. On peut la joindre au numéro 641-472-SING ! (7464) ou à l'adresse de messagerie *ciellathewriter@yahoo.com*.

La mission de **Mackey McNeill** est de créer un univers d'abondance en offrant un nouveau paradigme de rapport à l'argent. Son livre, intitulé *The Intersection of Joy and Money*, a remporté le prix du livre « ayant le plus d'influence sur la vie des gens » accordé par la Independant Press. Aujourd'hui conférencière, auteure et consultante, Mackey est généralement considérée comme une « conseillère en matière de prospérité ». On peut la joindre à l'adresse de messagerie *Mackey.Mc-Neill@mmmpsc.com* ou en visitant son site web *www.joyand-money.com*.

Sara O'Meara et Yvonne Fedderson sont les fondatrices de Childhelp USA. Cet organisme aide des milliers d'enfants tous les jours en leur offrant de nombreux services, dont un service d'écoute téléphonique, le National Child Abuse Hotline (1-800-4A-CHILD). Grâce au soutien de nombreux et généreux donateurs, elles ont mis sur pied plusieurs « villages » (installations fournissant un toit et des soins) partout au pays pour accueillir les enfants victimes de sévices. L'un de ces lieux de séjour, situé en Arizona, a été offert par Merv Griffin. Pour joindre Childhelp USA, appelez le siège national de l'organisme au numéro 480-922-8212 ou visitez le site web *www.childhelpusa.org*.

Catherine Oxenberg a joué dans vingt-huit productions cinématographiques, dont *La prophétie des ténèbres* en 1999, un film mettant en vedette Michael York réalisé par un producteur indépendant qui a rapporté de gros bénéfices. Elle a pris congé ces trois dernières années pour mettre au monde deux magnifiques petites filles : Maya et Celeste. Sa fille India est née en 1991. De retour au travail, elle vient de terminer *Premonition*, une production pour la chaîne Sci-Fi dans laquelle elle joue au côté de son mari, l'acteur Casper Van Dien. Dans ce film, ils interprètent les rôles de mari et femme pour la première fois à l'écran.

Yaniyah Pearson a une maîtrise ès Arts. Elle travaille avec les jeunes depuis 1981 et anime, à l'échelle nationale, des ateliers de développement pour les jeunes meneurs. Pendant trois étés, elle a accompagné des jeunes meneurs africains-américains, latino-américains et amérindiens en Russie et en Ouzbékistan. Après avoir travaillé douze ans pour la YouthBuild, elle agit maintenant à titre de consultante pour des organismes de développement pour les jeunes. Actuellement, Yaniyah travaille à l'écriture d'un roman, intitulé, *Wind Island*, et à l'écriture d'un essai traitant du développement spirituel des jeunes travailleurs intitulé *Working with the Sacred* duquel l'extrait « Le tempo » a été tiré. Elle habite, avec son compagnon, la vallée de l'Hudson dans l'état de New York.

Deva Premal est connu du public pour ses disques, qui sont des succès de vente, *The Essence*, *Love is Space* et *Embrace*. Ces derniers sont des arrangements contemporains d'anciens mantras indiens. En compagnie de son partenaire Miten, elle donne des concerts de méditation et de célébrations de la voix partout à travers le monde. Visitez son site web *www.Deva-*

PremalMita.com ou communiquez avec elle à l'adresse de messagerie électronique *Connection@DevaPremalMiten.com*.

Alexis Quinlan vit et écrit à New York et elle enseigne la création littéraire à l'Université William Paterson au New Jersey. Elle a écrit les textes d'un calendrier quotidien pour 2004 et 2005 qui s'intitule *Dreams : A Daily Guide to Their Hidden Meaning*. Ses poèmes ont été publiés dans des revues littéraires comme *The Paris Review*.

Wanda Roth est née à New York, mais elle vit maintenant à Fairfield en Iowa. À son retour d'un voyage en Afrique orientale, elle est partie en Californie pour travailler avec des lions. En Californie, Wanda est devenue multimillionnaire ; elle a fait fortune comme agente en immobiliers. Elle a une passion pour la danse de salon. De plus, Wanda enseigne la méditation transcendantale. On peut la joindre à l'adresse de messagerie électronique *rosalie@lisco.com*.

Susan Brandis Slavin est une actrice, saluée par les critiques, qui, dès l'adolescence, a joué dans des films, à la télévision et au théâtre. Elle a fondé la Susan Slavin Actors and Singers Academy au Carnegie Hall. Elle est également auteure de théâtre et metteure en scène. Sa dernière pièce sera portée à l'écran. Elle y tiendra la vedette et écrira le scénario. On peut la contacter au numéro 212-330-8798 ou à l'adresse *susanbrandisslavin@yahoo.com*.

Christina Sukkal est une pionnière dans le champ des relations humaines ; ses enseignements ont eu une influence positive sur la vie de milliers de gens. Elle est l'auteur des livres électroniques *Feeding the Feminine First* et *Essence to Essence : The Ebook of Intimacy*. Elle a aussi créé deux spectacles offerts sur Internet : « Magical Living » et « Eros and Elegance ». On peut joindre Christina au site *www.thetemple.tv*.

Lynne Twist — militante internationale, rassembleuse de fonds, conférencière, enseignante, mentor et conseillère — consacre sa vie au service du soutien de la sécurité et de la pérennité internationales, des droits de la personne, de l'intégrité économique et de l'authenticité spirituelle. Lynne a recueilli plus de 150 millions de dollars en contributions individuelles pour des œuvres charitables, et elle a formé d'autres rassembleurs de fonds à servir plus efficacement les organismes dont l'objectif est de mettre un terme à la faim dans le monde, de donner du pouvoir aux femmes, de nourrir les enfants et les jeunes et de protéger le patrimoine naturel de notre planète. Dans son livre *The Soul of Money*, elle nous présente une nouvelle façon de voir l'argent. Visitez son site web, le *www.soulofmoney.org*.

Jacqui Vines a passé son enfance dans divers foyers nourriciers et maisons d'accueil. Cela ne l'empêche pas, à dix-huit ans, de voler de ses propres ailes et de gravir les échelons de l'industrie de la télévision par câble, un secteur presque exclusivement masculin. Engagée au poste de vice-présidente générale par la Cox Communication pour remettre sur pied un système de câble en difficulté, elle est parvenue à ranimer la croissance du système pour lui faire atteindre un chiffre d'affaires florissant de 150 millions et donner du travail à 550 personnes. Elle adore son travail ainsi que sa vie qu'elle partage avec deux petites filles qui l'appellent « Momma Tia ».

Ginny Walden est née à New Rochelle dans l'état de New York, et elle a obtenu un B.A. du Hiram College en 1969. Elle est ensuite partie vivre à Santa Fe, dans le New Mexico, où elle s'est fait connaître comme sculpteure et joueuse de guitare classique flamenca. Après avoir survécu au cancer et reçu une formation en technique Chi-Lel en Chine, Ginny s'est installée à Honolulu en 1999. Elle est en train de terminer un volume, intitulé *The Healing Power of Knowing*, qui raconte sa guérison. Elle continue également d'enseigner le Chi-Lel et de créer des œuvres d'art et de la musique.

Autorisations

Nous remercions chaleureusement les maisons d'édition et les personnes qui nous ont permis d'utiliser les éléments suivants :

« They Can Be Like a Sun » extrait de *Love Poems from God*, traduit par Daniel Ladinsky, copyright ©2002 Daniel Ladinsky. Utilisé avec la permission de Viking Penguin, une division de Penguin Group (USA) Inc.

« Well of Strenght » (Une ténacité remarquable) est un extrait de « Sufficiency : The Surprising Truth » tiré du livre *The Soul of Money : Transforming Your Relationship with Money and Life* de Lynne Twist. Copyright ©2003 Lynne Twist. Utilisé avec la permission de W.W. Norton & Company, Inc.

« Silence Broken » (Briser le silence) est un extrait de « Chapter One : The Beginning », tiré du livre *Silence Broken : Moving from a Loss of Innocence to a World of Healing and Love* de

À propos de l'auteure

Jennifer Read Hawthorne est une conférencière dont les discours pleins d'idées-forces sont une source d'inspiration pour de nombreux auditoires partout au monde.

Elle a cosigné le succès de librairie n⁰ 1 du *New York Times*, *Bouillon de poulet pour l'âme de la femme* ainsi que le succès de librairie n⁰ 1 du *New York Times* et de *USA Today*, *Bouillon de poulet pour l'âme d'une mère*.

Elle a également cosigné les succès de librairie *Bouillon de poulet* (*Tome 2*), *Bouillon de poulet pour l'âme des célibataires* et *Diamonds, Pearls & Stones : Jewels of Wisdom for Young Women from Extraordinary Women of the World*.

Pour obtenir d'autres informations sur les livres de madame Hawthorne, visitez le site web *www.jenniferhawthorne.com*.

Pour obtenir une copie
de notre catalogue,
communiquez avec :
AdA
1385, boul. Lionel-Boulet
Varennes, Québec
J3X 1P7
Téléc : (450) 929-0220
info@ada-inc.com
www.ada-inc.com

Pour l'Europe, voici les coordonnées :
France : D.G. Diffusion Tél. : 05.61.00.09.99
Belgique : D.G. Diffusion Tél. : 05.61.00.09.99
Suisse : Transat Tél. : 23.42.77.40